D1075003

Frecce

Vittorio Zucconi

L'AQUILA E IL POLLO FRITTO

Perché amiamo e odiamo l'America

MONDADORI

Dello stesso autore
in edizione Mondadori

Si fa presto a dire America
Si fa presto a dire Russia
Gli spiriti non dimenticano
Storie dell'altro mondo

Alcuni pezzi contenuti in questo volume sono apparsi in una prima versione su «la Repubblica» e «D-la Repubblica delle Donne».

«L'aquila e il pollo fritto»
di Vittorio Zucconi
Collezione Frecce

ISBN 978-88-04-58306-6

I edizione settembre 2008
Anno 2008 - Ristampa 5 6 7

Indice

L'aquila e il pollo fritto

A Chiara Cecilia e Guido Guglielmo

Perché nasca una prateria,
bastano un trifoglio, un'ape e un sogno.
E se non ci sono le api e il trifoglio,
può bastare anche il sogno.

EMILY DICKINSON

Perché vorrei odiare l'America

> Si può sempre contare sull'America che faccia la cosa giusta, dopo avere esaurito tutte le possibilità di fare quelle sbagliate.
>
> WINSTON CHURCHILL

Ho cominciato a litigare con l'America dal giorno in cui l'ho sposata. Un matrimonio perfetto.

Ricordo esattamente la data. Il 10 agosto 1973, il mio arrivo nella «terra dei liberi», nella «casa dei coraggiosi» e nell'albergo scalcagnato sulla Lexington Avenue di Manhattan dove consumai la prima insonne notte di nozze con una sconosciuta creatura chiamata America, senza immaginare che avrei trascorso con lei il resto della mia vita. E che le avrei affidato famiglia, discendenti, debiti, crediti, tasse, speranze, paure e sogni di ricchezza che la sua Borsa di Wall Street mi avrebbe puntualmente rubato. Diventando, parola che mi fa ancora oggi orrore, un «emigrato».

Liberiamo subito il campo da un equivoco. Lo so benissimo che si dovrebbe dire Stati Uniti d'America, non semplicemente America, e che anche la Groenlandia, Haiti e la Patagonia sono America, ma se si è confuso Colombo, posso sbagliarmi anche io, che sono della bassa Padana. L'America per noi tutti è quella lì e basta.

È quella donnona di ferro bugiarda che si è stancata da un pezzo di accogliere «le masse affrante» e fa costruire agli immigrati clandestini messicani, che sarebbero i loro rom e rumeni, muraglie per tenere fuori gli stessi immigrati clandestini messicani che le costruiranno, ignorando che il 50 per cento degli illegali entrano legalmente con il visto turistico e poi scompaiono nell'oceano di umanità. E vivono senza problemi nell'immenso bacino sotterraneo di quell'universo parallelo chiamato «clandestinità» che nessuno vuole bonificare davvero perché fa comodo a tutti, purché non rompano le scatole. Un po' come l'ipocrisia italiana delle «badanti», no, la badante non si tocca, perché cambia il pannolone al nonno mentre io esco.

Ma in compenso riesce a tormentare coloro che entrano con passaporti regolari, soltanto perché – come accadde a un turista italiano all'aeroporto Dulles di Washington nel 2007 – all'ispettore dei passaporti la loro faccia non piace. Il miserello passò un mese in galera senza motivazione, e poi fu rispedito a Roma. Si chiamava Domenico Salerno, era un avvocato ed era andato a trovare la sua fidanzata, che aveva conosciuto mesi prima a Roma. Fosse entrato dall'Arizona a piedi, o nel doppiofondo di un camion, avrebbe potuto farsi una famiglia, diventare nonno e morire nel suo letto.

L'America con la quale bisticcio ogni giorno è la cantante che prima di ogni partita di football, di basket, di baseball, di palla avvelenata o di ping-pong gorgheggia l'inno alla «terra dei liberi», mentre tiene un abitante su cento in galera, come neanche a Cuba e in Iran. È la scialacquatrice indebitata fino ai capelli che si fa prestare dai cosiddetti comunisti cinesi mille miliardi di dollari (finora) per fumarseli nel polverone iracheno, quella Fantasyland sanguinosa che dal marzo 2003 produce tali magnifici trionfi che i soldati non possono tornare a casa da tanto che si divertono nel Castello di Biancaneve dove cadono feriti e muoiono a decine di migliaia.

Eppure non vuole spendere 35 miliardi in più per ampliare la copertura sanitaria da 6 a 10 milioni di bambini e ragazzi in casa propria, o aumentare i benefici di legge ai 30 mila reduci che tornano senza una gamba, un braccio, un pezzo di cervello portato via da una scheggia. Sarebbe, Dio non voglia, una zaffata di «sanità socializzata», come spiegò, con quell'aria da bambino imbronciato e ostinato che assume quando sa di dire una scemenza, il presidente Bush opponendo uno dei suoi rarissimi veti alla legge già approvata dal Congresso. I bambini non nati vanno strenuamente difesi dai conservatori timorati di Dio; poi, quando sono nati, affari loro e tanti auguri.

Dalla prima notte trascorsa in uno sgangherato hotel della Lexington Avenue con l'infisso della porta visibilmente scheggiato più volte da tentativi di scasso e il preistorico televisore Zenith dalle tinte violacee sintonizzato su un canale di cartoni animati con Bugs Bunny («What's up, Doc, eh, eh, eh...») che ero troppo stanco per alzarmi dal letto a spegnere, capii che il mio rapporto con lei, o con essa, se preferite, sarebbe stato per sempre quello di una biglia rimbalzata tra i flipper dell'amore e del fastidio. Non avrei più potuto vivere senza di lei, ma non sarei mai riuscito a vivere con lei.

Appena ci tornavo e venivo guardato dagli ispettori della dogana come un contrabbandiere di plutonio per avere osato introdurre un cotechino da Modena, venivo preso dal desiderio pungente di andarmene. Naturalmente con il cotechino, affinché il doganiere non cadesse in tentazione di portarselo a casa e lessarlo in cortile, anziché distruggerlo subito, come facevano quelli del Kgb a Mosca quando mi sequestravano le copie di «Playboy» (comperate per le interviste, ovvio) per difendere la moralità socialista. Non la loro.

Appena me ne andavo e l'aereo staccava le ruote dalla pista del Kennedy a New York o del Dulles a Washington, ero aggredito dalla voglia irresistibile di dirottare l'aereo e tornarci. Appunto: «Can't live with her, can't live without her», non puoi vivere con lei, non puoi vivere senza di lei. Una volta che ti entra sotto la pelle, sei fatto, intrappolato nella schizofrenia di una nazione unica per la sua capacità di farsi detestare e adorare. Dovrebbe valere per lei lo stesso suggerimento che si dà per le sigarette: non cominciate a fumarvi l'America, ragazzi e ragazze, perché poi è difficilissimo smettere.

Ci sarà un simbolo per dire «I love/hate America»?

Un cuore tagliato da una barra trasversale, come nella famosa pubblicità del film *Ghostbusters*, o come nei cartelli per la sosta vietata? Un defibrillatore per rimettere il cuore in ritmo quando l'amore intenso, profondo, incurabile, insensato (sennò che amore sarebbe?) che provo per la nazione dove ho trapiantato me stesso e soprattutto i miei figli e nipoti sbatte contro la realtà di presidenti quali George W. Bush.

Io lo avevo ribattezzato Giorgino, per rispetto nei confronti di Giorgione, il babbo, che era un adulto responsabile e un po' noioso (lo avevano descritto come «il primo marito dal quale le donne non vedono l'ora di divorziare») se paragonato a un figlio adolescente e immaturo, un Peter Pan nucleare, impigliato in quell'età difficile nella quale si confondono l'ostinazione con la personalità, l'ignoranza con l'idealismo. E se gli si dice di far qualcosa ti rispondono di no, perché no.

Era questa l'America sognata, la «città luminosa sulla collina», l'ultima speranza dell'umanità, il futuro che avevo scelto per i miei figli e i figli dei miei figli? Una nazione che per otto anni aveva deciso di farsi governare, proteggere e guidare da un figlio di papà che si divertiva a prendere in giro i condannati a morte in Texas, ai quali lui, come governatore, rifiutava sempre la grazia, imitando per ridere la vocina strozzata di una donna in attesa della siringa letale, Karla Fay Tucker, «per favore, per favore, non uccidetemi». Ah, ah, sai le risate.

Un tempo, quando agli innamorati dell'America, magari quelli segreti che stavano a sinistra e dovevano marciare al grido di «Yankees go home» e «Amerika = SS» mentre sognavano il viaggetto a New York, cadevano le braccia, ci si rifugiava nel giochetto dell'«altra America». Questa che ci appare magari farà schifo, ma dietro, in fondo, oltre le montagne e il confine del tempo, ce n'è una diversa, una che piace, che arriverà come il 7° Cavalleggeri a salvare le nostre illusioni. (Che poi questa leggenda del 7° Cavalleggeri che arriva a salvarci non l'ho mai capita, visto che i dragoni del colonnello Custer arrivarono sul fiume Little Big Horn soltanto per farsi fare tutti a pezzi da Sioux e Cheyenne.)

Non ho mai creduto all'alibi delle due Americhe – tanto caro alla sinistra del mondo quando governa la destra e viceversa – e più la conosco e la vivo, meno ci credo.

Il presidente è l'America, e l'America è il presidente, fino a quando non lo trombano, non lo ammazzano o non viene costretto a dare le dimissioni, non importa quanto basso sia il suo indice di gradimento o quanto babbeo sia l'uomo, in attesa di una babbea presidente, rinviata al futuro dopo il fiasco di Hillary Clinton. Se in due secoli non ne hanno mai cacciato via uno dalla poltrona, limitandosi a costringere Nixon alle dimissioni nel 1974 proprio per evitare il trauma della destituzione (ne hanno ammazzati alcuni, ma quei regicidi erano gesti individuali, non decapitazioni sulla pubblica piazza), è perché cacciare il capo della nazione è sempre, per quanto marcio egli sia, una forma di automutilazione, un'ammissione di fallimento collettivo.

Un presidente non si cambia come un paio di mutande sporche o una camicia scappata di misura. Sta alla propria nazione come un papa sta alla nazione dei cristiani di confessione cattolica romana. Può non piacere, può far rimpiangere il predecessore fino alle lacrime, si possono fare novene molto private per augurargli di essere assunto al cielo e diventare presto santo, ma un papa e la sua Chiesa sono inseparabili, uno e bino. Come dice Giulio Andreotti, che di chiese e di potere s'intende, «noi cattolici dobbiamo volere bene al papa, non all'uomo che in quel momento fa il papa». Gli americani amano la presidenza, non necessariamente il presidente, al contrario di quanto facciamo noi italiani, che amiamo l'istituzione soltanto se a occuparla c'è, occasionalmente, uno che ci piace.

Non è importante neppure che «la più grande democrazia del mondo», come si autoproclama, sia tanto poco democratica da aver regalato, per via giudiziaria – con cinque voti contro quattro dei giudici della Corte Suprema, popolarmente e teneramente conosciuti come «quelle vecchie nove scorregge in palandrana nera» –, la Casa Bianca a chi aveva preso 600 mila voti meno dell'avversario Albert Gore nel 2000. E questo soltanto perché circa 500 pensionati rincoglioniti non avevano saputo bucare correttamente la scheda in Florida, che non era, vi assicuro, un testo di meccanica quantistica. Se lo fosse, non riuscirei a votare neppure io.

Dopo un mese di coltellate legali e di ricorsi, il vincitore sconfitto andò a Washington e si congratulò con lo sconfitto che aveva vinto. Il presidente sei tu, adesso, nella buona e nella cattiva sorte, in salute e in malattia, finché costituzione non ci separi. L'America sei tu. *Good luck and good night*, buona fortuna e buona notte.

Ci sono giorni in cui il mio fastidio per i riti e i tic di questo Paese diventa una sofferenza fisica, un riflesso gastrico simile a quello che provavo quando ascoltavo le note di *Mezzanotte a Mosca* berciate dalla radio sovietica per segnalare l'inizio dei falsi notiziari. Per esempio sto male quando devo ascoltare presidenti che ripetono sempre lo stesso discorso scritto, dunque leggono frasi non loro ma costruite dai soliti autori fantasma che producono la retorica ufficiale come gli sceneggiatori producono i dialoghi dei film. Come Charles Dodgson, noto come Lewis Carroll, l'autore di *Alice nel Paese delle Meraviglie*.

Dodgson fu il creatore della letteratura «nonsense», in cui le parole significano quello che io voglio che esse significhino. E allora per i Clinton in Pornoland essere scoperti con una ragazzina appesa al proprio pisellino diventa «un vasto complotto della destra», come disse la signora Hillary, neanche la ragazzina fosse stata una Mata Hari inviata sotto la scrivania di Bill. E la «fellatio», ci volevano spiegare, non costituisce sesso né tradimento coniugale. Una tesi nei confronti della quale mia moglie mi mise – caso mai – severamente in guardia.

Poi, peggio, molto peggio, per i Bush in Wonderland cimitero significa vittoria, strage diventa progresso, occupazione diventa liberazione, unilateralismo diventa coalizione, tortura diventa «tecnica progredita di interrogatorio», uno strazio di morti e agguati che va avanti per oltre un lustro diventa una «missione compiuta» e ovviamente, ma questo è un classico nonsenso della storia che sarebbe piaciuto molto anche a Orwell, guerra diventa pace. L'antico «niente di nuovo sul fronte occidentale».

Parole alla rovescia, proprio come l'annunciatore di Radio Mosca quando spiegava ai compagni che i carri T-55 erano entrati in Ungheria per difenderla da un'aggressione imperialista che non c'era mai stata, esattamente come non ci sono mai stati gli arsenali nucleari di Saddam Hussein.

Ascoltavo il ministro della Difesa con il nome che suona come un Suv fabbricato a Wolfsburg, a cui manca soltanto un prefisso per sembrare un feldmaresciallo prussiano, Donald (von) Rumsfeld, spiegare nella primavera del 2003, con un sorrisetto di compatimento irritato per noi idioti, che «insomma, portare via un paio di vasi dai musei non è la fine del mondo», e la democrazia, si sa, «può essere un po' disordinata». Come se i 150, o 200 mila, o chissà quanti iracheni ammazzati dopo le luminose giornate della liberazione fossero paragonabili alla stanza del figlio dove sono sparsi in giro i libri, i cd e le calze. Questo mentre a Baghdad per giorni e notti e mesi si portavano via dalle case anche le porte e le tazze dei gabinetti, e già che c'erano pure i figli degli inquilini, se la famiglia aveva i soldi pronta cassa per riscattarli pronta consegna.

Occorsero tre anni e mezzo, cataste di cadaveri, camionate di soldi e una stangata elettorale subita dal partito repubblicano al potere nel novembre 2006 perché i geni compresi della guerra di civiltà e del Nuovo Secolo Americano si accorgessero che il feldmaresciallo in borghese era in realtà un colossale minchione e i suoi collaboratori erano peggio di lui.

Avevano sbagliato tutti i calcoli e tutti i piani, in maniera «disastrosa», come avrebbe detto più tardi John McCain, il candidato a succedere proprio a Bush per lo stesso partito. Del braccio destro del feldmaresciallo e produttore di informazioni fasulle, Douglas Feith, fu detto che «era un cretino totale, forse l'uomo più stupido che abbia mai conosciuto», e non lo disse un nemico, ma il generale Tommy Franks, il comandante delle truppe che invasero l'Iraq ed entrarono a Baghdad in due settimane.

Personaggi da brividi, abbagliati dalla presunzione che acceca anche i più furbi, tutti cacciati via a furor di popolo, ma non prima di avere fatto danni micidiali al prestigio dell'America. E avere accreditato – questa è la vera oscenità dell'operazione «Iraqi Freedom» – l'idea scriteriata della «guerra preventiva», cioè di una guerra fatta per evitare la guerra. «Nel XXI secolo le nazioni non invadono altre nazioni» proclamerà proprio McCain davanti all'invasione russa della Georgia. E bravo senatore. Fate come vi dico, ma non fate come faccio io.

Abramo Lincoln, che era repubblicano anche lui ma era un ragazzo di provincia sveglio, aveva impiegato molto meno tempo per capire che il suo supremo generale, George McClellan, era una frana incapace di organizzare un'offensiva contro le giubbe grigie del Sud. Per licenziarlo, gli mandò un messaggio delizioso: «Caro generale, visto che lei non adopera l'esercito che le ho dato, potrebbe restituirmelo?». Altro secolo, purtroppo, altri repubblicani.

Di fronte a questi idioti supponenti assurti alle massime responsabilità di governo e partiti in guerra a cavallo di una montagna di frottole, poi tutte puntualmente smascherate, davanti alla disperata monotonia dei suoi sobborghi, al patetico materialismo dei suoi consumatori indebitati fino alla bancarotta, all'arroganza impudente di chi ha osato affermare che l'americanismo sia addirittura una religione, capivo con un brivido di terrore la repulsione e l'odio che abbagliarono uno studente liceale egiziano, Sayyid Qutb, quando trascorse un periodo di studio in Colorado.

Visse, questo Sayyid, nella cittadina di Greeley attorno agli anni Cinquanta, e tornò in patria talmente sconvolto dalla mediocrità, dalla vuotaggine dell'American way of life, da decidere di purificare a qualsiasi costo il mondo arabo dall'infezione del materialismo, del relativismo, dell'egoismo americano, aderendo ai fanatici «Fratelli Musulmani».

Fu lui, prima di essere fucilato dal governo del Cairo, a plagiare e convertire alla «violenza purificatrice» un giovane medico destinato a divenire il maestro e l'ideologo di Osama bin Laden e di al-Qaeda, quell'ometto rotondo e occhialuto che vediamo sempre al fianco di Osama, con l'aria ingannevolmente inoffensiva di un commerciante di stoffe, Ayman Muhammad Rabale al-Zawahiri.

È facilissimo odiare l'America. La tentazione è costante, quotidiana, per chi la guarda da lontano e le attribuisce ogni male, dall'abbattimento degli alberi in Amazzonia alla diffusione dell'Hiv, il virus dell'Aids, arrivando a sospettare persino che siano stati loro stessi, gli americani, ad autoaggredirsi l'11 settembre 2001.

Le allucinazioni di antiamericanismo viscerale, la repulsione per una società che, mentre si descrive con metafore evangeliche, «la città luminosa sulla collina», confondendo il neon delle insegne con il Vangelo secondo Matteo, escogita ogni giorno nuove e più indigeribili versioni della pizza e considera proprio diritto divino guidare Suv da 5 litri e mezzo di cilindrata e 8 cilindri come lo Hummer per portare i bambini a giocare al pallone, possono prendere in qualsiasi momento, a tradimento. Per le ragioni più banali.

Ricordo un pomeriggio del 1977 in un cinema di Washington, mentre aspettavo la proiezione del primo *Guerre Stellari* seduto accanto a una di quelle famigliacce con mamma obesa con le infradito, babbo obeso, figlia adolescente obesa e bambino obeso che si stavano imbottendo la faccia di popcorn grondanti di burro fuso. Chiesi a mia moglie se questo fosse il Paese, queste fossero la gente, la cultura, la civilizzazione, nei quali avremmo davvero voluto far crescere i nostri figli. Noi, l'italico popolo di Raffaello Sanzio e del Bramante, gli snob con i calzoni che cadono perfetti sulle scarpe, eravamo finiti tra quei bruti con la faccia unta affondata in secchi di mangime per polli imburrato, assorti a guardare, dopo ore di fila, una favoletta di effetti speciali.

Non sapevo che una generazione più tardi avrei ritrovato nei cinema italiani la stessa mamma, lo stesso papà, gli stessi figli, con le mani sprofondate nella stessa secchia di mangime, o seduti nei fast food a masticare gli stessi hamburger di carni misteriose vivacizzate da codine e feci di topo tritate, che avevano inorridito il mio eurosnobismo nel cinema di Washington. Noi diventati loro, e loro noi.

Le scariche di antipatia ti prendono proprio alle viscere, a sorpresa, come la sindrome del colon irritabile, magari quando sei seduto nel seggiolino di mezzo in aereo e vedi arrivare due mostruosi tripponi con gli avambracci a foggia di prosciutto che ti soffocheranno per ore, bloccati sulla pista di Newark, del LaGuardia di New York o dell'O'Hare di Chicago ad aspettare il via libera della torre, mentre divorano pagnottoni da manovale albanese imbottiti da strati geologici di affettati vari, maionese, ketchup, cetrioli in salamoia, foglie di lattuga, ruote di pomodoro. Perché loro sono americani, che Dio li benedica, e hanno il *God given right*, il diritto divino di intripparsi.

O il diritto sacrosanto di possedere pistole, di guidare automobili, minibus, fuoristrada Suv che non metteranno mai una sola ruota fuori dalla strada, consumando ogni anno in media un terzo in più di benzina degli europei, 120 galloni, circa 470 litri in più a veicolo. Ma se il prezzo del barile va in orbita la colpa è di quei dannati cinesi e di quegli ingordi indiani che hanno improvvisamente deciso di guidare scatoline delle scarpe motorizzate come la Geely King Kong o la Tata, che consumano in una settimana quello che una Cadillac consuma in un giorno.

Invece di romperci i timpani quotidianamente con seicento diete diverse – pensi mentre cerchi di liberare un braccio per reggere almeno un libro, pregando di non dovere andare mai alla toilette perché presupporrebbe scalate di Himalaya di ciccia –, la dieta senza carboidrati, quella senza zucchero, la Palm Beach, la Nuova Palm Beach, la Atkins, la nuova Atkins, quella soltanto di broccoli, quella con la pillola magica, quella tutta olio di fegato di merluzzo Omega 3, non potreste semplicemente mangiare un po' di meno, maledizione a voi? O magari allargare quei seggiolini sugli aerei che sembrano essere stati progettati dagli stessi che hanno messo a punto «le tecniche aggiornate di interrogatorio» a Guantanamo?

Come osiamo parlare di possibile carestia mondiale, di mancanza di riso, grano, latte, quando il governo americano spende 45 miliardi di dollari l'anno per convincere gli agricoltori a non coltivare e allevare, ripeto a NON coltivare, e così tenere alti i prezzi degli alimentari, esattamente come fanno gli europei con la loro politica agricola comunitaria che spinge i produttori di latte a rovesciarne ettolitri sulle autostrade e quelli di arance a lasciarle marcire? Se al mondo ci sono quasi un miliardo di affamati e quasi un miliardo di obesi (secondo l'Organizzazione mondiale della sanità), come si può parlare di «carestie» e di «emergenza alimentare»?

L'esasperante contraddittorietà dei messaggi di persuasione pubblicitaria acuisce l'odio che provo per questa ipocrisia salutista e igienista che insegue l'ultimo fumatore come un ratto portatore di peste, di «pistolenza», come la chiamavano nella Firenze del Boccaccio, ma poi cerca di otturarti le coronarie fin dall'asilo con ogni possibile schifezza e di convincerti che, se ti inciucchi di quella particolare birra, verrai assalito dalle donne più belle al bar.

Ascolto medici e nutrizionisti elencare la ferale lista dei danni che soltanto qualche libbra, mezzo chilo, in più provocherà anche a organi e parti del corpo che ignoravo fino a quel momento di possedere. Poi la predica s'interrompe ed esplode il *commercial break*, la raffica degli spot che mi offrono hamburger a doppio strato di misteriosa carne trita con triplo rinforzo di pancetta e generosa spalmatura di maionese sintetica, contorno di secchio di patate fritte e tinozza di gassosa in offerta speciale a 99 centesimi di dollaro, se mi fiondo subito dal più vicino spacciatore di calorie, perché l'offerta è valida per poche ore. *Hurry, hurry*, affrettati, non senti la fame?

Il pizzaiolo di Pizza Hut mi propone di farcire l'orlo della crosta con ripieno di formaggio, per non lasciare neppure quel cordolo di pasta intatto, mentre dal cielo piove un diluvio di M&M, di pastigliette di cioccolato amaro dentro croste di zucchero che non sarebbero male, ma hanno il difetto delle patatine fritte, se ne mangi una poi non smetti più e inghiotti pugni di pastigliette.

Ma ora torniamo in studio, per ascoltare il dottor Morte, l'allegro e telegenico cardiologo che ci illustra quale fine faranno le nostre arterie, il fegato, il pancreas, le budella e le budelline se cederemo al richiamo di quelle pubblicità ben più seducenti delle sue prediche piagnone.

Poi basta aspettare qualche minuto e arriva il nuovo *cluster* (in gergo si chiama proprio così, come le bombe a grappolo), il malloppo pubblicitario, nel quale le premurose case farmaceutiche millanteranno le nuove sensazionali molecole che annulleranno i danni provocati da caramelline, pizze col rinforzo, hamburger fritti nel sego, panini imbottiti come un sofà.

Fate tuttavia molta attenzione ai possibili, lievi effetti indesiderati delle pillole medesime: nausea, cefalee, diarrea, stitichezza, dolori muscolari, emorragie cerebrali, trombi, tumori, vertigini, decalcificazione, menarca irregolare, sterilità, leucemie, paralisi, infarti, sonnolenza, agitazione, impotenza, glaucoma. Oh, dimenticavo: se dopo quattro ore dall'assunzione della pillola avete ancora il pistolino rigido come un manico d'ombrello, avvertite il medico. Il quale, alle due del mattino, dopo inutili impacchi freddi, naturalmente vi farà rispondere dalla segreteria automatica, perché lui dorme e di solito le pillole per il sesso non si prendono all'una del pomeriggio. «Se ce l'avete ancora eretto dopo quattro ore, premete uno. Se la signora è scappata dal letto urlando, premete due. Se volete fare causa alla società produttrice della pillola, premete tre.»

Quindi la morale americana del consumo è la seguente: mangia come un porco, ammalati, poi curati con le pillole del miracolo e la chirurgia onnipotente; a condizione che paghi i 2600 dollari al mese che pagavo io per l'assicurazione sanitaria ovviamente privata, fino al raggiungimento dell'età nella quale non ti assicura più nessuno per qualsiasi cifra, e ti affidano, ma solo da vecchio, all'assistenza pubblica, che però nega i rimborsi alle terapie più costose.

Se invece appartieni a quei 47 milioni di persone senza alcuna copertura sanitaria che non sia la stretta emergenza al pronto soccorso di un raro ospedale policlinico, pazienza. In quel caso mangia, consuma, bevi allegramente, contemplati il pistolino duro come il manico di un ombrello per tutto il weekend e poi muori. Il vecchio ricco campa. Il vecchio povero crepa, come la capra dello scioglilingua. Il malato terminale che abbia 100 mila dollari da spendere può permettersi il nuovo farmaco antitumorale – la vastatina – che promette un anno di vita in più. Un anno vale 100 mila dollari? Se li avete, sì.

Ipocriti. Odiosi, obesi, insopportabili, ipocondriaci, prepotenti e pure ignoranti come capre del Montana.

Provate a chiedere a uno studente liceale di indicare dove sia New York su una carta muta dell'America o con quante e quali nazioni confini il territorio della sua nazione (due, Messico a sud, Canada a nord, la Russia è divisa dall'Alaska dallo Stretto di Bering) e preparatevi a trasecolare. Uno su dieci vi saprà rispondere correttamente, tre su dieci metteranno il Messico a nord, sopra gli Stati Uniti, e il Canada dove capita. Lo dicono le ricerche del ministero dell'Educazione, quello che i conservatori da anni vorrebbero abolire, probabilmente per non sapere quanto siano asini gli scolari e studenti, che ormai devono pagare 50 mila dollari nei college per ognuno dei quattro anni necessari a una laurea di primo livello, 200 mila in tutto.

La geografia, ignorata a scuola, si impara grazie alle guerre, che costringono anche il più ottuso studente a scoprire, attraverso le mappe colorate trasmesse dalle tv con freccette animate e rotazioni in tre dimensioni, dove siano terre incognite fino a ieri, come la Cambogia, il Vietnam, la Corea, l'isola di Grenada, Panama, il Libano, il Kuwait, l'Afghanistan, l'Iraq, l'Iran, il Kosovo, la Bosnia. Il mappamondo dell'americano medio si anima come un videogame, un Risiko, grazie ai soldati che vanno a farsi ammazzare, e ad ammazzare, qua e là, e poi trasmigra in ristoranti che i profughi dei Paesi liberati (o devastati) vengono ad aprire nelle città americane dopo essere scappati a gambe levate dalle nazioni liberate. Anche se dubito seriamente che vedremo spuntare molti ristoranti di specialità irachene, non essendo mai esistito davvero un Iraq e tanto meno una cucina irachena.

Per seguire le vicissitudini della politica estera americana, che si traduce in media ogni vent'anni dal 1776 in un reparto di soldati spediti in qualche angolo di mondo, non servono gli almanacchi di «Foreign Affairs» o le farneticazioni degli strateghi da scrivania che esaltano la guerra, naturalmente senza mai sparare un colpo (o riceverlo) di persona, come i «neoconservatori». Basta sfogliare le Pagine Gialle di una grande città alla voce «ristoranti» e lì si trova tutta la sequenza dei conflitti vinti, perduti, pareggiati, dimenticati o lasciati dall'«aquila americana», tradotti in cucine etniche e locali tipici, aperti da ex generali e politicanti esiliati o scappati, profughi, collaborazionisti di regimi deposti trasformati per necessità in chef. I think tank e le guerre passano, i ristoranti rimangono. Le colonne di Traiano del Nuovo Impero d'Occidente sono i ristoranti etnici.

Eppure, meno gli americani sanno del mondo, più lo vogliono cambiare. Per la possibile vicepresidenza del Paese, quella carica che soltanto un battito di cuore, quello del presidente, separa dal massimo potere, i Repubblicani e McCain hanno scelto nel 2008 una signora di quarantaquattro anni, Sarah Palin, pescata dalla più profonda e ignara provincia americana, sorta di sceiccato bianco che campa soltanto di petrolio sovvenzionato dal governo, l'Alaska enorme e disabitata (grande sei volte l'Italia con la popolazione di Genova).

Una donna vivace, ambiziosa, adorata dalle destre cristianiste per la sua totale opposizione all'aborto, sposata a un pescatore e già sindaco di un paese di 8741 abitanti, la cui conoscenza del mondo che potrebbe governare, essendo la vice di un settuagenario che da anni combatte contro un ricorrente cancro alla pelle, si limita a una visita in Kuwait, per salutare le truppe dell'Alaska spedite in guerra dal Pentagono, non da lei, e a una vacanza in Irlanda. Ma proprio questo suo essere ruspante, mediocre (la sua fiacca storia accademica è fatta di «C», di sufficienze minime, gli stessi scarsi voti vantati da Bush) è piaciuto molto a un'America minuta, ma maggioritaria che ha paura dell'intelligenza, della cultura, del – Dio ci scampi – cosmopolitismo. In una società di massa, la media, dunque la mediocrità, premia sempre, in politica, e i primi della classe come Obama, in una nazione di studenti somarelli con la media del «C», spaventano e alienano. Questo le destre hanno capito, e le sinistre, vittime del proprio sussiego culturale, no.

Meno diventa democratica l'America stessa, dove la media della rielezione di parlamentari (che non hanno limiti di mandato) è del 95 per cento da quarant'anni – praticamente lo stesso turnover del Comitato centrale del Partito comunista sovietico da un congresso all'altro –, più vogliono esportare una democrazia che praticano svogliatamente in casa.

Schiodare dal Congresso, il Parlamento, un detentore di seggio è impresa quasi disperata. Il rispettabilissimo deputato democratico Tom Lantos, splendida figura di ebreo ungherese scampato prima a Hitler e poi a Stalin e raccontato da Steven Spielberg nel suo film documento *Gli ultimi giorni*, fu rieletto dodici volte consecutive nel collegio della California. Dodici volte. Alla fine, arrivato a ottant'anni, fu la malattia a sconfiggerlo, non l'elettorato.

Se il detentore della poltrona, come disse un senatore, «non viene sorpreso a letto con una donna molto morta o con un bambino molto vivo», non lo schiodi più e l'elettorato non si prende neppure la briga di andare a votargli pro o contro. Lo stesso Lantos, appena rieletto, si precipitava a mietere fondi elettorali dai suoi supporter. Quando superava la cifra del milione di dollari in cassa, si metteva tranquillo. Sapeva che nessuno, dentro il proprio partito o dentro l'altro, avrebbe potuto scalare quel muro di soldi e dunque sfidare l'organizzazione, la propaganda e gli spot che i soldi gli avrebbero permesso.

I partiti, colonne di quel bipolarismo o bipartitismo che per due generazioni gli italiani hanno detto di invidiare naturalmente senza conoscerlo e senza capirlo, ma soltanto perché americano, sono creature immateriali, che si incarnano soltanto al momento di vidimare la tessera d'abbonamento al potere, per poi tornare all'attività principale di ogni senatore e deputato a Washington. Che è raccogliere fondi elettorali, ricevere delegazioni di lobbisti rintanati nei palazzi della K Street, l'arteria dei soldi che corre parallela alla Pennsylvania Avenue, indirizzo sia della Casa Bianca che del Campidoglio, il palazzo del Parlamento. Fu ribattezzata «Gucci Gulch», il fosso di Gucci, dal gran numero di costosissime scarpe italiane che i suoi residenti calzavano.

Enormi quantità di danaro sono investite, quasi sempre in spot elettorali, nelle settimane che precedono le votazioni per il rinnovo delle Camere o della presidenza per cercare di appiccicare all'avversario etichette opposte di «liberal», l'equivalente micidiale del nostro «comunista», o di «conservatore». O attribuirgli vizi ed errori, perché la campagna elettorale «contro» è deprecata da tutti e da tutti praticata con successo.

La mucillagine che inghiotte entrambi i partiti e confonde il bipartitismo teorico in una sorta di palude monopartitica può raggiungere estremi grotteschi, come quello del senatore Joe Lieberman del Connecticut. Ufficialmente democratico, e addirittura scelto da Al Gore come proprio vice in sella al tandem per la corsa perduta contro Bush nel 2000, fu sconfitto nelle elezioni primarie del 2006. Respinto dal proprio partito, si presentò alle elezioni generali del novembre di quell'anno, con l'etichetta di «indipendente». Vinse, con i voti dei repubblicani, sconfiggendo sia il candidato ufficiale dei repubblicani sia quello dei democratici che lo aveva battuto nelle primarie. Rieletto senatore, Lieberman si presentò a Washington iscrivendosi al gruppo parlamentare dei democratici che lo avevano respinto, perché con il suo seggio il partito avrebbe avuto la maggioranza in Senato – 51 contro 49 – e avrebbe ottenuto così tutte le presidenze delle commissioni e gli incarichi importanti.

L'essenziale è restare imbullonati alla sedia, a ricevere e distribuire favori, percependo i 169.300 dollari di paga annua, circa 14 mila al mese, con copertura sanitaria totale offerta da noi contribuenti, e staff di almeno una dozzina di persone (sempre pagati da noi) che sono a disposizione totale dell'onorevole o del senatore. Anche troppo totale, visti i continui scandali che riverberano da quella istituzione che i dipendenti chiamano «l'ultima piantagione di schiavi». O schiave, secondo le preferenze sessuali del parlamentare.

Chi, in Europa o in Italia, parla del distacco della gente dalla politica e dalle istituzioni parlamentari vagheggiando di altre e migliori democrazie magari ignora che da anni l'indice di apprezzamento e di fiducia dei cittadini nella «piantagione», nel Congresso di Camera e Senato, sprofonda sotto il 20 per cento, indipendentemente da quale sia il colore della maggioranza. La sfiducia, la disistima, a volte il disprezzo per i parlamentari, accomunano dunque l'80 per cento dei cittadini, persuasi che i 100 senatori e i 435 deputati vadano a Washington per non fare nulla, nel migliore dei casi, o per farsi gli affari loro, nel peggiore.

I partiti sono entità talmente fluide, intrecciate e intercambiabili, pronte a mescolare le carte e balzare da una parte e dall'altra di ogni progetto di legge, che fecero dire a uno dei più popolari e coloriti politicanti del secolo scorso, Will Rogers dell'Oklahoma: «Io non appartengo a nessuna formazione politica organizzata, infatti sono un democratico».

L'America è «la migliore democrazia che il denaro possa acquistare» si intitolava il saggio di successo di un giornalista, Greg Palast, specializzato in denunce. Per mesi, il galletto e la gallina che si sono contesi la palma di candidato democratico, i senatori Barack Obama e Hillary Clinton, hanno dovuto raccogliere ciascuno una media di 50 milioni di dollari al mese, 2 milioni di dollari al giorno, cifre da disastro Alitalia, arrivando a un prezzo finale per la Casa Bianca 2008 che supererà largamente la previsione iniziale di mille milioni di dollari. Non si deve essere moralisti o schizzinosi, ma è difficile non pensare a quanti hamburger con patatine da 99 centesimi si potrebbero comperare con 1 miliardo di dollari, per poi farli sganciare da bombardieri a bassa quota sugli affamati.

Fondi in gran parte offerti volontariamente, dunque costi della politica astronomici, ma almeno non sifonati dai borsellini dei contribuenti, come accade in Italia. Ma offerti non vuol dire regalati. Se la lobby del farmaco sgancia 500 mila dollari per sostenere un candidato, attraverso le mille maniere con le quali si aggirano i limiti di legge, dovremmo essere tutti idioti a pensare che poi le industrie della pillola non andranno a chiedere qualche piccola cortesia a colui o colei che hanno aiutato a eleggere.

La gente, gli americani convinti – senza chiedersi se sia vero – di essere azionisti della «migliore democrazia del mondo», come viene loro ripetuto ogni giorno, accettano, si disinteressano o si fanno menare per il naso dagli spudorati piazzisti della paura e dei valori morali, che li incantano con la mano che indica l'abisso satanico nel quale la nazione sta per precipitare, fra gay sposati, aborti, truculenti assassini barbuti, attacchi al Santo Natale portati dagli infami negatori che si augurano Buone Feste anziché ricordare il genetliaco del Bambinello.

Mentre l'altra mano, nel classico trucco dell'illusionista, svuota le tasche di chi dovrebbe essere difeso dalla «lobby di chi non ha lobby», cioè dal governo, e ha visto impotente il prezzo della benzina salire, negli anni di governo del grande amico texano dei petrolieri, da 1 dollaro e 20 al gallone nel giorno in cui Bush si insediò (20 gennaio 2001) ai 4 e 40 dollari dell'estate 2008, quasi il quadruplo. Portando di conseguenza i profitti della sola Exxon a 300 miliardi di dollari all'anno, un trionfo mai registrato. E per fortuna che eravamo andati in Iraq per avere petrolio abbondante e a buon mercato.

Sono divenuti ormai, alla fine del 2008, centinaia i miliardi di dollari, destinati a superare certamente il migliaio, che noi contribuenti americani stiamo sborsando e dovremo sborsare per salvare le banche, le finanziarie, i mitici «speculatori» ai quali viene data la colpa dei guai secondo la legge manzoniana dell'untore (ma chi sono? Hanno una faccia, un nome, un indirizzo questi «speculatori», o sono come i sinistri «gnomi di Zurigo» oggi passati di moda? Non è che per caso siano gli stessi che poi li denunciano?) dalle loro follie che hanno spalancato sotto i piedi dell'America prima e ora del mondo una voragine di debiti e timori di una nuova Grande depressione.

Nella fede ideologica nella meravigliosa capacità autorisanatrice del libero mercato e delle riduzioni fiscali, culto cieco della presidenza repubblicana per otto anni e di un uomo come Bush che nella propria vita è sempre stato salvato dai soldi e dalle relazioni di «Popi», del suo papà, dopo essere stato sconfitto proprio dal mercato, alla fine tocca sempre al governo – dunque alla borsa di Pantalone – salvare la baracca. È come se la vecchietta rapinata della propria pensione fuori dall'ufficio postale dovesse poi pagare gli avvocati difensori che terranno il rapinatore fuori dalla galera. Come abbiamo già visto nel ciclo del consumo che produce malanni che poi ti devi svenare per curare con pillole che creano a loro volta altri malanni, così nella truffa del «libero mercato», che poi lo Stato deve puntualmente salvare dalla «speculazione» (che è l'essenza e il motore del mercato), prima ci viene detto di spendere, di indebitarci, di comperare case che non ci possiamo permettere.

E poi ci viene presentato il conto per la colpa di avere dato ascolto alle sirene. Mentre scrivo, sul conto al Ristorante America è segnata questa cifra di debito nazionale: 9.509.432.627.507 dollari, 9 trilioni e mezzo di dollari, 9 mila e 500 milioni. Se la cifra vi sembra senza senso, come quella sequenza di vagoncini che i miei nipoti attaccano alle locomotive, avete ragione. Primo, perché non è un numero concepibile da normali creature abituate a calcolare costi, debiti e guadagni in migliaia, al massimo centinaia di migliaia di euro o dollari. Secondo, perché nel tempo necessario a leggere queste pagine sarà già salito di un milione di dollari. Terzo, perché nessuno lo salderà mai, questo conto, come nessuno salderà mai quello italiano. Noi contribuenti ce lo porteremo sulle spalle a vita, lasciandolo ai figli, ai figli dei nostri figli e ai loro figli, pagando gli interessi su questo «mutuo eterno» che abbiamo acceso con il «mercato».

Naturale allora che la partecipazione media alle elezioni legislative, quelle che si tengono ogni due anni – poi non lamentiamoci che noi italiani votiamo troppo spesso – per rinnovare tutta la Camera dei deputati e un terzo del Senato, sia stata nel 2006 del 35,7 per cento: 1 elettore su 3. Per trovare il record di partecipazione, si deve risalire al 1960, al Kennedy contro Nixon, quando votò il 62 per cento degli iscritti ai seggi. Ennesima prova che l'astensione non cambia mai nulla e facilita soltanto la vita a chi già detiene il potere.

Qualche disperato tenta di spiegare che la scarsa partecipazione è indice di maturità democratica, che sarebbe come sostenere che l'anoressia è prova di sazietà. Ma, come indicano tutti i sondaggi d'opinione, più che di maturità questi dati sono indice di rassegnazione, segnali del «tanto non cambia niente». Votano di meno proprio coloro che avrebbero più bisogno di un governo, e di quella assicurazione sanitaria nazionale che Harry Truman promise ai cittadini nel 1947 e non arriva mai.

I brogli infuriano, organizzati con grande abilità creativa. Nella Florida dove fu deciso d'ufficio che nel 2000 avesse vinto Bush contro Al Gore e nessuno saprà mai quanti voti fossero andati a questo o quello, furono cancellati per «errore» migliaia di aventi diritto perché avevano scontato pene detentive, senza però la perdita dei diritti civili. Ops, scusate. Troppo tardi. La maggior parte erano americani neri, dunque presunti elettori di Gore. Autobus che dovevano portare ai seggi dai quartieri più poveri, quindi più «a sinistra», misteriosamente scomparvero, in un'epidemia di guasti e incidenti statisticamente inverosimile.

John F. Kennedy sconfisse il torvo «Tricky Dicky» Nixon per 112 mila voti su 70 milioni espressi. La maggior parte arrivarono dalla Chicago controllata dal famigerato sindaco Richard Daley, al quale il padre di JFK, Joseph, «Old Joe», noto per avere trafficato con Cosa Nostra negli anni del contrabbando di liquori e di melassa, si era rivolto disperato per «chiedere una mano». E va bene, sospirò Daley mettendo in moto la propria macchina politica, «daremo una mano a quel ragazzo». Spuntarono voti ed elettori anche dai cimiteri. Da allora, Chicago è ironicamente conosciuta come la «città dove si può votare anche da morti» e dove si attribuisce a quel sindaco un'esortazione leggendaria: «Mi raccomando, ragazzi, votate di buon'ora e poi votate spesso».

E questa sarebbe «the greatest democracy in the world»? Il metro d'oro sul quale dovremmo tutti misurare i nostri righelli storti, naturalmente senza poterlo raggiungere, noi pellegrini dei mattarellum, dei porcellum, delle liste a scatola chiusa, dei candidati con succulente fedine penali, dei telefonini nell'urna e del voto di scambio, se vuoi avere l'acqua corrente e l'immondizia rimossa dammi il voto?

Sono convinti di avere sempre ragione, per definizione, perché loro sono americani e tu no. Loro abitano l'altopiano morale, noi bruchiamo nel fondovalle del passato: discorso chiuso. Inutile tentare di dissuaderli. Come scrisse il grande storico e filosofo di Pittsburgh Henry Commager alla metà del secolo scorso nel suo studio sull'*American mind*, sulla mente degli americani, «essere americani è per molti quasi una condizione morale, una professione, una vocazione». Con la fede è notoriamente difficile discutere. Qualunque corso di azione decidano è quello moralmente giusto, una forma di autismo divenuta micidiale dopo la scomparsa del contrappeso sovietico e scatenata dall'orrore delle Torri

Gemelle, che saldò la paranoia del «mondo ce l'ha con noi» con la certezza del proprio diritto.

Dubito, senza averne prove, che sarebbe andata diversamente con un presidente come Gore che, prima di essere democratico o ecologista, è anche lui americano. Ma non aiutò la ricerca di una riflessione più approfondita sulle conseguenze dell'occupazione di un nido di serpi come l'Iraq la vittoria di un presidente digiuno di mondo e di politica internazionale. Era talmente sprovveduto che il preoccupato papà, Giorgione, lo affidò all'amico e consigliere (oltre che socio in affari) saudita principe Bandar bin Sultan bin Abdulaziz al-Saud, perché lo sgrezzasse un po' prima che assurgesse alla massima poltrona imperiale. Fatica che il principe, ambasciatore e uomo di mondo, trovò ardua e quasi impossibile, come confessò al giornalista Bob Woodward. «Bush mi chiese che cosa succedesse nella Corea del Nord» raccontò il principe. «Senta, gli risposi, io sono l'ambasciatore dell'Arabia Saudita, siamo molto lontani dalla Corea e non ne sappiamo molto.»

Piuttosto che capire la complessità del mondo, che non accetta soluzioni semplicistiche e verità tagliate con l'accetta del Bene e del Male, la reazione riflessa e pavloviana divenne quella di respingere qualsiasi ordine o organizzazione mondiale che «non veda gli Stati Uniti al centro», come ha scritto Paolo Janni, ex ambasciatore italiano a Washington, nel suo saggio *L'Occidente plurale*. Il che spiega l'allergia alle Nazioni Unite dove vige la terrificante regola dell'«un Paese un voto», detta anche democrazia, e in alcune occasioni il voto dell'insignificante Yemen può pesare quanto quello della Cina, come il voto di un disoccupato analfabeta vale, o dovrebbe valere, quanto quello di un miliardario o di un professore di Princeton.

Per dare qualche tinteggiatura di importanza e di dignità alle dottrine e agli scenari più strampalati, proliferano opportunamente a Washington quelle vasche dei pesci chiamate «think tank», serbatoi di intellettuali che non hanno trovato un lavoro onesto, neppure nel giornalismo, che è il colmo, e trascorrono le giornate a produrre studi, dottrine, teorie, scenari dal proprio ventre, come i ragni i fili delle ragnatele, che poi rigurgitano in televisione. E sembrano intelligentissimi fino a quando vengono messi in pratica.

Noi in Europa li leggiamo come il quinto Evangelio, intervistando gli autori come oracoli, anche quando palesemente sparano minchiate, come consigliò anche a me di fare Robert Novak, il famoso conduttore di una trasmissione della Cnn, *Crossfire*, quando fui ospitato per parlare di Italia e Medio Oriente dopo la tragedia dell'*Achille Lauro*. «Ma io non ne so nulla più di quanto ho letto sui giornali» protestai. «Tu non devi sapere, devi soltanto parlare» mi ammonì Novak. Il peccato mortale televisivo è quello di rispondere «non so» o, peggio, di non dar fiato alla bocca.

Sono americani, quindi non possono sbagliare, con quella minestrina di letterine davanti al nome: Ph.D., Mba, Ms, Ma, Jd, Md, Ba, Bs. E continuiamo a prenderli sul serio anche quando proclamano la «fine della storia» come fece Francis Fukuyama nel 1989, o prevedono come Edward N. Luttwak «una lunga guerra di trincea in stile Grande guerra con migliaia di morti» per il primo conflitto nel Golfo, che infatti durò 100 ore esatte e fece 298 morti americani. Oppure vaneggiano come Paul Wolfowitz, il vero cervello dell'operazione «cambio di regime in Iraq», il teorico del Nuovo Secolo trionfale americano. Davanti al Parlamento garantì nel 2003 che il costo sarebbe stato massimo massimo, proprio a voler essere pessimisti, di 20 miliardi di dollari. E cinque anni dopo siamo già a 1000 miliardi spesi con un preventivo possibile di 3000 miliardi.

Se l'idraulico polacco vi facesse un preventivo per il bagno di 20 mila euro e dopo cinque anni non lo avesse ancora finito e il conto fosse salito a un milione di euro, sarebbe considerato un deficiente o un criminale. Invece Wolfowitz fu mandato a presiedere la Banca Mondiale dove si maneggiano, appunto, soldi (dalla quale fu rapidamente defenestrato, sia detto a gloria della Banca Mondiale). Ma lui è americano, Ph.D., Ms, Bs, think tank, che volete voi vecchie e flaccide femminelle europee? Un importante quotidiano italiano non manca mai di accompagnare alle notizie un box con l'intervista a quello che viene definito l'«esperto americano». Forse ci sarebbe stato un esperto lappone che ne avrebbe saputo e capito il doppio, ma chi se ne fotte dei lapponi. Mica hanno i marines e le portaerei nucleari, i lapponi. «Might makes right», la forza fa il diritto, come insegnava cinicamente già Tucidide.

Come li odio quando li sento ripetere che sono «the greatest nation on earth», la più grande nazione del pianeta, che magari sarebbe anche vero, se tutta questa smania di ripeterselo non facesse venire il sospetto che comincino a dubitarne, come la Miss un po' sfiorita che deve tutti i giorni ripetersi allo specchio «sei bella, sei bella, sei bella».

Ti costringono a diventare nazionalista, con quella loro saccente sicumera che passa per onniscienza e onnipotenza soltanto perché scrivono e parlano in inglese (se inglese è, cosa di cui S.A. Reale, lo stagionato principino Carlo dei Windsor, dubita).

Ho dovuto vivere in America, farmi «naturalizzare» americano – ma prima che cos'ero, un essere contro natura? – per cominciare ad amare e difendere quella ribollita fetida che è diventata l'Italia.

Nell'inverno del 2007, non c'erano quotidiani, network, reti via cavo, settimanali che non si fossero sentiti in dovere di scoprire che l'Italia era un Paese allo stremo, depresso, accidioso, diciamo pure di merda come ora va di moda nel turpiloquio ufficiale della post o antipolitica, governato da imbelli se non imbecilli, dove la Dolce Vita era andata in fiele. «New York Times», «Newsweek», «Wall Street Journal», tutti in fila come le pecorine del giornalismo di branco, quello che i media praticano ovunque nel mondo, a darci in testa e ben a ragione.

Ma mentre noi soffrivamo per le tasse, la stagnazione, l'immondizia, il riciclaggio di politicanti rigenerati per la terza o quarta volta come i copertoni degli pneumatici da autocarro, una tempesta, al cui confronto la Katrina che spianò New Orleans era un rovescio estivo, cominciava a soffiare sulla loro testa.

Banche e istituti finanziari della «più grande nazione sul pianeta» dovevano spedire i loro pezzi da novanta, quelli con il Ph.D., lo Jd, l'Mba, l'Ms, il Bs, dal Golfo Arabico a Pechino sui jet Gulfstream aziendali con il cappello in mano per chiedere liquidità, che è il modo colto di dire elemosina, a sceicchi obesi di petrodollari e a dirigenti del Partito comunista cinese per salvare Citibank, Bank of America, Morgan Stanley, Goldman Sachs, Lehman Brothers.

Nel maggio del 2008, il presidente in persona, George W., quello che aveva avuto come tutore il principe saudita, volò in Arabia per scongiurare i signori dei pozzi di spremere un poco più di succo di dinosauri fossili dai loro deserti. E quelli gli risposero, pubblicamente, ufficialmente, che non se ne parlava neppure, che di petrolio ce n'era abbastanza nel mondo e che gli americani si arrangiassero come tutti gli altri. Un pernacchio come mai si era visto, proprio in questo XXI secolo che avrebbe dovuto essere, secondo i teorici neocon della guerra preventiva e della democrazia da esportazione, il Nuovo Secolo Americano.

Il risultato è quello di indebitarsi sempre di più, politicamente e finanziariamente, con i musulmani (quelli che poi dovremmo «civilizzare») e i cinesi (quelli ai quali dovremmo insegnare i diritti umani e civili, sperando che nel frattempo, tra un tibetano bastonato e l'altro, non mandino in protesto le nostre cambiali, che accettano per permetterci di comperare i loro prodotti). Per i 1000 miliardi di dollari in buoni del tesoro americani che ha in banca, Pechino può bastonare tutti i monaci tibetani che desidera.

Quella moneta verde, quel dollaro che salvò l'Europa dall'asfissia finanziaria nel dopoguerra grazie a Marshall, che era stata, anche dopo l'addio alla parità con l'oro deciso nel 1971, la valuta di riferimento dell'intera galassia, sprofondava di valore come la lira dei tempi brutti. Cominciava, nell'alba del Nuovo Secolo Americano, a essere rifiutata da bottegai nel mondo, fino all'umiliazione di vedere negozi di Manhattan annunciare «Accettiamo euro». Se resta ancora nelle tesorerie come «moneta di riserva» è perché cederla oggi significherebbe per le Banche centrali del mondo perdere fortune immense.

Niente riesce a scuotere la «presunzione di perfezione» che puntella la psiche dell'americano medio che, per mantenerla, deve viaggiare poco fuori dalle mura. E infatti non viaggia che raramente oltre i confini, se non per una puntata in Canada, che è un'America, ma più educata e meno sbruffona, o nelle farmacie messicane subito oltre la «Frontera», dove i pensionati vanno a comperare in massa le pillole che costano di meno, sperando che non siano state fabbricate con polvere di gesso e che l'erezione non vada oltre le quattro ore. Ci sono ormai più farmacie, dentisti e ambulatori chirurgici oltre i confini del Texas, dell'Arizona, della California, che bordelli o saloon. Soltanto il 16 per cento degli americani possiedono, o hanno posseduto, un passaporto.

Si capisce quindi tutta l'ansia dei conservatori angosciati al pensiero che il Messico stia «reconquistando» quello che ieri era suo, appunto California, Arizona, Texas. Basta osservare il flusso di vecchi *gringos* che vanno a sud per comperare gli analgesici, gli antipertensivi, gli antinfiammatori e i diuretici, e di giovani messicani che attraversano il confine in direzione opposta, verso nord, per andare a lavorare e fare figli, al ritmo di una volta e mezza: 3,5 figli a coppia immigrata contro i 2,1 dei bianchi. Legalmente o illegalmente ha poca importanza perché gli almeno 20 milioni di residenti senza documenti non se ne andranno mai più. Nessuno, neppure i più isterici, osano proporre la deportazione fisica di 20 milioni di persone che richiederebbe – anche ammettendo di pescarli uno per uno, dal Maine a San Diego – uno sforzo logistico superiore a quello compiuto durante tutta la Seconda guerra mondiale, quando esercito, marina e aviazione spostarono a fatica 6 milioni e mezzo di militari.

I vecchi con il cappello da 10 galloni, quello che chiamiamo da «cowboy», vegliano lungo il Rio Grande con lo schioppo in grembo e il plaid sulle ginocchia, dandosi il turno nel freddo notturno del deserto e bevendo i caffè che le mogli portano nei thermos, fingendo di non sapere, perché i cialtroni della politica non glielo dicono, che il nemico, il futuro demografico de Los Estados Unidos è già cominciato.

E non sta davanti ai loro archibugi, ma dietro le loro spalle, dentro casa, nelle corsie dei loro ospedali, nei ristoranti dove vanno a mangiare, nei campi dove raccolgono i loro pomodori, nei cantieri delle case di riposo, dove loro andranno a morire mentre Pedro, Ramon, Jesus, Felicia, Soledad e Maria fanno l'amore e fanno gli americani di domani. Neppure la retorica della «città luminosa sulla collina» con «le porte spalancate», come proclamò Reagan nel suo eloquente discorso di addio alla Casa Bianca prima di sfumare nella nebbia della *dementia* senile che lo avvolse, regge più molto.

Per chiudere la bocca agli «antiamericani», o «antiamerikani» come si diceva, si cala la carta del «tutti vogliono emigrare qui negli Usa», dunque tanto male non dobbiamo essere.

Mica tutti.

Di «città luminose sulla collina» ne esistono oggi almeno due, l'America, certamente, ma anche l'Europa, e non staremmo oggi a strapparci i capelli e a prendere impronte digitali ai bambini, se non fosse vero.

L'Irlanda, per un secolo fornitrice continua di disperati che fuggivano le carestie e le baronie, dalla metà degli anni Novanta quando l'Europa l'ha resa un po' bulla, è diventata meta di emigranti, con migliaia di richieste annuali di permessi di soggiorno e di lavoro. Nel complesso dell'Unione Europea entrano ogni anno quasi 2 milioni di nuovi abitanti che non sono nati all'interno dei suoi confini, ormai più di quanti ne entrino nel territorio degli Stati Uniti. Stiamo diventando noi, non più loro, la prima calamita umana del mondo per chi cerca di costruirsi una vita decente. Mentre l'emigrazione dall'Europa verso gli Stati Uniti si è ridotta allo sgocciolio di cervelli frustrati, soprattutto italiani, che trovano facilmente occupazione in università e centri di ricerca americani, meno stolti dei nostri. Ci vanno al doppio dei nostri miserabili assegni di ricerca, perché in America sanno bene che un diplomato di liceo o un laureato italiano in materie scientifiche è bravo, anche se proviene da università scalcagnate con i computer polverosi di prima generazione, le stampanti ad aghi, la carta perforata e Internet a vapore.

E dopo tutto questo, io dovrei cadere in ginocchio ogni volta che sento un aspirante capo dello Stato, un sindaco di paesino, un deputato di quarta fila nel mezzo del grande nulla americano, ormai indistinguibile nella monotona processione di fast food, mall, ristoranti cinesi e motel identici dall'Oregon a Key West, chiudere qualsiasi discorso con l'invito a Dio perché *bless America*?

Come se Dio potesse fare preferenze tra benedire gli Stati Uniti piuttosto che il Lussemburgo, la Nuova Zelanda o le Barbados, soltanto perché glielo ha chiesto Bush. O magari quel senatore fondamentalista della Pennsylvania con il destino scritto nel cognome, Santorum, stella dei «valori tradizionali», alfiere di quella cristianità arcigna, ostentata, ringhiosa, esclusivista, che per vent'anni ha dominato la politica e le elezioni con il suo blocco di 30 milioni di «cristianisti», come li ha definiti l'autore inglese e famoso blogger conservatore, ma non fanatico, Andrew Sullivan.

Ma davvero Dio può dispensare con più generosità la propria benedizione su quella cristianità circense e volgare che chiama il papa di Roma «l'Anticristo», la Chiesa cattolica «la grande Meretrice», e ha la sua voce nel telepastore del Texas, John Hagee, sostenitore dichiarato del candidato repubblicano McCain? «Molto orgoglioso» di contare tra i suoi supporter uno che spiega via radio e tv, in un tempio da 19 mila posti a sedere a San Antonio, che l'uragano Katrina fu la punizione divina contro gli omosessuali. Scordando di aggiungere che Katrina devastò i quartieri più umili di New Orleans e lasciò perfettamente intatto il centro, il bel Quartiere Francese dove lussuriosi e sodomiti si raccolgono per i loro sabba carnevaleschi. Così involontariamente insinuando il dubbio che Katrina fosse lesbica.

Santorum, almeno lui, fu sonoramente e santamente trombato dagli elettori della sua Pennsylvania. Si erano preoccupati per le sue frequenti citazioni dall'«importante saggio politico» conosciuto come *Il Signore degli Anelli*, dal quale traeva demenziali analogie per sostenere la guerra in Iraq. «Mentre gli hobbit stanno arrampicandosi sul Monte Fato, l'occhio di Mordor è distratto e guarda altrove. Guarda all'Iraq e non agli Stati Uniti e io voglio che l'occhio di Mordor continui a restare fisso sull'Iraq» disse in un comizio del 2006. Come dice, senatore, scusi? Si sente bene?

Quello che conta è che il suo progetto di legge per rendere obbligatorio nelle aule di scienze delle scuole l'insegnamento del creazionismo travestito sotto le spoglie del «disegno intelligente» (che è una rispettabilissima fede religiosa, ma fede nondimeno) fu bocciato. Il Santorum, che era il numero tre dell'allora maggioranza repubblicana, non un frillo qualsiasi, fu licenziato nel 2006 dagli hobbit elettori della Pennsylvania, per la gioia di Mordor. Votò contro di lui il 59 per cento contro il 41, la seconda peggior trombatura nella storia delle elezioni senatoriali in quello Stato in oltre 200 anni. Furono soprattutto le donne, quelle che lui aveva insultato dichiarando che «sarebbe stato meglio per loro se avessero rinunciato a lavorare, perché la famiglia può fare a meno del loro reddito per sopravvivere», a bastonarlo dove si bastonano i politici, nel seggio elettorale.

Ed è qui che l'America mi frega, quando dimostra la capacità di sbarazzarsi di imbonitori come questo Santorum degli Anelli, mentre noi ci passiamo i nostri di generazione in generazione, come una tara genetica, come un'ipoteca che nessuno riesce mai a estinguere.

Vorrei, come si dice degli scolari di talento, ma pigri, che facesse di più e di meglio, con i mezzi che ha, che si impegnasse di più. Ma poi penso a come sa mettere alla berlina, e a volte in galera, i suoi tromboni, i suoi imbonitori, i magliari della politica e del potere.

Basta a ricordarmi perché, quando riuscii a prendere sonno mentre dal televisore Gatto Silvestro tentava invano di mangiarsi il canarino Titti, mi resi conto che ero per sempre in trappola.

Perché adoro l'America

> Il mito è qualcosa che non è mai esistito, ma che esisterà per sempre.
>
> DANIEL DUBUISSON

A volte basta un flashback, un'immagine del tuo passato che torna inaspettatamente alla memoria, per scatenare la nostalgia di quello che hai e che avevi dimenticato, come l'amore.

Ero ai piedi della scalinata del Campidoglio, come chiamano con notevole presunzione imperiale il palazzo del Parlamento, un pomeriggio di giugno scintillante su Washington, quando rividi l'aula della mia scuola.

Correndo come soltanto i ragazzi sanno correre, una scolaresca di *junior high*, di scuola media, ruzzolava giù dalla gradinata di pietra, spingendosi, ridendo, gridando, felice di tornare a casa e di essere stata liberata dalla rottura colossale della visita organizzata al Congresso.

Non so da quale scuola, o città, venisse, ma non importa, sarebbe potuta arrivare da qualsiasi località americana. Quello che importava era che in quella cascata di gocce umane che scorreva dalla scalinata erano rappresentate tutte le facce del mondo. Biondini con la faccia quadrata da irlandese, ragazzi color carbone, asiatici rosei o giallini (sorpresa per i titolisti dei giornali e delle tv, i giapponesi, come già aveva notato Marco Polo, non sono affatto «gialli») sotto caschetti di capelli invariabilmente neri, indios centroamericani con la testa senza il collo avvitata direttamente nelle spalle, occhi scuri da italiani, azzurri da tedeschi, zigomi alti da slavi. Fosse arrivato di corsa un Apache con la corona di piume non mi sarei stupito, perché quella classe di forse 30 o 40 ragazzi era il catalogo di tutte le variazioni possibili della specie chiamata *homo sapiens*.

Mi tornarono di colpo davanti agli occhi quei cartelli che si appendevano alle pareti delle aule, accanto alla carta dell'Italia, per mostrare ai nostri sguardi stupiti di bambini «le razze del mondo», il negroide – si diceva così –, il rosso, il giallo, il bianco, l'amerindio. Senza immaginare, allora, che una generazione più tardi sarebbe stato sufficiente salire su un tram a Milano, o su una carrozza del metrò a Roma, per vedere quel cartello animarsi e prendere vita.

Ma questa classe di figli del mondo intero che mi correva incontro era l'America già avvenuta, era quel futuro ancora così indigesto da noi che qui, invece, è il presente e la normalità di una gita scolastica a fine anno. In quel frullato di dna che ormai è impossibile da dipanare, non c'era nulla di straordinario, di preoccupante, di meritevole di un secondo sguardo da chi non fosse cresciuto in una scuola elementare dell'Italia lontana. Quei ragazzini non erano un «problema» da risolvere, come noi amiamo dire, un'identità da salvare, come dicono gli spacciatori di santini razzisti. La loro diversità era la loro identità. Era la faccia dell'America.

Nei volti di quegli scolari felici per la fine della noiosa gita, come nei volti dei miei nipoti felicemente confusi nei cromosomi dei genitori venuti da sponde lontane, ho riconosciuto la ragione per la quale sono, nonostante decenni di liti coniugali, piatti metaforicamente rotti in testa, Giorgino Bush e le polpette con codine di topo tritate, ancora sposato all'America, ormai indissolubilmente.

Spiegare perché si odi qualcuno o qualcosa è sempre più facile che spiegare perché lo si ami, per la stessa ragione per la quale una calunnia si appiccica alla pelle come la colla acrilica, mentre un complimento scivola via come l'acqua sulla schiena di un'anatra.

Se l'amore fosse spiegabile tecnicamente, ci sarebbe un solo manuale per l'uso e la manutenzione invece di tonnellate di letteratura e di teoria, un libro e basta, come il manuale per la riparazione del Maggiolino Volkswagen del 1967 (disponibile alla fantastica e pubblica Biblioteca del Congresso, in caso vi servisse).

Figuriamoci come si possa spiegare l'innamoramento per una nazione indefinibile come l'America, un'insalatiera umana, come diceva il presidente Jimmy Carter, preferendo giustamente questa espressione al troppo retorico e falso *melting pot*, il crogiolo. Una ciotolona continentale larga 10 milioni di chilometri quadrati, nella quale starebbero comodamente 30 Italie, popolata nel 2008 da 310 milioni di individui, dove si parlano, soltanto nei 5 distretti che formano New York, 170 lingue e dialetti diversi. E dove le distanze, lo spazio, i grandi cieli esaltano e seducono il turista, come ieri il pioniere, con un'eterna promessa di novità, di diversità. All'opposto dei grandi spazi russi, che intimidiscono e opprimono, i grandi spazi americani esaltano e liberano.

Non so neppure spiegare esattamente che cosa sia «un americano» degli Stati Uniti, se sia quell'orrida famigliaccia in shorts con le cosce a rotoli come l'omino della Michelin che debordano strusciandosi a ogni passo o quelle borderline anoressiche esaltate dai film e telefilm per casalinghe frustrate con i tacchi di Manolo Blahnik. E non lo so perché gli uni e gli altri, il camionista con il cappellino farlocco con la reticella dietro per dare aria alla nuca e il giardiniere honduregno che sta tagliando l'erba del prato davanti a casa mia, sono egualmente, legittimamente, perfettamente archetipi «americani».

Già è complicato definire che cosa sia un italiano, anche ora che tutti corrono a scoprire e inventare valori, tradizioni, antichi ceppi etnici che farebbero ridere il meno preparato degli etnologi, in quel multimillenario frappè di cromosomi che la nostra storia, per amore e spesso per forza, ha servito. «Lei non ha la faccia da italiano» mi sento dire spesso, forse perché ho gli occhi azzurri e una peluria superstite vagamente castana, e la mia risposta lascia invariabilmente interdetto l'interlocutore: «Scusi, come dovrebbe essere una faccia da italiano?». Ahhh, ehm...

In realtà, so benissimo quale dovrebbe essere il normotipo italiano nell'immaginazione sedimentata dalle grandi ondate di 6 milioni di migranti campani, calabresi, abruzzesi e siciliani rovesciate all'inizio del XX secolo e poi nel secondo dopoguerra. Dovrebbe essere una dirompente bellezza mediterranea alla Loren o Cucinotta, o un seduttore bruno e un po' vanesio alla Mastroianni o Gassman.

Anche per noi, il normotipo americano è falsamente scolpito dal cinema: l'immancabile bionda o il dinoccolato stangone da western, che spesso era in realtà un tappo come Tom Cruise, ma negli studios abbassavano gli stipiti delle porte e sceglievano cavalli e partner di culo basso per farlo sembrare alto. Poi il bello imbronciato, stile James Dean, il «ribelle senza una causa», riproposto oggi in attori come Colin Farrell e Matt Damon. Fino al non più tanto giovane, però teneramente burbero George Clooney.

Ma perfettamente americani lo siamo tutti. Lo è John McCain, il reduce di professione, l'«usato sicuro,» il residuato di guerra in servizio permanente, con quel suo nome scozzese; lo è Hillary Clinton, o Hillary Rodham Clinton, come si fa chiamare scaricando o riesumando il cognome da nubile a seconda della gradazione femminista fra il pubblico che la ascolta, signora perfettamente irlandese.

E altrettanto americano è Barack Hussein Obama, nipote di un capraio africano, figlio di un keniano e di una bianca del Kansas, nonostante quel primo nome semita. Barack è l'equivalente afro-arabo dell'ebraico Baruch, «benedetto, fortunato», il secondo nome è musulmano e il cognome è swahili. «La mia famiglia è un casino» dice lui stesso, orgoglioso: l'altro suo nonno e il suo prozio, bianchissimi, sbarcarono in Europa nel 1944, con i «soldati Ryan», mentre sua nonna paterna vive ancora in un villaggio del Kenya e il fratellastro George in una bidonville di Nairobi.

Americano è Lazaro, il carpentiere honduregno che viene

a ripararmi il tetto e sui cui documenti di residenza preferisco non indagare perché altrimenti dovrei denunciarlo al dipartimento per la Sicurezza nazionale; americana è Carolina, la giovane polacca che assiste alcuni dei miei nipotini quando la loro mamma è fuori; americano è Abyola, il funzionario nigeriano della banca che mi ha faticosamente concesso un mutuo; americano è Lam, il consulente finanziario cinese che mi ha fatto perdere anche le mutande in Borsa, ma con estremo garbo orientale. Americano sono io, nato a Bastiglia, provincia di Modena, bassa Padana, sulle rive del canale Naviglio.

Di chi e di che cosa mi sono innamorato, allora, al punto da volermi sposare con l'America davanti a un giudice federale che ascoltò il mio giuramento dopo avermi raccontato di essere nato nell'isola di Barbados? Che a ripensarci è una scenetta mica male: un nativo delle Antille che concede il passaporto americano al figlio della bassa modenese e alla moglie milanese.

Forse mi sono lasciato sedurre dall'agente di frontiera che mi accoglie quando torno in America dall'estero e dopo avere studiato il mio passaporto mi dice: «Welcome home, mister Zucconi»? No, sarebbe troppo poco e troppo superficiale. Non gliene frega davvero niente che io sia tornato a casa, non sa chi io sia e men che meno gliene importa, se il documento è in ordine. Lo dice meccanicamente, anche se nelle centinaia di volte in cui ho attraversato un posto di frontiera italiano con il passaporto italiano, non una volta, dico una, ho trovato un agente che mi abbia detto: «Bentornato in Italia», anziché lanciarmi un'occhiata di diffidente noia. Al massimo mi può capitare, come avvenne alla Malpensa, che uno di loro mi dica con un sorriso complice: «L'ho vista in tv, sono milanista anche io, sa». La patria è una squadra di pallone, per noi. Cittadinanza? Milanista.

Può essere stata, allora, la telefonata al funzionario delle imposte del pur sgangheratissimo comune di Washington per chiarire un problema di arretrati sulla cifra prodigiosa che pago ogni anno – 0,85 per cento del valore reale, di mercato, della casa, aggiornato annualmente, altro che Ici (fanno 850 euro per ogni 100 mila euro di valore) – e che impiegò due minuti per rispondere al telefono e dieci per consultare il mio dossier? No, anche in Francia i comuni sono efficientissimi, anche in Giappone, anche nella Mosca sovietica, purché, per oliare gli ingranaggi rugginosi del Socialismo, portassi con me in quell'ufficio una bottiglia di Johnny Walker, un paio di jeans Levi's (mai Wrangler o Lee) e, nei casi più complessi, anche un paio di Moon Boots per i bambini.

Allora devo essermi innamorato dei supermarket e dei drugstore aperti tutta la notte, festivi inclusi, che, ammetto, è proprio una passione mediocre. A meno che tu abbia in casa un neonato di sei mesi che comincia a urlare perché ha fame e tu scopra, alle tre del mattino, che hai finito il latte e il barattolo della formula è vuoto. A quel punto l'insegna accesa del supermercato appare come la terra al naufrago, come i San Bernardo all'assiderato. *I love you America*, e mi dia un gallone di latte e due barattoli di Similac. Il sorriso del pachistano, dell'haitiano, del messicano dall'altra parte del banco mi appare più luminoso di quello di una star.

Adoro la televisione, forse è quella che mi ha sedotto, Bugs Bunny a parte che non sopporto più e non riesco più a guardare, da quella prima notte insieme sulla Lexington Avenue.

Consumo sport in tv come un poppante affamato, perché lo sport, le partite, gli incontri sono gli unici eventi che riescono a vuotare il cervello di ogni pensiero serio e preoccupazioni importanti, essendo l'esito di un torneo o di una gara del tutto irrilevante nella nostra vita. Lo sport appassiona e distrae per qualche ora senza depositare alcuna idea e senza cambiare nulla, sfumata la furia o la gioia di un secondo. Sazia ma non nutre, e seguirlo sulle reti americane risparmia almeno quelle gastriti da frasi fatte e luoghi comuni che abbondano nelle nostre telecronache di calcio, fra «baricentri» che si alzano o si abbassano, giovanotti in mutande che riescono a «fluidificare» senza liquefarsi e squadre «ciniche», termine che assimila – chissà poi perché – gli scontrosi filosofi seguaci di Antistene e Diogene, che mai avevano visto un pallone, a una squadra che riesce a strappare immeritatamente una vittoria.

Già Woody Allen diceva che non avrebbe mai potuto emigrare dagli Stati Uniti perché non avrebbe saputo fare a meno di tutto lo sport che esonda dai canali: football, basket, baseball, hockey, professionisti, dilettanti, estate e inverno, indoor e outdoor, ora anche il calcio europeo e sudamericano, perché quello nordamericano, il *soccer*, continua a far schifo e non interessa a nessuno, come giustamente si merita con quel nome.

Smanetto insaziabilmente, per la disperazione di mia moglie, tra quei 500 canali via cavo tra i quali alcuni atroci, altri mediocri, altri ancora eccellenti, ma che mi garantiscono che non sarò condannato a vedere per forza il processo di Erba, il criminologo che non sa nulla ma parla e parla (*remember, mister Zucconi,* continui a parlare…), il chirurgo plastico, lo psicologo, le untuosità dei presentatori, le finte coraggiose denunce, il serial sul frate santo, Sanremo e la suora miracolata dall'apparizione di Bruno Vespa in sogno.

Oggi esistono le antenne satellitari anche a Teheran, a Kabul o a Baghdad, dunque avere scelte non è un problema ovunque si viva, purché non esploda un'autobomba davanti a casa, come in Iraq, o non ti arrestino i guardiani della Sharia, come in Iran.

Queste sono inezie, piccolezze, cose di routine, come andare a comperare un'automobile, o venderla, o permutarla, qui in America, e uscire, un paio d'ore dopo essere entrati dal concessionario, con l'auto nuova o con l'assegno per quella venduta. Senza vaghe promesse di consegna se non la accetti subito color sterco di mulo con interno di pelle di coccodrillo, senza Pra, Aci, prefetture, imprimatur papale, lenzuoli di carta, timbri. Se hai soldi, credito, auto da permutare, biro per firmare, ti appiccicano la targa di cartone che entro un mese verrà sostituita da quella permanente di tolla, spedita, se vuoi, a casa.

Anche se evitare la motorizzazione e la consegna a centottanta giorni è un notevole piacere, non ci si innamora e tanto meno ci si sposa per la permuta di un'auto. Sarebbe come sposare un uomo perché gradisci il profumo del dopobarba o una donna perché ti piace la sua acconciatura o la collana che porta, immaginando che lei resterà per tutta la vita pettinata così e con quel gioiello al collo.

Tutto questo, il funzionario del fisco che ti risponde gentile ed esauriente, il rimborso per il pagamento eccessivo di imposte sul reddito che ti viene recapitato per posta al massimo due mesi dopo la dichiarazione, il supermercato aperto 24 ore al giorno per 365 giorni, il quotidiano depositato davanti alla porta di casa da sfogliare con il primo caffè, la banda larga per Internet che funziona e non richiede appuntamenti, scartoffie e ore di penose conversazioni con qualcuno del call center che ne sa meno di te, i libri che ordini via Internet e ti vengono recapitati a casa ventiquattr'ore dopo, il rinnovo della patente via Internet, clic clic, le banche che cercano di fregarti come tutte le banche al mondo ma almeno lo fanno con gentilezza e sono aperte anche al sabato, l'idea che un appuntamento alle 5 del pomeriggio sia alle 5, e non «verso le 5», tutto questo non è motivo serio di innamoramento. Anche se, giorno dopo giorno, la facilità di vivere, la *convenience*, la comodità nel disbrigo dei fastidi quotidiani, la civiltà dell'efficienza e il culto del servizio ti entrano sotto la pelle e sembrano, fino a quando non torni in Italia, la normalità.

Se amo profondamente gli Stati Uniti è perché, come mi disse un amico e collega che ci era vissuto, Renato Proni, ormai trentacinque anni or sono mentre mi preparavo a lasciare Bruxelles per New York (e per quell'albergo di merda con Bugs Bunny), «sono una nazione eccitante». Allora non capii bene che cosa volesse dire.

Ora lo so.

L'America non è un Paese perfetto o giusto, neppure particolarmente bello, come sa chiunque abbia viaggiato abbastanza per vedere che, tolte le solite superstar come San Francisco, Seattle, Manhattan (ma certo non gli altri quattro orridi distretti di New York: Brooklyn, Bronx, Queens e Staten Island), il centro di Chicago, un po' di Boston, le città tendono a essere piuttosto bruttine e anonime, se non orrende.

Non è la «migliore democrazia del mondo», visto che si può anche essere trombati o non eletti prendendo più voti del vincitore, come è accaduto spesso, con tanti saluti al mito dell'*one man one vote*, un uomo un voto, in un contorto sistema elettorale che molti vorrebbero cambiare, ma non cambia perché dovrebbero cambiarlo proprio quei politici ai quali va benissimo così (o qualche ingenuo crede che le caste e le corti esistano soltanto in Italia?).

L'America è un Paese vivo e, dunque, ingenuo, vulnerabile a evidenti giochi di prestigio elettorali, come la scelta di quella signora Palin, diversivo efficace creato per far dimenticare Bush. Un organismo non ancora contagiato e invaso dal virus del cinismo furbo, del «qui nessuno è fesso» che implicitamente rende tutti fessi. Capace di gesti come quelli del presidente Gerald Ford che chiuse il caso Nixon con un perdono giudiziario totale dopo le sue dimissioni. Pur sapendo che questo gli sarebbe costata l'elezione.

Nel mio lavoro di giornalista, come nella mia vita di persona qualsiasi, so che ogni mattina al risveglio ci sarà qualche cosa di nuovo che mi strapperà al terrore della noia.

Ognuno ha i propri difetti genetici, nessuno di noi è perfetto. Io mi annoio con una facilità patologica. L'America è la mia medicina. Sono grassottello e daltonico, calvo e con un dente storto (no, dottore, grazie, 2000 dollari per farmi un dente finto non li spendo), ma sono costretto a stare con gli occhi e con quello che mi rimane del cervello bene aperti, senza mai avere il tempo di annoiarmi.

Non so come sarei potuto sopravvivere in Italia, sapendo che per lustri e decenni sarei stato condannato a vedere sempre le stesse cose, gli stessi eventi ripetersi, gli stessi cadaveri della vita nazionale e della politica ripescati dai canali e rimessi a nuovo per un'altra legislatura, per un altro talk show con le stesse facce, per un altro varietà con le stesse soubrettone e gli stessi presentatori, come in quell'angoscioso film con Bill Murray, *Ricomincio da capo*. Probabilmente non sarei sopravvissuto.

Ogni giorno, come tra vecchi coniugi che non hanno più niente da dirsi e perciò stanno zitti, avrei visto le stesse facce invecchiare con me ripetendo le stesse frasi, riaccendendo le stesse polemiche, rimescolando la solita zuppa. Il conflitto d'interessi, l'Alitalia, le tasse, i ponti, i raccomandati, il nepotismo, la casta, le infrastrutture, l'emergenza normale, la morsa del gelo, la colonnina di mercurio, la siccità in luglio, l'alluvione in ottobre, i concorsi, la Tav, il giustizialismo, le code alla barriera di Melegnano, il grande esodo, le partenze intelligenti, il tutto esaurito, Andreotti, il crimine organizzato, il permissivismo, il chi sbaglia deve pagare purché non sia un amico mio perché in quel caso trattasi di ignobile attacco politico, la sicurezza, il precariato, il monito papale all'Angelus al quale nessuno dà ascolto tranne i telegiornali, la questione meridionale, la moviola del rigore, il «piccolo» di turno ucciso dalla mamma (ma le mamme uccidono? e certo che uccidono, per fortuna molto di rado), in una fissità da icona ortodossa di Andrej Rublëv dove santi immobili ci guardano mentre noi li guardiamo altrettanto immobili.

Avrei riascoltato sempre lo stesso comizio, riscrivendo lo stesso articolo, denunciando coraggiosamente le stesse piaghe che nessuno lenirà, dibattendo eventi epocali, se Sanremo sia finito, se sarebbero meglio Bonolis o Chiambretti, Baudo o la Ventura per salvare tre ore di scadente musichetta dimenticata il giorno dopo, se Del Piero sia ancora da nazionale, se Totti debba tornare in azzurro, se la Juve abbia rubato 498 scudetti, se il fallo di mano fosse da rigore o involontario, se tutti i politici siano farabutti corrotti o soltanto quelli dell'altro partito, se dobbiamo tutti andare affanculo meno colui che ci manda affanculo e passa alla cassa, quante Democrazie cristiane siano nate dalla Democrazia cristiana, se abbiamo il governo che ci meritiamo o è il governo ad avere il popolo che si merita, se diventeremo tutti musulmani (no), se Berlusconi porti i tacchi, se Veltroni sia stato o no comunista da bambino, se D'Alema sia davvero intelligente o abbia una barca troppo bella, se sia più noioso e banale il Tg1 o il Tg5, con il solito servizio sui prezzi al mercato, ché, signora mia, qui i pomodori sono andati alle stelle. Aria, per favore. Boccheggio.

Quando tornai a vivere in Italia nel 1978, avendo lasciato avventatamente l'America con mia moglie Alisa e due bambini piccoli, mi assaliva alla sera un senso di soffocamento, quasi un attacco di claustrofobia, sindrome della quale soffro, come di chi passi da un comodo letto a due piazze al tunnel di una macchina per la risonanza magnetica. Le dimensioni, al contrario di quello che le donne affettuose raccontano ad amanti e mariti per non afflosciare troppo il loro fragile ego virile, contano.

E se nulla al mondo vale la meraviglia di quella boutique d'arte e di natura che è l'Italia e che neppure noi italiani siamo ancora del tutto riusciti a devastare, si respira meglio facendo la spesa dentro un supermarket, anche se i prodotti non sono resi migliori dalla grandezza del negozio. Ma l'assortimento, quello sì.

Spesso mi torna in mente l'ultimo giorno delle Olimpiadi a Sydney, nell'ottobre del 2000, quando camminavo con Massimo Gramellini della «Stampa» verso il treno che mi avrebbe portato allo stadio per l'ultimo evento. Eravamo troppo stanchi anche per parlare male dei colleghi non presenti, che è la principale attività professionale dei giornalisti. Fu Gramellini a fermarsi di colpo e a rompere il nostro mutismo. «Cazzo» sbottò allargando le braccia, e mi pare proprio che avesse cominciato così, con un cazzo, «se penso che tu fra due giorni torni a occuparti d'America, di Clinton, di Gore, di Bush e io devo tornare a occuparmi di Giovanardi, di Dini, di Mastella, di Fassino, di Bossi e di Pecoraro Scanio, mi viene da spararmi.» Fortunatamente, né lui né io avevamo una pistola a portata di mano. L'avessi avuta, gliela avrei prestata, perché lo capivo.

E io allora ancora non sapevo che, poche settimane più tardi, in novembre, sarebbe scoppiato quel bordello infernale e mai visto prima delle elezioni presidenziali con le schede «vergini o incinte». Dicevano proprio così, seri, gli analisti politici osservando con fiero maschilismo se le schede fossero state perforate o mostrassero soltanto un rigonfiamento da fallito tentativo di perforazione.

La notte elettorale, il 7 novembre 2000, scrissi cinque commenti diversi da Washington per «la Repubblica», che aspettava i risultati per licenziare il giornale: ha vinto Gore, non ha vinto manco per niente Gore, ha vinto Bush, aspetta, non ci si capisce più una mazza e l'ultimo, quello che fu stampato su un centinaio di copie diffuse probabilmente soltanto nell'edicola sotto il giornale in piazza Indipendenza a Roma perché ormai era mattina e non c'era più tempo per andare lontano, era intitolato vigliaccamente *La Notte delle Streghe*, e tanti cari saluti. Una fatica bestia. Una notte insonne. Un sabba infernale. La testa che doleva. L'acidità di stomaco per i troppi caffè. La redazione che strepitava al telefono. Un divertimento folle. America ti adoro.

Avere l'America tra le mani è come avere in casa un bambino di tre anni, quell'età in cui cominciano a parlare seriamente e ad avere pretese. E adesso a che cosa giochiamo?, ti tormenta la creaturina dopo che ha trafficato con le automobiline, ha subito distrutto il tracciato perfetto che le avevi costruito con le rotaie di legno, ha guardato un cartone animato per trenta secondi, mangiucchiato quattro cucchiaini di yogurt e tentato più volte di precipitare a testa in giù dalle scale puntando a capofitto verso lo spigolo di acciaio inox più acuto in casa. E ti ha bombardato di «perché» a cui tu, genitore o nonno, dovresti avere risposte che non hai. «Nonno, perché c'è la luna?» Boh. «Chi vincerà le elezioni?» E che ne so. Se lo sapessi, scommetterei una fortuna e andrei a vivere nelle Bermuda.

Ho sempre provato molta compassione per gli americanisti o americanologi che si spacciano per conoscitori di questo immenso mistero umano, culturale e civile, perché mi ricordano appunto il pediatra al quale le mamme portano i bambini piangenti denunciando sintomi vaghi come vomito, febbre, insonnia, cacchina un po' troppo frequente e pretendono una diagnosi secca. Che il pediatra dà loro, tanto per tenerle buone e mandarle via, fidando nella più potente medicina mai inventata, la *virtus sanatrix naturae*, la capacità naturale di guarire.

L'antica battuta secondo la quale chi sta un mese in America scrive un libro, chi ci sta un anno scrive un articolo e chi ci sta dieci anni non scrive niente perché ha finalmente capito di non aver capito non è più vera, e infatti io sono ancora qui a scriverne, dopo trentacinque anni. Ma almeno ho capito che l'America di domani sarà diversa da quella di oggi e per essa vale la legge del tempo a Londra. Se non vi piace, aspettate cinque minuti e cambierà.

La Fata Morgana di Internet crea in tutti l'illusione del viaggio e della conoscenza istantanea e trasforma anche chi non si muove mai da uno sgabuzzino a Gorgonzola in un esploratore del mondo. Clic sei in Nevada, clic sei in Florida, clic leggi tutti i giornali, clic clic vedi tutte le immagini.

Scrivere e parlare di America è la cosa più facile del mondo. Basta copiare i giornali americani, prendere a prestito giudizi, sposare una tesi o una corrente, pescare dal supermarket i prodotti che ti danno ragione e ignorare gli altri. Uno sventurato corrispondente americano in Italia dovrebbe comprendere quali sottili differenze ideologiche esistano tra Fini e Storace, fra Casini e Giovanardi, fra D'Alema e Mussi, ammesso che interessino a uno dei suoi lettori. Ma se spunta un Barack Obama, o un John McCain, il più umile giornale di provincia italiano offrirà astute interpretazioni e teorie probabilmente ragionevoli, perché sono scodellate in mille salse da mille fonti.

Con la stessa facilità con la quale tutto è spiegabile, tutto può però essere frainteso. Perché resta vero che appiccicare etichette sopra questa nazione di nazioni, sposare cause, illudersi di individuare tendenze e futuro, condanna chi crede di avere trovato la chiave magica alla sorte meschina del marito che rientra a casa e scopre che la moglie nel frattempo ha cambiato la serratura.

Ciò che sembrava certo ieri diventa assurdo domani. Il gruppo che appariva dominante, e destinato a controllare pedali e manopole del potere per generazioni, viene spazzato via in pochi anni. Segreti che sembravano sepolti per l'eternità affiorano come cadaveri dai fiumi, basta aspettare. Nulla resta segreto per sempre, tranne la formula della Coca-Cola e della pastella per friggere il pollo Kentucky Fried Chicken. I russi conoscevano tutto degli arsenali nucleari americani, ma il pollo fritto resta avvolto nel mistero. E i pesciolini degli acquari, i think tank, sono agilissimi e ti guizzano davanti e dietro, a destra e a sinistra, sentendo le correnti.

Che Silvio Berlusconi avrebbe vinto le elezioni e sarebbe tornato a palazzo Chigi appena Romano Prodi fosse franato sopra quella montagna di panna montata che era la sua maggioranza, lo sapevano anche in Uzbekistan.

Ma nell'America che nel 2008 si è tormentata per mesi soltanto per scegliere i candidati dei due partiti principali per la Casa Bianca (ce ne sono più di due, ma gli altri vengono sempre ignorati), alla fine sono emerse due figure che un anno prima sembravano al massimo divertenti macchiette, «extra», nel linguaggio di Hollywood, figuranti o comparse.

Alla fine dell'estate 2007, un anziano senatore dal nome di John McCain aveva deciso di smantellare il proprio apparato elettorale. Non aveva più un centesimo, i sondaggi a malapena lo registravano fra le preferenze, i suoi collaboratori e strateghi bisticciavano. E poi, a settantun anni, chi mai lo avrebbe scelto per una professione come quella di capo dello Stato e del governo che invecchia come gli anni dei cani e trasforma uomini vigorosi in anziani ingrigiti e acciaccati quando ne escono.

Nell'autunno dello stesso 2007, una formidabile signora

sessantenne perennemente corazzata nei tailleur pantalone che dovrebbero, nelle sue intenzioni, assottigliarle un poco i fianchi matronali e il deretano generoso, nascondere i polpacci da terzino di seconda categoria e darle un tono professionale e autorevole (niente ministre con le autoreggenti per esibire le coscette o con foto che le ritraggono con fili da arrosto nel sedere, qui sono gli elettori a scegliere, non i sultani), dominava il partito democratico. Hillary Rodham Clinton aveva almeno 25 punti percentuali di vantaggio su tutti i suoi temerari concorrenti, compreso quel simpatico ragazzo – così lo chiamavano in casa Clinton – con l'aria e l'abbigliamento da suonatore di contrabbasso nei gruppi di «cool jazz» anni Cinquanta, Barack Hussein Obama.

Ora non ricordo le quote dei bookmaker, ma se qualcuno avesse puntato una sommetta su una finale fra il residuato di guerra e il contrabbassista jazz vestito Zegna nell'autunno del 2007 avrebbe fatto fortuna. Certamente non la scommisero gli esperti, gli americanisti, i politologi, ancora una volta presi in contropiede da un'America che si mostra senza veli a tutti, ma non si concede mai.

Nessuno, neppure io che avevo dichiarato e scritto la mia avversione alla guerra in Iraq non per pacifismo, ma per il timore della profonda ignoranza americana di mondi e gente troppo diversa da loro, aveva osato pensare che nel 2008 almeno 160 mila soldati miei concittadini, tra i quali ci sarebbe potuto essere anche mio figlio se avesse continuato la sua carriera di ufficiale di artiglieria, sarebbero ancora stati laggiù a farsi sparare addosso e dilaniare da bombe fatte in cantina. Che avremmo speso 1000 miliardi di dollari per impiccare Saddam Hussein, che più di 4000 famiglie avrebbero dovuto piangere un figlio, una moglie o un marito tornati nelle bare, che 30 mila avrebbero portato per sempre le cicatrici fisiche, oltre a quelle morali, della guerra. E che cinque anni e mezzo dopo l'ingresso delle truppe della più grande potenza militare del mondo, saremmo stati ancora qui a menarla sui progressi, le ricadute, i miglioramenti e i peggioramenti.

Eppure avrei dovuto sapere, dopo tanti anni, che il comportamento di questa nazione e di chi la guida non è mai prevedibile e tutti i grandi analisti (l'«esperto americano») sono come gli economisti irrisi dal Nobel dell'economia Paul Samuelson, quelli che «sanno spiegarti perché hanno sbagliato tutte le previsioni economiche».

L'America sa commettere errori enormi, non sbaglia mai in piccolo, dunque non ti annoia mai e non puoi mai darla per scontata, esattamente come una bambina di tre anni che può un giorno comportarsi come una ragazzina giudiziosa e il giorno dopo cacciare il dito nella presa di corrente. Ti inganna, ti tradisce, ti diverte. Ti cambia.

Ti sbalordisce quando vieni a sapere che ha speso 3 miliardi di dollari, una somma che noi chiameremmo con l'orrenda espressione «tesoretto», per dotare i soldati di nuovi giubbotti antiproiettile che nessuno aveva mai testato prima di spedirli, lasciando che *faciamus experimentum in corpore vili*, sui soldati che li indosseranno, come i medici medievali che facevano prove sui pazienti più miserabili. Ma non si fa mai controllare, perché ogni giorno nasce l'America che non ti aspetti. E se ci provi, poi ti costringe ad acrobazie da contorsionista cinese per capire come mai non avevi capito niente.

Ci sarà sempre ad accogliermi, quando torno da un servizio, da una vacanza, da un viaggio oltre confine, qualcosa di nuovo e di inatteso. Mi capita, oggi come trent'anni or sono, di attraversare in auto quartieri che conosco a memoria, strade che ho battuto migliaia di volte, solo per il gusto di vedere che cosa sia stato demolito e che cosa stiano costruendo. Nella Milano della mia giovinezza, come nella Roma dove ora ho base, so di poter ritrovare esattamente tutto come l'avevo lasciato dieci, venti, trent'anni or sono e quel cratere lasciato dalla vecchia Fiera di Milano resterà tale per anni.

La traversa di via Vincenzo Monti, nel capoluogo lombardo, dove mi appostavo sperando di vedere la ragazza di cui ero follemente innamorato per un paio di settimane, è ancora come l'ho lasciata mezzo secolo fa. Le mie scuole, dall'elementare di via Gattamelata alla media-liceo-ginnasio Giuseppe Parini, all'Università statale in via Festa del Perdono, sono immutate, ferme nel tempo, e non sarei sorpreso di ritrovare lo stesso bidello con una mano rattrappita in un artiglio paralizzato che apriva i portali di ferro.

Il furioso, divorante metabolismo fisico da malato di ipertiroidismo dell'America che non è capace di star ferma è la rappresentazione urbana e materiale della propria incurabile irrequietezza. *Good is never good enough*, il buono non è mai buono abbastanza, dovrebbe essere il motto nazionale ricamato sulla bandiera, invece di quella stucchevole retorica sulla «terra dei liberi e patria dei coraggiosi» recitata nell'inno. Cambiare, cambiare tutto, cambiare sempre. Domani è il primo giorno del resto della tua vita, non l'ultimo della vita che hai già vissuto.

Chi ha concepito, organizzato ed eseguito l'oscenità dell'11 settembre, cioè i fanatici straccioni di al-Qaeda che nella primavera del 2008 si indignarono, attraverso il loro «massimo ideologo», l'egiziano al-Zawahiri, di fronte alle teorie idiote che volevano negare la loro paternità del massacro, è qualcuno che conosceva bene l'America. Sapeva che quell'atrocità avrebbe inevitabilmente scatenato una reazione a catena, una cascata di azioni. Non perché la risposta armata in Afghanistan e poi la follia irachena fossero le risposte giuste o sbagliate, ma perché nell'azione c'è la soluzione a tutto. In principio c'era l'azione, dovrebbe dire la Bibbia americana.

Fate una legge, chiedono gli italiani ai loro rappresentanti di fronte a problemi epocali o minimi, che nessuna legge potrà mai risolvere. Aprite un tavolo di discussione, invocano. Fate qualcosa, invocano gli americani, agite, muovetevi, magari *facite ammuina*, come si ordinava ai marinai della Real Marina borbonica, incitandoli a muoversi sulla nave per dare l'impressione di attività. Fare, non dibattere, è la reazione istintiva, riflessa, di tutti, di Lazaro il carpentiere, di Carolina la baby-sitter, di Abyola il bancario, di Lam il coglione asiatico che mi ha fatto perdere i risparmi in Borsa, senza distinzione di appartenenze politiche o di simpatie.

Bush ebbe il 90 per cento di approvazione, quando decise di reagire e agire, una percentuale che neppure l'annuncio di una nuova pillola per l'immortalità otterrebbe, perché un 10 per cento di bastian contrari c'è sempre.

Ho imparato ad amare l'America perché mi tiene vivo, come fanno appunto i bambini piccoli, come le stagioni, come il tempo che cambia o una donna alla quale vuoi molto bene e che ti sorprende un poco ogni giorno, non importa quanti siano i giorni che dividi con lei. Perché nulla è mai quello che sembra e quello che sembra non è vero.

La amo perché ormai non è più la «numero uno» neppure in quelle misure di grandezza che tanto piacciono a gente convinta fin dalla più tenera età che «più grosso è meglio», e il più piccolo è anche necessariamente un po' un fallito. Non è più il Paese del Grande Cocomero di Charlie Brown, della salsiccia più grande del mondo (primato che, sublimato nello zampone, spetta semmai alla cittadina di Castelnuovo Rangone nella mia provincia modenese, tiè). Ha perduto la supremazia valutaria nei confronti dell'euro e il primato mondiale della produzione industriale, che nel 2009 passerà ai cinesi. La più americana delle birre, la Budweiser, bevanda nazionale quanto la Coca-Cola, è stata comperata nel 2008 da una società belga, la InBev., per 52 miliardi di dollari. Grattacieli simbolo di New York, come il Chrysler Building, passano in mani arabe.

Come ha scritto Fareed Zakaria, autore e giornalista nato in India ma anche lui convertito al «Vangelo americano» senza però perdere la propria capacità critica, il XXI secolo, anziché essere il Nuovo Secolo Americano, come credevano gli allucinati discepoli di Leo Strauss che sottoscrissero il famoso documento di Paul Wolfowitz, si sta annunciando come il Primo Secolo Postamericano, nel quale proprio quella globalizzazione tanto voluta sta sfuggendo di mano e creando rivali e concorrenti sempre più forti.

Semischerzando Zakaria annota che, cocomeri, birre e insaccati a parte, gli Usa non hanno più il primato dei grattacieli più alti del mondo, passato prima alle torri Petronas della Malesia musulmana e poi ai cinesi di Taiwan e presto agli arabi di Dubai. Non hanno più la massima raffineria di greggio, ora in costruzione in India. Non vantano il casinò più grande, oggi a Macao, che ha superato Las Vegas per volume di soldi perduti dai giocatori. Non possono dire di possedere il più grande shopping center, il tempio della religione universale, lo shopping appunto: il Mall of America del Minnesota, un tempo la cattedrale del consumismo, non è neppure tra i primi dieci della Terra.

Il più importante centro di produzioni cinematografiche non è più Hollywood, in California, ma Bollywood, in India, e la prima società per azioni del mondo per capitalizzazione è a Pechino. Persino la famosa ruota di Ferris, quella gigantesca giostra panoramica che fu inventata da un ingegnere americano, Gale Ferris, e che debuttò nell'esposizione universale di Chicago del 1893 per essere poi imitata nel Prater di Vienna e in ogni luna park del mondo, ha i suoi massimi esemplari a Singapore, Pechino e Dubai. Anche la Eurowheel italiana di Mirabilandia ha superato le «ruote» americane.

Le icone della supremazia americana, manifestata nel più alto, più grosso, più ricco, stanno cadendo. Il Boeing 747, il jet commerciale più grande del mondo che vidi per la prima volta decollare da un aeroporto europeo nel 1969 senza riuscire a credere che quel goffo pachiderma potesse staccarsi da terra e vincere la forza di gravità, è destinato a essere scavalcato per dimensioni dal super jumbo a due piani prodotto dall'europea Airbus 380, capace di trasportare 525 passeggeri da New York a Honk Kong senza fare rifornimento. Ammesso che mai davvero riescano a commercializzarlo sul serio, ora che proprio i Jumbo 747 vengono ritirati dal servizio uno dopo l'altro perché bruciano troppo carburante.

Nell'Olimpiade delle cose, nella produzione del tangibile d'acciaio, di plastica, di fibre, di cemento, l'America è stata battuta al proprio gioco del «più grosso», «più alto», «più forte», «più veloce». Non fabbrica da tempo le automobili più belle o appetibili e le tre sorelle di Detroit sono l'ombra di quello che furono la General Motors, la Ford e la Chrysler, prima acquistata e poi scaricata dalla Daimler Benz. Spende in armamenti più di tutte le altre nazioni del mondo messe assieme, ma è difficile immaginare che oggi, in una «guerra di materiali», quello che fu l'arsenale della democrazia negli anni Quaranta e piegò nazisti, fascisti e imperialisti giapponesi con la mostruosa forza delle proprie catene di montaggio potrebbe rimettersi in azione e ricominciare a macinare aerei, autocarri, navi e parti di ricambio con la stessa superiorità dimostrata settant'anni or sono.

Ma se ormai quasi nulla è davvero «made in the Usa», negli Usa sono prodotte le idee, le intuizioni, i programmi che fanno funzionare le cose e che danno senso a ciò che viene fabbricato da altri. Tutti i computer sono ormai praticamente costruiti in Asia. Ma senza i sistemi operativi scritti in America o costruiti su programmi concepiti in America come Unix sarebbero inutili. L'iPhone di Apple, che in due giorni vende un milione di pezzi nel mondo intero, è un grazioso gingillo, un gadget di squisito design, senza le idee di Steve Jobs, il signore della Apple, nel suo cervellino. Le informazioni e le opinioni che danno il tempo al discorso internazionale sono trasmesse e stampate da media americani e per diventare un feudatario della comunicazione anche l'australiano Rupert Murdoch ha dovuto farsi americano e sbarcare a New York. Internet è americana. E se volete informazioni dovete cercare su Google o su Yahoo, motori di ricerca creati in California da russi, da cinesi immigrati e americanizzati.

Le donne fanno le code per guardare *Sex and the City*, storia di signore che non esistono davvero neppure a New York, ma sembrano tanto New York, una *fantasy*. L'economia immateriale, quella fatta di idee, di genialità, di capacità di inventare anche prodotti finanziari che magari portano alla catastrofe dei famigerati mutui, ma non prima di avere risucchiato miliardi dal mondo, sta qui, in America. Il «valore aggiunto», come lo chiamano gli economisti, non è nella manodopera pagata 2000 dollari all'anno, come in Cina, nelle *maquilladoras*, nelle manifatture del sudore messicane o retribuite in nero, ma nella creatività, nella ingegnosità, nella produzione di novità e nel settore dove gli americani dominano, il marketing. Quello che spinge un milione di persone in Italia, in India, in Brasile, in Giappone ad accamparsi nella notte fuori dai negozi Apple per comperare un aggeggio come l'iPhone, che non fa nulla che altri aggeggi simili non facciano, ma che il marketing ha reso un *cult*, indispensabile.

Ma c'è un altro gioco al quale ancora non riusciamo a superarli, certamente non noi in Italia, con tutte le paillette e il make-up da scimmiottatori dei tic americani che non riescono a nascondere le rughe e i nei, e rendono semmai antipatica l'America anche a chi la ama davvero. È il rinnovamento delle classi dirigenti. Dunque la capacità di metabolizzare e assorbire anche quelle spinte di «antipolitica» che esistono in tutte le democrazie, ma che altrove non trovano sfogo e si allargano nelle paludi della buffoneria impotente o della rabbia frustrante.

Avevamo tutti sogghignato scettici quando avevamo visto arrivare da lontano Barack Obama. Una creatura dei media, un cocco delle telecamere con quel sorriso, una «sòla», disse qualcuno a Roma, magari tremando al pensiero che quel suo slogan, «yes, we can», sì ce la possiamo fare, infettasse anche gli elettori italiani, tradotto nel romanesco veltroniano del «se po' ffà». L'America ci avrebbe fatto un po' all'amore, per una stagione, come le signore che prendono la cotta per il maestro di sci o il bagnino, fino al ritorno in città dal marito.

Non soltanto la cotta non è sbollita. È diventata una candidatura ufficiale alla presidenza, l'incarnazione di quella retorica del «sogno» di Martin Luther King che tutti celebravano ma ancora pochi praticavano.

Rieccola qui, l'America deliziosa e vigliacca che mi assale, che punge i luoghi comuni, sgonfia gli odi, arruffa le penne, rende possibile l'elezione di un nero alla Casa Bianca (o di un bianco, ma per forza si deve dire che è nero anche se per 7/8 il suo dna fosse bianco), trasforma l'assurdo in possibile, l'improbabile in verosimile. Tenta, almeno, di cambiare, anche quando non ci riesce. Crea quella percezione del cambiamento, quella sensazione che davvero chiunque, anche una bambina figlia di un piccolo commerciante di Chicago come Hillary, anche il figlio di un ufficiale di Marina sballottato da una base all'altra e nato a Panama come McCain, o il figlio di un'ingenua ragazza bianca cresciuta a latte e pannocchie di granturco e sedotta da un africano del Kenya di passaggio nel suo Kansas, e poi allevato come un pacco postale fra il Kansas, l'Indonesia, le Hawaii e infine Chicago, possano seriamente aspirare, anche se non necessariamente arrivare, alla massima poltrona del pianeta. Come si può non amare una nazione che nel 2008 presentava in campo non uno, ma tre seri concorrenti per la propria massima carica che erano, tutti e tre, anomalie storiche, violazioni di ogni precedente e di ogni stereotipo politico?

Uno, McCain, quello che dice di se stesso «ho più cicatrici in faccia di Frankenstein», è troppo vecchio ed è sopravvissuto a tre incontri con quella malattia che la penosa ipocrisia italiana ancora ha l'incoscienza di definire «un male incurabile», come fosse un vizio, una vergogna. Uno è troppo nero, e quarant'anni dopo l'assassinio di Martin Luther King è tanto pazzo da sfidare anche l'odio razziale in una nazione dove circolano troppe armi da fuoco, oltre 200 milioni di pistole, in mano a troppi dementi. La terza, troppo donna, osava puntare, e punterà ancora in futuro, con piglio deciso a una poltrona sulla quale si posano soltanto sederi maschili da duecentoventi anni.

A me che devo ingoiare e subire le fanfaronate e il bullismo da cortile di scuola media che riaffiorano dal ventre dell'America, che devo rassegnarmi, come giornalista, al provincialismo dei suoi media che si credono superiori a tutti gli altri, ma scrivono fregnacce esattamente come i nostri, però in inglese, il che le fa sembrare più autorevoli, basta poco, cioè moltissimo, per riconciliarmi al mattino con quella moglie America che mi ha fatto andare in bestia alla sera.

Chi sarai, domani? Quale nuovo palazzo spunterà a Times Square? A Capitol Hill, tra la stazione ferroviaria di Washington e il Parlamento? Quale altro colossale disastro sta preparando il più grande casinò del mondo, come chiamava Ben Bradlee, direttore del «Washington Post», Wall Street, nel quale anche le nostre barchette di carta s'inzupperanno? Quale scandalo nasconde Obama? Con chi è andato a letto l'eroe supercicatrizzato che sulla collina del Campidoglio aveva fama di infaticabile cacciatore di sottane, forse per il timore di rompere sua moglie Cindy, che dopo infiniti interventi plastici, pagati dalla birra che lei distribuisce, ha assunto le fattezze di una bambola di porcellana inespressiva e fragilissima? Ha lasciato in giro qualche bambino che spunterà due settimane prima del voto gridando «papà, papà» e agitando l'implacabile prova del dna?

E Bush saprà tenersi in tasca fino al 20 gennaio 2009, quando lo porteranno fuori dalla Casa Bianca, quella voglietta di fare la guerra all'Iran per salutare con fuochi artificiali la fine della propria presidenza?

Nulla è prevedibile, nell'America che amo, nulla è impossibile. Bill Clinton è figlio di un alcolizzato morto contro un palo della luce prima che lui nascesse e di un'infermiera dell'Arkansas, lo stato più miserando del Paese, che campa di polli allevati e spennati a milioni nelle acque intorbidite dei suoi fiumi. La madre passava le giornate nelle taverne di Hot Springs, la Gomorra della zona, a fumare, a giocare d'azzardo, e fermiamoci qui perché il resto lo capite da soli. Clinton divenne presidente soltanto perché un buffo pappagallino d'uomo chiamato Ross Perot, con in testa la fissa del debito pubblico, buttò centocinquanta dei propri milioni in una campagna elettorale come indipendente e portò via abbastanza voti a Giorgione Bush, che altrimenti avrebbe stravinto, per farlo perdere.

Ronald Reagan era un attore di B-movie, un guittaccio. Divenne segretario del sindacato degli attori, che non è proprio la punta di lancia dei movimenti dei lavoratori, e mandava ai fan la foto di se stesso con in braccio uno scimpanzé, con il quale aveva recitato nell'indimenticabile capolavoro *Bonzo la scimmia sapiente*, con questa dedica: «Alla cara xy, dal suo Ronnie (io sono quello con l'orologio al polso)». Oggi è diventato il santo dei repubblicani e, grazie a Giorgino Bush, rimpianto anche da molti che non lo votarono.

Cinismo, il mio, puro cinismo di giornalista. Pelo professionale sullo stomaco che spuntò a ciuffi quando lasciai L'Avana su aerei ingombri di telecamere, attrezzature audio, videoregistratori e giornalisti col fiatone, mentre il prossimo beato Karol Wojtyła incontrava Fidel Castro in un evento mirabile. Ma da Washington era arrivata la notizia che il quarantaduesimo presidente degli Stati Uniti, William Jefferson Clinton, era stato sorpreso in bocca a una ragazzina di ventun anni, praticamente l'età di sua figlia Chelsea, china sotto la scrivania a fargli quel servizietto che tutti diventammo pazzi per mesi a cercare di descrivere ai lettori senza chiamarlo con il proprio nome. Cioè un pompino.

Una vergogna devastante, non la sua, la nostra, di giornalisti pronti a scaricare un santo per accorrere verso quello che passò alla storia come lo Studio Orale, scoprendo via via i dettagli: l'abitino blu di Monica macchiato dall'incontestabile dna del presidente degli Stati Uniti e da lei, su consiglio della premurosa e navigatissima mammina, religiosamente conservato sporco sotto la plastica, come una reliquia, perché altrimenti, le spiegò la saggia genitrice, «nessuno ti crederà, bambina mia». Ah, il cuore di mamma.

Per tutta la vita chi fa questo mestiere deve misurarsi con il sospetto o l'accusa di gonfiare i fatti, di esagerare, di inventare. Fa parte del mestiere, come per un attaccante subire l'accusa di buttarsi in area per strappare un rigore. Ma chi di noi si sarebbe mai potuto inventare la storia di un presidente degli Stati Uniti d'America, quel signore che tiene sotto le dita i pulsanti per lanciare 6000 bombe termonucleari e mettere fine alla storia dell'umanità, che telefona alla ragazzina e le lascia compromettenti frasette sulla segreteria, come un liceale infoiato, senza pensare che lei le avrebbe potute conservare. Che non può esistere al mondo una giovane donna che non sia travolta dal bisogno di confidare una volta a qualcuno, alla mammina, a un'amica, dopo aver fatto loro promettere di mantenere il segreto, naturalmente, che lei si sta facendo il presidente degli Stati Uniti. Come dici? Sì, proprio il presidente degli Stati Uniti.

Costò 150 milioni di dollari l'inquisizione condotta per stabilire nei dettagli più minuti che cosa il vecchio Bill «Bubba» Clinton avesse fatto con la cicciottella, dove e come l'avesse messo, se quella cosa potesse o meno, Bibbia, codici, testi di urologia e trattati di sessuologia alla mano, costituire o no «rapporto sessuale». E non si arrivò a nulla. Hillary, stomaco politico di ferro, ingoiò tutto per convalidare il proprio biglietto verso un seggio senatoriale, e non uno qualsiasi, ma quello di New York, che era già stato di Bobby Kennedy, e dove lei non era mai vissuta.

Consumammo quasi due anni a contorcerci per scoprire a quante donne «Bubba» avesse pizzicato il sedere, mentre in una spelonca del Kandahar, in Afghanistan, bin Laden e il suo socio al-Zawahiri, già finanziati e protetti proprio dalla Cia quando servivano per demolire l'Impero del Male sovietico, progettavano, preparavano e organizzavano il più mostruoso attentato che mai la mente bacata di un fanatico avesse potuto concepire. Sotto il naso di satelliti, agenti, informatori, esperti di terrorismo, computer che avevano intuito e previsto tutto, come dimostrò l'allarme ricevuto da Bush e da Cheney alla Casa Bianca nell'agosto prima dell'attacco, ma erano serviti unicamente a dimostrare il classico assioma secondo il quale l'intelligence è intelligente soltanto quanto chi la legge. Se chi la legge non la vuol capire, come Stalin che rifiutò di credere alla data esatta dell'invasione nazista passata dalla sua spia Sorge a Tokyo, l'intelligence non serve a nulla.

Voi americani siete matti, mi sentivo dire. Peggio, siete moralisti, bacchettoni, ipocriti e soprattutto, sempre arriva la parola pigliatutto in questi casi, inguaribilmente puritani. Noi in Europa siamo più evoluti, più sciolti, più adulti. Se davvero (ma non era vero) un capo di Stato può mandare le sue guardie del corpo a cuccare donne per lui, un europeo evoluto e moderno, soprattutto un italiano, lo invidierebbe. Magari lo rieleggerebbe pure con larga maggioranza.

Ma io mi tengo il «puritanesimo» che giustamente travolge i sepolcri imbiancati del «cristianismo» fanatico e integralista, quelli che tuonano contro l'omosessualità lanciando zaffate di zolfo e poi vengono pizzicati, come il reverendissimo Ted Haggard, antigay furente, a letto con un prostituto che gli passa anche l'ecstasy. Applaudo al Senato che censura e di fatto caccia il senatore Larry Craig dell'Idaho, rude repubblicano di frontiera, che ogni giorno spingeva avanti leggi per condannare quei porci omo e per dichiarare incostituzionali una volta per tutte le unioni fra i gay. E poi viene sorpreso a far piedino a un vicino di un gabinetto pubblico notoriamente frequentato da cercatori di sveltine, in un aeroporto, e cerca di giustificarsi sostenendo che lui «la fa tenendo le gambe molto larghe, per questo ha toccato il piede del vicino». Un episodio che, per mesi, ha pagato le rate del mutuo e la retta del college ad autori comici, vignettisti, produttori di show satirici e contorsionisti che cercavano di toccare il piede del vicino nelle toilette, oltre la parete divisoria.

E domattina?

Al risveglio ci sarà ad accogliermi, invece di una polemica sulle dichiarazioni di qualche parlamentare della val Seriana o di qualche prosindaco veneto, la notizia che un altro colosso dell'industria e della finanza è crollato sotto i colpi della Sec, il guardiano della Borsa, che sarebbe una Consob americana, ma che funziona. Qualcuno inventerà un algoritmo, una sequenza di comandi in lettere e numeri, che cambierà il mondo di Internet, dunque il mondo, come i due, Sergey Brin – immigrato russo – e Larry Page, che hanno inventato Google? Finiranno sul lastrico i dipendenti di un'altra grande banca d'affari, dopo la Bear Sterns? Assisterò a un processo come quello contro O.J. Simpson, il supercampione nero di football accusato di duplice omicidio premeditato, che si evitò la siringa letale soltanto perché il guanto usato nel delitto non calzava, grazie al colpo di genio di un avvocato che aveva rimpinzato il suo assistito di sale e di farmaci il giorno prima per farlo gonfiare come un dirigibile?

Non lo so, ma so che qualcosa accadrà, che le acque non stagneranno, che qualche onda si alzerà, possibilmente non come quella marea di fango dagli acquitrini del Mississippi che sommerse New Orleans.

Fare il mestiere del giornalista in America è come fare il corrispondente da tutto il mondo, perché non ci sono eventi, drammi, tragedie, crisi, casi umani che non accadano anche in America. Abbiamo tutto il bene e il male, con qualsiasi faccia: terremoti, maremoti, inondazioni di clandestini, premi Nobel come se piovesse (più Nobel per le scienze delle altre nazioni del mondo messe assieme), serial killer che surgelavano i pezzi delle loro vittime per mangiarseli con comodo e non sprecare niente (Jeffrey Dahmer), centrali nucleari che perdono (come quella vicina a casa mia, a Three Mile Island), preti cattolici pedofili in abbondanza tanto che a volte li esportiamo anche all'estero, trombe d'aria che succhiano paesini della prateria e li depositano qualche chilometro più lontano, buste con sformaggiate di batteri del carbonchio, l'antrace, che non Saddam, ma uno scienziato americanissimo spediva, matrimoni gay legittimati e vigilantes del deretano che linciano e ammazzano gay, pizze squisite e pizze ripugnanti. Tutto quello che volete, qui c'è. Un giornalista in America è come un bambino lasciato solo in un negozio di giocattoli. Non bastano mai le mani, per afferrarli tutti.

A chi odia l'America, auguri, è facilissimo odiarla, lo so,

la odio spesso anche io. È la bambinona più alta e allampanata nella foto di classe, è il bersaglio più facile, è il maggiordomo che qualunque lettore sospetta, appena si scopre il cadavere.

Loro si lagnano un po' di questa persecuzione, piagnucolano con il tono dell'«uffa, tutti ce l'hanno con me». Vorrebbero essere amati di più, «ma perché ci odiano tanto?» si lamentava Giorgino Bush mentre si preparava a lanciare un po' di bombe al fosforo, quelle che bruciano il corpo anche se sei sott'acqua, e a respingere il bando contro le munizioni a grappolo, le *cluster bombs*, che spruzzano per decine e centinaia di metri bombettine micidiali che restano sul terreno in attesa che qualche mano, o manina, le raccolga e se le veda esplodere in faccia. Già, perché ci odiano?

A chi crede di amarla, a chi proclama a ogni occasione quanto è grande, quanto è esemplare, quanto noi la invidiamo, rispetto alla tristezza domestica, e agita flabelli per adularla, ricordo di fare attenzione a idolatrarla. Perché è facile scimmiottarla nei costumi, nei tic, nella musica, nelle apparenze. Appiccicarsi addosso etichette anglofone, portare cappellini con il logo NY dei New York Yankees, progettare viaggi a Disneyland o sull'orlo del Grand Canyon, magari chiamare ormai tutto *day* per darsi un tono, Election Day, Tax Day, Security Day, addirittura Family Day, come se un Dies Familiae, o Giorno della Famiglia, contenesse meno sacre vitamine.

Ma di tanto in tanto, magari non abbastanza spesso, i falsi adoratori del totem America devono voltarsi dall'altra parte e fingere di non vedere che il texano Kenneth Lay, il presidente di una società truffa come la Enron che controllava l'elettricità dell'intera California senza produrne un solo kilowatt e qualche volta decideva di spegnere San Francisco o Los Angeles per ricattare i clienti, che finanziava il presidente in carica, che era benvenuto alla Casa Bianca dove Bush lo chiamava affettuosamente «Kenny Boy» tanto i due erano pappa e ciccia, finisce davanti a un giudice. Si prende una sentenza di trent'anni di carcere, riducibili a venti in caso di buona condotta. Molto gentile, Vostro Onore. Non sconterà la pena perché è morto di infarto prima di essere incarcerato.

Questa America, che io adoro e sogno, piace molto meno ai filoamericani da cassoeula o scottadito. Fa venire loro i brividi quando la vedono condannare il sinistro nanetto Lewis «Scooter» Libby, minuscolo consigliere e factotum del vicepresidente Cheney, per avere «mentito» al giudice inquirente speciale, e aver taciuto i retroscena della grande «pokazuka», della finzione scenica costruita per giustificare la guerra con le bombe che non c'erano.

Le nostre Mani Pulite si ritrovano sporche come erano prima del lavaggio, quasi vent'anni dopo. Le loro Mani Pulite spediscono in galera Leo Kozlowski, presidente della colossale Tyco International, che si prende otto anni. Venticinque anni, praticamente un ergastolo essendo lui già ultrasessantenne, piovono sulla testa di Bernard Ebbers, fondatore della WorldCom, condannato per bancarotta fraudolenta. E nessuno di loro che abbia osato, pur guardando negli occhi una vita in galera, accusare la magistratura inquirente, quella giudicante o le giurie popolari, di giustizialismo e di processi politici.

Neppure ha osato parlare di «toghe rosse», o di toghe avversarie, quel Jack Abramoff che dal 1980 era uno dei più apprezzati finanziatori, lobbisti e corruttori della politica, anche lui amicone dei Bush che lo avevano scelto per la squadra di saggi che nel 2001 prepararono la lista dei ministri per la presidenza di George W. Un uomo-chiave nelle posizioni-chiave, quelle dietro il palcoscenico, dove si muovono i burattini. Un intoccabile, un mammasantissima nella Washington repubblicana, infaticabile distributore di fondi, regali, favori, viaggi vacanza e chissà cos'altro a onorevoli deputati e senatori, famoso per i suoi grandi cappelli neri a tesa larga, alla maniera di don Vito Corleone. Fino al 3 gennaio 2006, quando il tribunale lo ha condannato a cinque anni e dieci mesi di carcere per «corruzione di pubblico ufficiale», tra le altre cose.

Addirittura il senatore Tom DeLay, il padrone prepotente e dispotico della maggioranza repubblicana che aveva dominato le due Camere, senza il quale non si spostava una sedia in Parlamento, finisce nello schedario giudiziario, fotografato con il numero di matricola sotto la faccia per avere trafficato con il «padrino» dal cappellaccio nero. Il suo nome scompare dalla scheda elettorale del 2006, perché non ci sono le liste a scatola chiusa che fanno passare farabutti, pregiudicati e sospetti. Il tuo nome è il tuo partito e quello viene votato.

Ce ne sono sicuramente altri come lui che hanno preso il suo posto, come ci sono sempre nuovi mafiosi pronti a rimpiazzare il latitante consegnato alla giustizia e nuovi «numeri tre» di al-Qaeda, quelli che devono occupare il posto più pericoloso e precario del mondo, perché periodicamente ci viene annunciata la loro uccisione. Ma intanto il don Corleone del lobbismo sta in galera e la tirannia di questo boss texano, DeLay, è finita.

In simili occasioni il gregge dei filoamericani di complemento si disperde, bela la propria paura segreta che un giorno davvero l'Italia cominci a somigliare all'America vera, non a quella delle chiacchiere e delle finzioni sceniche. Quella in cui un malcapitato sindaco della capitale perde il posto perché un giorno di febbraio cade molta più neve di quella prevista dai meteorologi (sbagliano anche qui, e spesso) e il comune non aveva predisposto abbastanza spazzaneve e camion di sale. Orrore!

Quella in cui si cita il sindaco di New York Michael Bloomberg come prova che anche in America se ne fottono del conflitto di interessi e si può benissimo essere proprietari di una rete tv e governare. Omettendo però di aggiungere che ogni presidente, vicepresidente o ministro deve disinvestire le proprietà e affidare gli investimenti azionari a gestori «ciechi», se non vuole essere lapidato sulla pubblica piazza, come accadde a Bill e Hillary Clinton che tardarono di sei mesi a farlo e per questo furono addirittura falsamente accusati, dalla macchina delle calunnie avversarie, di voler nascondere guadagni da traffico di cocaina. O tralasciando che la rete del sindaco di New York, la Bloomberg Television, distribuisce informazioni finanziarie ed economiche rigorosamente fattuali, per non perdere la propria clientela di operatori del settore che non vogliono propaganda o comizi, ma quotazioni e bilanci, e ha una media di ascolti, secondo un'inchiesta fatta dall'«International Herald Tribune» nel 2007, di 30 mila spettatori.

L'America delle regole, all'opposto dell'Italia delle norme finte o create *as you go*, cammin facendo, sapendo che non saranno comunque rispettate, è quella che fa paura segretamente anche ai suoi falsi cantori e ammiratori che si guardano bene dal comportarsi come americani mentre intonano i cantici della laude statunitense.

Regole che saranno calpestate, violate, aggirate, ignorate, ma che esistono. E se non sono rispettate sempre e da tutti, sono osservate da abbastanza cittadini in ogni professione, da quella della politica a quella dell'informazione, per rendere respirabile l'aria comune. Quelle regole che ti fanno allacciare la cintura di sicurezza sempre, perché sai che domani o dopodomani le pattuglie dei *troopers* della stradale ti fermeranno e ti toglieranno punti alla patente, che ti fanno mettere in fila davanti agli sportelli o alla cassa del bar o all'imbarco dell'aereo. Non per un superiore e innato senso della giustizia, o per un giuramento pronunciato all'atto di prendere la cittadinanza, ma per il semplice buon senso. E per l'esempio di comportamenti che si danno ai nuovi arrivati, senza il quale nessun codice e nessun giudice riusciranno mai ad assimilare davvero «gli alieni».

Diventare americani significa anche capire che le regole non sono scritte da un legislatore demente, ma sono scritte, e alla fine è meglio per tutti seguirle. È nell'interesse di chi viaggia in automobile insaccare il neonato in un seggiolino imbottito da astronauta, anziché tenerlo in braccio illudendosi che in caso di tamponamento non parta come un proiettile sparato attraverso il parabrezza alla velocità dell'urto. Le leggi non sono scritte nell'interesse del vigile che fa la contravvenzione o del partito che le ha volute. Se un produttore di seggiolini ci guadagna, meglio per lui, ma meglio soprattutto per il mio bambino.

Pazienza, quindi, se nel mondo milioni di persone odiano o adorano quello che loro credono sia essere l'America, confondendola spesso con Manhattan, con i suoi proclami, con le sue farneticazioni, con la sua ingombrante presenza o con i mediocri che spesso la governano, perché democrazia non è aristocrazia e i candidati non vincono le elezioni attraverso concorsi per titoli ed esami, ma prendendo (qualche volta) semplicemente più voti dell'avversario.

Io mi tengo l'America imperfetta, pasticciona, troppo grassa, troppo fritta, troppo grande, troppo miope, troppo ingenua, troppo poco cinica, troppo presuntuosa, che ogni mattina al risveglio mi farà credere di poter diventare qualcosa d'altro e di ricominciare, anziché cercare soltanto di resistere un altro giorno. Una nazione che ignora che cosa significhi fare i furbi, anche a costo, molto spesso, di fare i fessi.

Mi tengo stretta la nazione di nazioni che mi rotolava addosso correndo dalla scalinata del Congresso, con facce americane come la mia, che è la faccia di uno straniero extramericano. Come qui siamo tutti.

So di vivere una vita sospesa tra la mia Italia e la mia America, come un lenzuolo steso ad asciugare in un basso napoletano fra due facciate, che non può staccarsi né dall'una né dall'altra, senza afflosciarsi e cadere. Questa è stata la mia scelta, fatta da chi non vuole dimenticarsi da dove viene, per andare meglio dove vorrebbe andare.

Vorrei poter essere orgoglioso della nazione dalla quale provengo, vorrei poter dire ai miei nipotini che metà del loro sangue viene da una terra meravigliosa e civile e se non sempre ci riesco, non per questo ci rinuncio. Mi accontento anche di sentire uno di loro dire, dopo essere entrato e uscito da una sequenza di negozietti su un qualsiasi lungomare ligure pieni di carabattole, palloncini, macchinine, pupazzetti: «Ma l'Italia è meravigliosa, è piena di giocattoli». Non è proprio così, carino, ma per ora mi può bastare. Come per me, giornalista, l'America è il paese dei balocchi quotidiani dove si ha soltanto l'imbarazzo della scelta fra le cose da raccontare, così per lui l'Italia è un immenso bazar di cuccagne e non lo voglio deludere.

Forse un giorno anche i miei nipoti diventeranno italiani come io sono diventato americano o almeno si accorgeranno che, per essere quella che è, l'America non deve spianare la strada, ma ha bisogno di tanti sassolini diversi e di essere, nonostante le facce arcigne dei «nativisti» con schioppo alla frontiera, una nazione di nazioni, un popolo di popoli, un casino razziale e culturale, come le facce dei ragazzini che mi rotolavano addosso, giù dalla scalinata del Campidoglio a Washington. Se un futuro potremo avere, sarà quello fatto dai miei e dagli altri «meticci», non certamente quello delle immaginarie identità di villaggio e di tribù, ciascuna chiusa dentro le proprie paranoie e aggrappata ai propri totem. E a questo futuro inevitabile e per molti ancora pauroso, l'America è già arrivata o arriverà prima di noi. Sicuramente prima di altre potenze che possono erigere grattacieli più alti o costruire treni più veloci, ma non sanno convivere e accettare l'esistenza di un popolo montanaro nell'Himalaya con i suoi dei e santi, senza schiacciarlo.

Basti pensare a che cosa sarebbe il mondo se al proprio centro di gravità, come nazione cardine, avesse, al posto degli Stati Uniti d'America (alla fine mi sono rassegnato a chiamarli con il loro nome di battesimo), la Cina o la Russia o l'Arabia Saudita, per sentire un brivido di angoscia e perdonare anche quei due ciccioni che mi soffocano nel seggiolino di mezzo dell'aereo, sgranocchiando porcherie indescrivibili.

Si denuncia con sdegno la presenza di basi e installazioni militari americane in 170 nazioni del mondo, praticamente tutte. È stato calcolato che un presidente americano potrebbe fare il giro del mondo senza mai uscire da terreni controllati dalle proprie truppe, saltabeccando da un oceano all'altro, da un continente all'altro sul suo Boeing 747, l'*Air Force One*.

Ufficialmente, secondo il bilancio del Pentagono che è notoriamente più bugiardo del rapporto annuale agli azionisti di un'azienda privata, sono quasi 800 le basi delle forze armate americane nel mondo e per una che chiude in Sardegna, sull'isola della Maddalena, se ne aprono una dozzina in Iraq. Dunque il *footprint*, la zampa dell'aquila è ovunque.

Ma dove arriva l'aquila, arriva, spesso precedendola, il pollo fritto, quel Kentucky Fried Chicken oggi abbreviato in Kfc (la mania americana per gli acronimi è insaziabile) che un furbacchione sudista che si faceva chiamare «colonnello», senza esserlo, Colonel Sanders, copiò dalla cucina degli schiavi africani negli anni Cinquanta e sparse nel mondo.

Il suo pollo cucinato con la ricetta segreta si vende in 120 nazioni. Sanders fu il primo ad aprire un ristorante – se così si può chiamare – nella Cina comunista appena uscita dalla sbornia delle Guardie Rosse passate golosamente dal libretto di Mao al sottocoscia fritto, mentre McDonald's apriva un suo, ehm, ristorante sulla piazza Puškin di Mosca. Ci sono più rosticcerie di galline alla sudista e friggitorie di orride polpette surgelate che basi di marines, Navy e Air Force sulla Terra, e anche l'icona del colonnello con pizzo e baffi bianchi – pur da tempo defunto – o le due mammelle stilizzate che formano la «M» di McDonald's per richiami subliminali al seno materno, danno fastidio a chi odia l'America.

Eppure una potenza imperialista che fa volare insieme le aquile e i polli non riesce a farmi paura. Ha qualche cosa di tenero, magari di un po' unto e indigesto, ma inoffensivo, nonostante la faccia truce dei suoi soldati e la potenza mostruosa delle sue armi. Dove volano i polli fritti, c'è ancora speranza. Come mi dicevano, con l'amara ironia di tutti i soldati, i militari al fronte dell'Iraq nella prima guerra nel Golfo, «siamo pronti a morire per rendere il mondo libero di mangiare il nostro pollo fritto». Io credo più al finto colonnello Sanders che al vero generale Petraeus quando si tratta di esportare, se non la democrazia che è una cosuccia assai più complicata di come la credevano gli sbruffoni neoliberatori, almeno la pollocrazia.

Nel giugno del 2008, mentre cominciavano a scaldarsi i motori di una campagna elettorale che aveva il fantastico pregio di non vedere in corsa nessun parente o affine dei Bush e dei Clinton, le due dinastie che per vent'anni, dal gennaio del 1989, hanno dominato il potere politico come neppure nella vecchia Europa, il portatore della fiaccola repubblicana, John McCain, produsse uno spot nel quale diceva: «Soltanto un *fool* (un cretino) o un *fraud* (un impostore) può parlare romanticamente di guerra o fare il duro. Io odio la guerra, perché l'hanno fatta mio nonno, mio padre e l'ho fatta anche io».

Uhm. Un «impostore» che fa il duro senza avere mai visto o subito le conseguenze di una guerra? Un «cretino» che disse a chi lo intervistava che «per esprimere solidarietà con il sacrificio delle famiglie dei caduti» aveva «fatto il sacrificio di rinunciare a giocare a golf», per essere poi ripreso, mesi dopo l'amara rinuncia, dalle telecamere mentre tranquillamente smazzava palline su un green circondato dagli agenti del Servizio segreto? Chissà a chi si riferiva il candidato del partito di George W. Bush?

E io non dovrei amare un Paese dove l'alfiere ufficiale di un partito dà velatamente del cretino e dell'impostore al capo ancora formalmente in carica del suo stesso partito?

Questa è l'America dove ho trapiantato la pianticella della mia famiglia e dove spero continui a fiorire. Anche se il pollo fritto mi fa schifo.

Terra! Terra!

Amerigo e l'Ameriga

America. Il nome scivola sulla lingua come lo scafo di una caravella sulle acque del Caribe, canta con una gentilezza musicale che soltanto l'italiano sa generare. Lo fa da cinque secoli, dal giorno 25 aprile 1507, quando un cartografo tedesco, Martin Waldseemüller, letteralmente Martino il «Mugnaio del lago nel bosco», immaginò quel nome e lo stampò per la prima volta su una striscia di terra intravista da Colombo e poi da Vespucci, agli estremi confini occidentali del mondo. E se non sono stati sufficienti cinque secoli per placare le discussioni sulle origini del nome, sull'autenticità delle lettere di Amerigho, o Amerrigo, o Alberigo Vespucci a Piero de' Medici, a sedare le rivendicazioni di studiosi anticolonialisti, nazionalisti, terzomondisti, revisionisti o soltanto invidiosi fradici, quella *mappa mundi* oggi conservata alla Biblioteca del Congresso di Washington è ormai definitivamente, irreversibilmente, il certificato di battesimo. Non v'è certezza assoluta, tra ipotesi, tracce, reperti, su chi per primo toccò quelle terre navigando da est. Ma se non sappiamo chi scoprì l'America, sappiamo chi la inventò: Martino il Mugnaio del lago nel bosco.

La storia di come quell'enorme massa continentale che copre il 30 per cento di tutte le terre emerse – eppure era rimasta sostanzialmente ignota per quasi 10 mila anni a tutti coloro che non ci fossero arrivati a piedi dagli altipiani asiatici, come gli Inuit, gli Irochesi, gli Anasazi, i Maya, i Toltechi, gli Aztechi – sia stata battezzata con il nome di un fiorentino mandato in Spagna per l'allestimento di navi è un romanzo che sa di complotti e di segreti e forse di inganni. Una storia «nel nome dell'America» che profuma di conventi, di abbazie, di documenti falsi, di salsedine, di vento, di ambizioni umane, di muffa e dell'inchiostro spalmato sui blocchi di legno inciso che il «Mugnaio» usò per tirare mille copie della mappa che cambiò per sempre l'anagrafe della Terra. Ma odora soprattutto di quell'elemento impalpabile, immateriale e invisibile che indirizza tanto spesso il viaggio della conoscenza e quindi della storia. Il Caso.

Oggi, quando per decidere la toponomastica di un vicoletto insignificante in una qualsiasi cittadina si devono attendere anni, riunire commissioni e consigli comunali, ottenere nullaosta, sentire esperti, mercanteggiare tra fazioni e partiti, ci sembra incredibile che un'enormità storica come battezzare un continente che occupa un terzo delle terre – e occuperà poi l'intera storia del mondo – possa esser dipeso dall'umore, dal ghiribizzo, dalla decisione casuale di un solo individuo, chiuso nell'abbazia di San Deodato, oggi Saint-Dié-des Vosges, in Lorena.

Ma fu esattamente così. Quando Martin il geografo – o meglio il «cosmografo», come modestamente si considerava, il quale pare avesse una passione per cambiare i nomi e aveva cambiato anche il proprio, da quello del villaggio natale, Radolfzell, a quello che si era attribuito, Waldseemüller – lesse i quattro resoconti inviati da Vespucci ai Medici di Firenze con il racconto dei suoi viaggi, dalla Patagonia fino alle spiagge caraibiche del Nicaragua di oggi, decise di scegliere il nome dell'autore, Amerigus. Ovviamente e correttamente, scrivendo Martin in latino, lo declinò al femminile, trattandosi di terra: «America». Con la legenda sotto: «Provincia invenita est per mandatum regis Castelle» [sic], provincia scoperta per mandato del re di Castiglia. Con la punta di un bulino sui blocchi di legno usati per stamparlo il cartografo tagliò così, per le future generazioni, la diatriba che già era cominciata, appena quindici anni dopo il primo viaggio di Colombo e appena un anno dopo la sua morte, con coloro che avrebbero preferito, nel segno della primogenitura, chiamarla Colombia. Forse un castigo severo, e un'amarezza risparmiata, al genovese ostinato fino alla fine nella persuasione di non avere affatto toccato una «terra incognita», ma il lembo più orientale delle Indie, dunque d'Asia.

Peccato che il gossip, il passaparola del XVI secolo e i pettegolezzi di frati e cartografi, avvertissero anche allora, così come farà la storiografia moderna, che quei quattro racconti erano apocrifi, opera di falsari decisi a sfruttare la popolarità internazionale di quei navigatori e delle loro sensazionali imprese, specialmente quelle di Vespucci, che stava vendendo molte più copie del suo *Mundus Novus* rispetto al suo amico e rivale Colombo. Soltanto due lettere a Piero de' Medici sono oggi riconosciute come autentiche, ma il dubbio di avere avuto troppa fretta nel voler essere il primo a fare lo scoop del battesimo di un continente nuovo e di avere preso un granchio epocale attribuendolo al toscano dovette raggiungere anche i Vosgi e la chiesa di San Deodato. Dopo la tiratura iniziale di mille copie della mappa allegata al trattato *Cosmographiae Introductio*, andate rapidamente esaurite e diffuse in tutta l'Europa che sapesse leggere, nella seconda edizione il Mugnaio si autosmentì e ritirò il nome. Sconfessò la propria invenzione, cancellò America, e si affidò a un burocratico e prudente «Terra Incognita» stampato sopra quella lingua di terra.

Ma era già troppo tardi. Senza comunicazione istantanea, cellulari, talk show o banda larga, quel nome aveva raggiunto e contagiato tutta l'Europa del Rinascimento che contasse, tutti coloro, diremmo oggi, che facevano opinione. Si era abbarbicato per sempre ai luoghi sfiorati da quelle caravelle che avevano definitivamente «scoperto» l'America e spalancato le sue terre all'ingordigia di una civiltà onnivora e invadente, la nostra. Fu come se anche quel nome non fosse stato inventato, ma, proprio come le terre toccate, soltanto scoperto. Come se fosse stato sempre lì, da millenni, in attesa di essere trovato. Uno strano animale mitologico niente affatto «nuovo», come invece lo chiameranno Vespucci e poi tutti gli europei nella loro sconfinata presunzione eurocentrica, quasi non fosse mai esistito prima, un ippogrifo addormentato, in quelle sierre del Nicaragua dove, lontani dalle spiagge dei primi incontri con l'*homo caucasicus* venuto dal mare, qualcuno aveva già battezzato una catena con il nome di «Amerrìk». I monti del vento che soffia forte.

Amerrìk? Secoli prima che Amerigo vi arrivasse e il cosmografo inventasse quel nome in un'abbazia della Lorena? Una coincidenza o un plagio senza pari, un altro furto tra i milioni di spoliazioni che i seguaci delle rotte di Colombo e Vespucci avrebbero compiuto? E come avrebbe potuto il nome di una popolazione di montagna nel ponte di terra centrale fra Sud e Nord, appunto gli Amerrìk, o Amerìques secondo la successiva grafia spagnola, dal Nicaragua arrivare fino a un'abbazia nei Vosgi, oltre un oceano che allora pareva immenso, fino alla tipografia di un cartografo ambizioso e immaginoso ma serio, quando i contatti con gli indigeni erano stati rari, superficiali e senza interpreti? Si scopre, o si immagina di scoprire, che Vespucci stesso non si chiamava affatto Amerigo, ma era nato, nella sua Firenze, come Alberigo, diventando poi Americius, addirittura Amerricius, con due «r», alla fine della vita, solo dopo i suoi viaggi e la sua fama, quasi avesse voluto assimilare il proprio nome a quello che aveva sentito portare fino alla costa dal «vento che soffia forte» giù dalle montagne degli Amerrìk, nella terra incognita? Facendolo suo.

Si spalancano a questo punto portali di dubbi, di rivendicazioni, di rancori antimperialisti e, in Europa, antitaliani. Attizzati da pubblicisti, antiquari, romanzieri, pataccari, dolenti organizzazioni di amerindi perennemente in collera contro quei maledetti avventurieri italiani che scoprirono in realtà, più che un continente, il modo e le rotte per arrivarci, seguendo i venti del commercio, i «Trade Winds» permanenti del Sud, gli stessi alisei che oggi portano gli uragani dall'Africa, ben più benigni, per gli indigeni, di quelle devastanti navicelle di legno.

Si immaginano complotti, trame di mercanti e di vanitosi, comunque di europrepotenti, per appropriarsi del nome, premessa culturale necessaria per appropriarsi poi delle terre e delle loro ricchezze.

È nato e vive, da secoli, una sorta di *Codice Vespucci*, un thriller, una fiction costruita per smascherare la gaffe del Mugnaio cartografo. «Mi hanno rubato anche il nome, il nome della mia terra» lamenta Danilo Antón nel suo libro *Amerrique: los huerfanos del paraiso* «perché Vespucci, gli italiani, gli *euros* si sono impadroniti del nome di una provincia montagnosa nella cordigliera del Chontales, oggi Nicaragua, chiamata Amerrique nel linguaggio lenca-maya della gente che la abitava molto prima che arrivasse il primo visitatore, Cristoforo Colombo.»

Questa gente scendeva al mare per commerciare, circolava sulla costa delle Moustiques, dove sicuramente Colombo attraccò. E il futuro «ammiraglio», il suo equipaggio, i messi castigliani incaricati di piantare la croce e la spada della Spagna cattolicissima e rapacissima in quelle «nuove terre» non potevano non aver ascoltato i locali, o i Caribi, che in quella costa vivevano, indicare i monti alle loro spalle ripetendo il loro nome, appunto «Amerrìk», come si fa con i turisti testoni. E altrettanto dovette ascoltare Vespucci. Per i nativi, quelle erano soltanto cime, foreste sullo sfondo. Per i navigatori, quella era l'America. «Non gli è bastato rubarci il legno, l'oro, le donne, ci hanno rubato anche il nome, cioè la nostra dignità.»

Ecco, alimentata dall'Ottocento, dal secolo celebre per i falsi, le riproduzioni, le imitazioni, le scoperte sbalorditive, infiammarsi la polemica, accendersi il revisionismo colorato di antropologia e di cattiva coscienza. Spuntano documenti firmati da Albericus Vesputius, prova apparente di come l'uomo d'affari fiorentino, trasformato in divo, nominato «piloto mayor» dai sovrani, autore di best seller, avesse metamorfizzato il proprio nome di battesimo per adattarlo a una toponomastica già esistente.

Inutilmente un linguista della State University of New

York, Jonathan Cohen, cerca di spiegare che buona parte di queste contestazioni sgorgano dalla gelosia, ben comprensibile, di rivali e tardi colleghi – come lo spagnolo Bartolomeo de las Casas, che detestava Vespucci e spese la vita per calunniarne il buon nome descrivendolo come «un commerciante di cetrioli» che a mala pena era qualificato come «timoniere» – o da pura fantasia, alla Dan Brown.

Cohen si affanna a chiarire che non solo il buon nome ma anche il nome del fiorentino è perfettamente difendibile, perché il certificato di battesimo indica «Amerigho», che la storia di «Alberigo» è l'invenzione di un autore inglese deciso a screditarlo, che Almerigo è semplicemente la versione spagnola, come Cristobal per Cristoforo, che comunque la radice è germanica, Elmerich o Elmerik, forse ungherese, in onore di sant'Emerico. Osservazione incauta che immediatamente sollecita gli ungheresi a mettere anche loro il cappello sulla *mappa mundi* di Waldseemüller, rivendicando le origini magiare della toponomastica.

Tutti vogliono il nome per sé, come ne concupiscono la terra, come se impadronirsi del nome giustificasse il ratto di un continente, senza ascoltare il lamento di Pablo Neruda: «America, non invoco il tuo nome invano». «America» illustra il dizionario più diffuso negli Stati Uniti, il Webster, «è nome derivato da Amerigo Vespucius», punto e basta. Ma subito sotto lo stesso lemma, l'augusta enciclopedia annota che «Amerrique era il nome usato dai primi esploratori». Punto e a capo. E un momento, ci sono altri capitoli sempre più bizzarri nel *Codice Vespucci*. Si avanzano gli Algonchini, la nazione di aborigeni vissuti tra la Virginia e il fiume di New York, lo Hudson, che si riferivano alla loro terra come «Em-merika».

Nella lingua dei Vichinghi, di Erik il Rosso, dei popoli dalle lunghe navi arrivati certamente in Groenlandia assai prima degli italo-spagnoli nel Caribe, c'è un «Ommerika» come anche un «Amterik», riferito a lontane e abbandonate lande a occidente. Se non bastasse, ecco aleggiare puzza di stoccafisso in un recente saggio dello storico americano

Rodney Broome (*Terra Incognita*) grazie a un mercante gallese che dal porto di Bristol navigò verso ovest nel 1497 per cercare nuove fonti per il suo commercio di merluzzi salati. Tornò in Inghilterra annunciando, anche lui, di avere scoperto un altro «nuovo mondo», a Terranova. Il suo nome? Richard Amerike.

La terra senza nome, il continente anonimo che nessuno aveva mai battezzato nella sua interezza, diventa ironicamente il continente con troppi padrini, affogato dai pretendenti al suo battesimo, come il nipote primogenito strapazzato da troppi nonni.

Ma se l'attribuzione a Vespucci è accettata come la più convincente, un segno della confusione rimane nell'equivoco quotidiano e globale commesso quando si usa America come sinonimo degli Stati Uniti d'America, quasi che la nazione più importante oggi si fosse divorata, insieme con i misteri della toponomastica, non una parte del tutto, ma il tutto.

Aveva ragione Neruda, invitando a non invocarla invano, perché si fa sempre troppo presto a dire America, a declamare un nome dolce da pronunciare quanto amaro da inghiottire, per quei milioni e milioni di uomini e donne nel mondo che lo digrignano con odio, lo bruciano in effigie, e sono pronti a morire uccidendo per ferire lei, l'America. Che cosa ci sia davvero nel nome della cosa è meno importante della cosa che sta all'apice dei sogni e degli incubi di generazioni.

La sera del 3 settembre 1939, quando Adolf Hitler si mise in viaggio da Berlino verso la frontiera polacca per assistere alla prima sequenza della tragedia che avrebbe distrutto lui e il suo tempo e avrebbe inginocchiato il vecchio mondo davanti alla supremazia di quello nuovo, s'imbarcò su un treno corazzato speciale riservato a lui, senza immaginare quale presagio portasse. Il nome del treno personale del Führer era «Amerika». Il cartografo tedesco avrebbe sorriso.

Henry delle canoe

La notizia della nuova legge approvata dal Congresso degli Stati Uniti impiegò settimane per raggiungere Henry delle Canoe, l'ultimo mastro d'ascia irochese, nel suo villaggio sulla costa del Maine, non lontano da dove decenni più tardi una famiglia chiamata Bush avrebbe comperato casa al mare, a Kennebunk.

Henry era analfabeta, ma si fece leggere i passaggi importanti dall'apprendista bianco al quale tentava di insegnare l'arte antica di costruire canoe. Il ragazzo gli spiegò paziente che quella legge era una meravigliosa conquista, per lui e per tutti gli indiani d'America. «Dal 2 giugno di quest'anno 1924» disse emozionato al maestro «tutti voi indiani, che siete nati qui, sul territorio oggi degli Stati Uniti, siete diventati automaticamente cittadini, lo capisci Henry? Cittadini!» «Cittadini di che cosa?» domandò l'Irochese. «Ma cittadini degli Stati Uniti d'America» replicò il ragazzo senza capire. «Ah,» fece l'altro «e perché dovrei cambiare cittadinanza? Io sono già un cittadino, amico mio, cittadino della grande nazione indiana.»

Sono passati oltre ottant'anni, da quella estate del 1924 quando il Congresso e il presidente Calvin Coolidge produssero The Indian Citizenship Act, appunto la legge che rendeva automaticamente «americano», per lo *ius loci*, per diritto acquisito nascendo sul luogo, anche «il popolo invisibile», i non molti superstiti del milione di nativi che abitavano il Nordamerica al momento dello sbarco dei pellegrini puritani dal *Mayflower*. Erano già diventati americani i 6 milioni di italiani e poi irlandesi e scandinavi, cinesi e messicani, tedeschi e russi. Cittadini, sia pure segregati, erano anche gli africani, gli schiavi emancipati da Lincoln nel 1863, ben sessant'anni prima degli indiani.

Ma nella più crudele, e bizzarra, delle ironie storiche inflitte agli indiani furono loro, i più antichi abitatori e colonizzatori del Nordamerica, arrivati sul territorio almeno 10 mila anni prima di Colombo, degli spagnoli e dei puritani inglesi, gli ultimi a potersi chiamare *American Citizens*. Maledetti i primi, perché saranno gli ultimi.

Si disse allora che la benevola concessione della cittadinanza – ma senza diritto di voto per altri vent'anni, tanto per un'ultima angheria – era il segno di riconoscenza della nazione americana per il loro contributo alla Grande guerra. Gli indiani, soprattutto Chippewa, Cherokee e Irochesi, che avevano dichiarato guerra alla Germania del Kaiser Guglielmo separatamente, avevano già combattuto al fianco dei loro sterminatori in giacca blu senza che nessuno li ringraziasse nelle guerre contro il Messico, nella Guerra di Secessione con i famosi «reggimenti dei soldati bisonti» e nella guerra coloniale contro la Spagna. Ma la Prima guerra mondiale aveva visto la partecipazione di massa, 17 mila indiani volontari andati a morire nel pantano delle Fiandre e delle Argonne. Uno slancio subito segnato da cattivi presagi, quando il primo trasporto che traghettava il 132° reggimento indiano verso Bordeaux, la motonave *Tuscania*, fu silurato.

Ma la vera motivazione di questo atto del Congresso era assai meno nobile. L'intenzione era trasformare gli ultimi «estranei» in casa, gli indiani delle riserve, in cittadini per assimilarli definitivamente e far cadere la validità di tutti i trattati, le concessioni, i pur magri privilegi territoriali rimasti dopo lo sterminio delle guerre indiane alla fine del XIX secolo. Ai neocittadini, come gesto di apparente generosità, Washington concesse il diritto di acquistare a prezzi di favore 1600 acri di terreno per famiglia, perché divenissero agricoltori e allevatori. Ma quando migliaia di indiani, che non avevano alcuna intenzione di trasformarsi dalla sera alla mattina in pastori o in contadini, non esercitarono l'opzione, quei terreni tornarono disponibili e furono sparecchiati dai bianchi.

La legge di ottant'anni or sono non poteva dunque essere un finale più esemplare della tragedia che macchia come un peccato originale l'anima della civilizzazione americana, ancor più indelebile della *peculiar institution*, dello schiavismo che l'America stessa seppe lavarsi di dosso con il sangue di almeno 250 mila morti. Al momento dell'approvazione del Citizenship Act due terzi degli abitanti di sangue indiano erano già cittadini americani, ma per scelta, cioè attraverso matrimoni, in grandissima maggioranza di donne indiane sposate da coloni e cowboy perennemente a corto di donne bianche, in quella loro vita di frontiera. Le reazioni ostili, spesso sprezzanti, degli altri che subirono la cittadinanza indispettirono senatori e deputati. Il promotore della legge, il senatore Dawes, tuonò contro questi «selvaggi» che rifiutavano la generosità dei conquistatori e non volevano capire che «un uomo può dirsi civilizzato quando possiede un podere, una vacca e una donna» (nell'ordine) e «impara ad apprezzare il whisky», attività, quest'ultima, che purtroppo gli indiani imparavano invece ad apprezzare fin troppo.

Si dovette arrivare alla Seconda guerra mondiale, a un nuovo e ancora più massiccio sacrificio volontario di guerrieri arruolati di leva (un'altra fregatura implicita nella cittadinanza) e spesso utilizzati come *code talkers*, come radiofonisti per trasmettere ordini in lingua navajo, che i giapponesi non riuscirono mai a decrittare non esistendo, nell'Impero di Hirohito, un solo giapponese in grado di parlare il navajo. Era la ragione per la quale ogni operatore indiano aveva accanto a sé un marine con l'ordine tassativo di ucciderlo, pur di impedire all'esercito imperiale di catturarlo.

Di fatto, soltanto alla metà del XX secolo il sentiero delle bugie e delle generosità pelose e interessate dell'uomo bianco sboccò finalmente nella pienezza dei diritti civili e di voto. Oggi, la favola moderna racconta dei luccicanti casinò che spuntano negli Stati dove il gioco d'azzardo è proibito, approfittando di vecchi privilegi territoriali ripescati dai trattati, che gruppi e tribù locali riesumano. Molti fanno soldi, come il colossale Foxwood Casino raggiungibile da New York, anche se un analista malizioso alza le sopracciglia osservando come, nei consigli di amministrazione dei casinò indiani, accanto ai Lupo Grigio, Piccolo Tuono, Alce in Piedi,

Falco Rosso, compaiono, come «consulenti tecnici», incongrui cognomi italiani che sembrano pescati da elenchi telefonici di Napoli o Palermo.

Lo scetticismo intriso di sarcasmo e di orgoglio dell'Irochese delle Canoe non era infondato, era semplicemente antistorico, l'ennesima freccia contro il vento lanciata da un popolo travolto da forze troppo grandi. O, come cantò con saggia malinconia Serpente Macchiato, anziano della nazione Creek, un altro che dovette subire la cittadinanza americana senza volerla, ingannato «dalle parole di un Piccolo Uomo che arrivò stanco e spaventato nelle nostre terre, al quale noi donammo un fuoco caldo e un po' di cibo e poi divenne il Grande Uomo Bianco che ci ha portato via il caldo e il cibo».

La memoria dello zio Tom

Dalla fossa comune della memoria americana, tornano a vivere e a raccontarci la loro storia gli uomini invisibili. Gli ultimi schiavi neri. Rinasce, riesumata dopo anni di pazienza e di amore, la memoria dello schiavo, torna il racconto vero degli ultimi uomini e delle ultime donne che conobbero e vissero la schiavitù, salvato, raccolto e catalogato dalla Biblioteca del Congresso in Internet. Ci parlano con una voce senza rancore, senza odio, dalla tristezza di un abisso che allora sembrava la normalità, semplice economia di mercato, il mercato degli esseri umani. «Il padrone non ci insegnava a leggere, ci insegnava a contare. Ci faceva cantare in coro, a noi bambini. Due mani fanno dieci, un dito solo fa uno, l'uomo bianco è tutto e tu, negro, non sei nessuno.»

Come i fantasmi di Ellis Island che rivivono nel nuovo sito dell'isola dei nonni, come i superstiti dell'Olocausto che racconteranno alle generazioni future il loro viaggio verso il camino grazie alla Shoa Foundation creata da Steven Spielberg, così la Biblioteca del Congresso ha salvato le testimonianze degli ultimi uomini e delle ultime donne che vissero davvero, personalmente, la vita dello schiavo.

Le loro storie avevano dormito per decenni nei magazzini e nelle cantine del governo, da quel 1938 quando la presidenza Roosevelt, per dare lavoro ai disperati della Depressione, aveva spedito professori e studenti alla ricerca degli ultimi superstiti dell'olocausto nero. I cacciatori di memoria erano sciamati nei vecchi Stati schiavisti del Sud – le Carolinas, il Texas, l'Alabama, la Georgia di *Via col Vento*, il Mississippi e la Louisiana dell'*Ol' Man River* – a cercare gli ultimi schiavi ancora viventi e abbastanza anziani per avere il ricordo diretto del mercato degli uomini.

Ne avevano trovati 2300, vecchissimi zii Tom che erano bambini o ragazze in quel 1865 quando, dopo quattro anni di guerra e seicentomila morti, i cancelli delle piantagioni e i lucchetti delle cavigliere erano stati finalmente scardinati dai soldati in blu e loro erano stati dichiarati liberi. Non tutti avevano accettato di parlare e di ricordare, forse per il dolore, o per il pudore, o per la paura che, anche oltre settant'anni dopo l'emancipazione, la frusta del *massa*, del *master*, del padrone, potesse ancora raggiungerli. Ma in molti si erano arresi all'obiettivo fotografico, che oggi ce li mostra dignitosi e imbarazzati, avevano parlato ai taccuini dei cacciatori, e avevano raccontato le vite del bambino che aveva visto il padre venduto al mercato e la madre portata nella camera da letto del signore. Superando la vertigine di scoprirsi qualcuno, dopo una vita trascorsa imparando a essere nessuno.

La loro diffidenza di schiavi sembrava giustificata dalla fine che i racconti avevano fatto, tra le casse di vecchie pratiche e di cartacce burocratiche sepolte nelle cantine dei ministeri e delle biblioteche. Fino a quando, nel 2001, volontari, altri studenti e studiosi, senza paga né fondi, li hanno riesumati, catalogati e sistemati negli scaffali elettronici di questa benedetta Internet che tra maledizioni e grida sta diventando la biblioteca d'Alessandria dell'esperienza umana. Le voci sono tornate a raccontare.

«Mi chiamo Dora Brewer, sono nata ad Aberdeen, Mississippi. Non so quanti anni ho, perché nessuno mi ha mai detto in che giorno sono nata, ma so che devo essere molto vecchia. Mia madre era una schiava chiamata Harriet e mio padre era il giovane signor Brewer, il più giovane dei nostri Master. Almeno questo mi raccontava la mamma quando correvo da lei a piangere perché gli altri bambini mi chiamavano negra gialla, *yellow nigger*, perché avevo i capelli più chiari degli altri bambini negri e le donne bianche sputavano per terra quando mi vedevano.»

«Il mio nome è James Cornelius e credo di essere nato in Louisiana. Scusatemi se non lo so, perché fui venduto da piccolo, perché ero un bambino molto robusto di gambe e di braccia. Mi ricordo soltanto una donna che piangeva mentre mi caricavano su un carro per portarmi in Mississippi. Non ho più visto quella donna, ma una vecchia che stava nella mia capanna mi disse che era mia madre.»

«Io sono Lucia Sutton e ho ottantacinque anni. Ho visto mio padre una volta sola, me lo ricordo bene anche se mia madre mi disse che me lo dovevo dimenticare, perché lui non era niente per me, solo quello che l'aveva messa incinta. Avevo sei fratelli, che non erano di quell'uomo, ma di altri, che il nostro Master portava a mia madre perché facesse figli, perché anche lei era molto robusta e faceva schiavi robusti e il Master era contento perché valevano anche duecento dollari l'uno. Li vendeva poi a uno che gli metteva le catene ai piedi e andava a venderli all'asta in Virginia.»

«Chiamatemi zio Fred, perché così mi chiamavano tutti, in Louisiana. Io avevo un padrone che non voleva che noi schiavi pregassimo, perché diceva che la fede in Dio era per gli uomini, non per noi animali. Alla domenica notte ci trovavamo in una capanna che imbottivamo tutta di pagliericci, per cantare gli inni senza che dalla casa del padrone ci sentissero.»

«Io sono Charlie Hudson e sono vissuto nella piantagione del signor Bell, giù in Georgia, dove stavamo bene e dormivamo tutti in una casa bassa e lunga, ma di pietra, non fatta di foglie e rami come quelle degli altri schiavi. Il letto era fatto con due tronchi di pino infilati nei muri e poi delle assi di traverso dove dormivamo uno dalla testa e uno dai piedi. Quando faceva freddo, Master Bell ci faceva dare delle coperte che erano piene di pidocchi, ma ci tenevano caldi perché Master Bell era buono e diceva sempre che lui aveva cura della sua roba, non come altri Master idioti che lasciavano morire gli schiavi. Quando vennero i soldati a dirci che eravamo liberi, c'erano vecchi che piangevano e dicevano che volevano restare lì, nella casa lunga e bassa, dove d'inverno gli davano la coperta.»

«Sono Charlotte Raines, ma tutti mi chiamavano zia Charlotte perché facevo la schiava in cucina nella piantagione di Oglethorpe, in Georgia. Facevo quello che volevo, perché il padrone voleva mangiare solo quello che preparavo io. E poi ero fortunata, perché ero brutta come il peccato e potevo nascondermi tutto quello che volevo sotto la sottana perché a me nessuno veniva per tirarmela su e nella mia capanna c'era sempre da mangiare. Soltanto quando morì il vecchio Master, il figlio mi fece dare quaranta frustate sul sedere, una per ogni libbra di cibo che avevo rubato, diceva.»

«Penso di avere passato i cento anni, il mio nome è Alfred Bligh, della famiglia Bligh, in South Carolina. Me li ricordo i giovani "massa", i figli del padrone. Sono partiti con il fucile e i cani per andare ad ammazzare tutti quei fottuti yankee, dicevano, e noi dovevamo stare buoni perché quando poi tornavano ci levavano la pelle dalla schiena. Anche quando uno schiavo arrivato da fuori nel 1863 ci disse che Lincoln aveva firmato la nostra liberazione nessuno andò via. Non stavamo male. C'era sempre farina di granoturco da mangiare e ogni tanto il vecchio "massa" veniva da noi, tirava fuori dalla tasca un pezzo di carne e ce lo buttava. Però aveva un cane carogna, Trip si chiamava, che era capace di stare tutta una notte sotto un albero di noci, se qualcuno di noi si arrampicava sopra per sfuggire alle frustate.»

Duemila e trecento racconti così rivivono nella memoria ritrovata dello zio Tom che alla fine ha vinto la sua battaglia per esistere. Due mani fanno ancora dieci, padrone, ma quel negro è finalmente diventato qualcuno.

Il cavallo di ferro

La mamma non stava niente bene e non riconosceva più neppure i propri figli di ferro. «Good morning, America, come stai? Non mi riconosci? Sono tuo figlio, sono il treno chiamato the City of New Orleans» piangeva Arlo Guthrie, maestro della grande ballata americana. Erano gli anni in cui il «cavallo di ferro», come lo avevano soprannominato gli indiani, sembrava viaggiare verso il cimitero dei rottami, ucciso dalla modernità e dall'asfalto. Guthrie, oggi, non piangerebbe più: nella famiglia America, il treno è il figliol prodigo del terzo millennio. Il Lazzaro resuscitato che la madre riabbraccia sta divorando merci, producendo ricchezza, lavoro e traffico come mai aveva fatto. E sta rifacendo il miracolo del 1860, quando allacciò per la prima volta due coste, due Americhe, due oceani e fece di un continente una nazione.

Persino quella matrigna bisbetica che si chiama Wall Street riscopre il vecchio treno merci, quel convoglio che fischia lugubre nelle notti delle grandi praterie. I titoli delle compagnie ferroviarie, con quei nomi che fanno subito cinema e mito – Santa Fé, Union Pacific, Burlington –, abbandonati per decenni dagli speculatori, tornano a fare scintille come i freni delle ruote, quelle scintille che fecero dire, ad autorevoli esperti nella metà dell'Ottocento, che il treno era un arnese pericoloso perché le scintille avrebbero incendiato paesi e campi. La Borsa non conosce tenerezze e nostalgie, ma soltanto cifre e le cifre raccontano la storia della resurrezione del Lazzaro di ferro nell'era del petrolio esoso.

Nel 2005 la Union Pacific e la Bnsf hanno fatto incassi lordi per oltre 8 miliardi di dollari ciascuna, con profitti netti oltre il miliardo. Mai visti. Nei grandi terminali del Pacifico – Los Angeles, Seattle, San Francisco – le ferrovie devono rifiutare carichi, perché non hanno la capacità per assorbirli tutti. Un traffico che sta crescendo, da tre anni, al ritmo del 70 per cento annuo sta sfiancando anche un cavallo di ferro, e nuove rotaie e linee in costruzione non sbocciano in poche ore. È stupefatto persino il portavoce dell'associazione delle ferrovie americane, il signor Tom White, quando scopre che il treno ha ormai largamente sorpassato i camion nei trasporti di merci, con il 40 per cento su rotaia contro il 30 per cento su strada. Sono diventati necessari grandi investimenti per rispondere a questa fame di rotaia. Partono veri grandi progetti concreti, 145 mila tonnellate di nuove rotaie, 250 nuovi locomotori diesel, 2700 vagoni merci e 4000 nuovi assunti per caricarli, guidarli, smistarli.

Esagerava Guthrie quando cantava: «prima che il sole cali, io sarò lontano 500 miglia», perché l'autonomia reale di un merci oggi è di 200 miglia, 320 chilometri, al giorno, dal carico allo scarico, ma la rivincita del fratello stupido contro jet e superstrade è molto più che una notizia – e una lezione – di economia e commercio. Il treno, che per la prima volta raggiunse l'America dall'Inghilterra nel 1820, quando un eccentrico milionario del New Jersey, John Stevens, si fece costruire una rotaia ovale nel proprio immenso giardino per la gioia dei bambini, è stato la storia di questa nazione.

La rotaia, insieme con la Colt e il Winchester, ha fatto l'America che conosciamo, ha sposato la realtà al mito, è diventata la sequenza indimenticabile di un autore europeo che l'aveva capito prima degli stessi americani, Sergio Leone. Nel suo *C'era una volta il West*, il treno per Yuma, la desolazione, ma anche la salvezza delle famiglie di contadini devastate dalla Depressione e dalla siccità che rincorrevano i carri merci pietosamente aperti per buttarci sopra i bambini e ruzzolare verso l'Ovest a cercare pane e fortuna, mentre i ferrovieri rallentavano la corsa, contravvenendo agli ordini.

La rotaia fu la vita e la morte di una nazione imprigionata dalle distanze e liberata dal cavallo di ferro. Fu la corruzione dei baroni del treno che speculavano sui terreni e il mezzo che portò i nostri clandestini da New York alla promessa del West. Accelerò lo sterminio degli indigeni, che videro le ridicole carovane di carri, già allora chiamate *trains*, treni, trasformarsi, lungo gli stessi sentieri ferrati dell'Oregon, di Santa Fé, del Nebraska, in mostri sbuffanti, capaci di spostare e rifornire migliaia di soldati blu. Spalancò i mercati agli allevatori, spazzando via la cultura del cowboy, rimpiazzato dal carro bestiame, del mandriano che doveva condurre i manzi per migliaia di chilometri lungo sentieri misteriosi che ogni ferroviere poteva seguire senza problemi in poche ore.

Senza le ferrovie, il massacro della Guerra civile, combattuta per linee interne e alimentata dai treni, non sarebbe avvenuto e lo aveva capito bene il conquistatore di Atlanta, il generale Sherman, che il treno era la chiave della vittoria, quando ordinò alle sue divisioni di svellere e annodare le rotaie fra Atlanta e il porto di Savannah. Le chiamavano le «cravatte di Sherman» e strangolarono il Sud senza più treni.

Non è ancora, e non sarà, una rinascita del treno passeggeri, anche se sul corridoio atlantico, fra Boston e Washington via New York, collegate dagli Acela, treni rapidi fabbricati in Svezia e preferiti ai nostri Pendolini, il panico da 11 settembre ha riportato passeggeri sulle rotaie. Corrono ancora i treni a lunga distanza, con i loro bellissimi nomi, il *Sunset Limited*, l'*Aquila del Texas* o lo *Zefiro della California*, tutti ancora numerati con la cifra finale dispari, se viaggiano da nord a sud, o pari, se da est a ovest, come fu fatto per orientare subito i passeggeri nell'immensità del continente, numerazione che le autostrade hanno ripreso. Ma 25 milioni di passeggeri all'anno, esclusi i pendolari locali, non tengono a galla l'Amtrak, la «irizzata», diremmo noi, che fa il servizio passeggeri con i debiti ripianati dal Tesoro americano.

È il vagone merci il figlio prodigo, non il *pullman car*, il vagone di alluminio ondulato per passeggeri. Ed è l'Asia, soprattutto la Cina, ad avere riconciliato la madre ingrata con il figlio dimenticato, con la mercanzia rovesciata nei porti del Pacifico. Le importazioni cinesi hanno resuscitato quelle ferrovie che furono proprio disperati coolie cinesi a costruire, rotaia dopo rotaia, bullone dopo bullone, morte dopo morte. Gli schiavi sono tornati dall'Asia, ma questa volta sono tornati come padroni.

L'isola delle lacrime

La mia nuova patria ha i capelli turchini e sa di Pepsi Cola tiepida, versata in un bicchiere di carta dalle vecchie «Figlie della Rivoluzione americana» incaricate di festeggiare noi, i nuovi americani. Ci accolgono come figli dispersi e ritrovati, «Welcome to America! Welcome to America!». Brindiamo tutti con la Pepsi nell'atrio gelido del tribunale federale di Washington dove ho appena finito di giurare fedeltà alla Costituzione degli «United States of America» con la manina alzata, davanti a un giudice nato nelle Barbados, accanto a un vecchio russo sordo come un pianoforte scordato, con la figlia che gli urlava le formule di rito, «... and so help me God», e che Dio mi aiuti.

È agosto, un giorno 11. Fuori dal tribunale, la mazzata del caldo bestiale fa barcollare il plotone di noi nuovi americani. Siamo rintronati dall'afa, dal momento, soprattutto dall'incredulità di essere entrati stranieri in un palazzo e di esserne usciti un'ora dopo americani. Non più ospiti, ma padroni di casa. Quel palazzo, questa città, i cieli infiniti del West e i torturatori di Abu Ghraib, la Normandia e lo zio Tom, Martin Luther King e Lee Harvey Oswald, ora sono miei, mi appartengono tutti. Anche George W. Bush è mio. Un passaporto è come una scatola di cioccolatini, direbbe Forrest Gump. Quel che ti tocca ti tocca.

«Naturalizzato», si dice ufficialmente. Sono stato *naturalized*, come se una bracciata di documenti, un giuramento e un sorso di gassosa scipita potessero cambiare la «natura» di un uomo. Ma siamo davvero diversi da quello che eravamo un'ora fa, io, il vecchio russo sordo, l'immancabile coppia di cinesi, il pizzettaro italiano? Siamo davvero diventati tutti americani? E perché? E come? È possibile «cambiare natura» o ha ragione Fernand Braudel quando avverte che «attraversare la frontiera della terra dove si è nati fa di te uno straniero per sempre, perché una civiltà non è una valigia»?

I motori del traghetto invertono le eliche e Miss Liberty *sbatte il fianco nell'attracco contro il molo di cemento, depositandoci sull'«isola delle lacrime». Ellis Island, come la chiamavano le pecore del gregge umano ammucchiate in attesa di entrare o di essere cacciate. Forse troverò qui la risposta al perché si diventa americani, nell'isola che per tre milioni e mezzo di italiani come me fu la pressa che inghiottiva siciliani, veneti, abruzzesi, ebrei russi, polacchi, irlandesi, scandinavi e stampava i pezzi della nascente America. Nelle sale del registro, oltre lo stanzone dove 2000 persone si accatastavano in uno spazio costruito per 600, oltre le camerate con i letti di ferro a castello da lager per quelli in quarantena con una lettera scritta a gesso sulla giubba – «L» per zoppo, «E» per malato agli occhi, «P» per incinta, «X» per idiota – leggo che passarono prima di me 113 Zucconi, nel senso del cognome, 2 Berlusconi, 70 Ul'janov come Lenin, 14 Hitler e 1 Mussolini, purtroppo quello sbagliato.*

È un privilegio o una condanna scoprirsi americani? «Maladitu la Merica e maladitu chi la spriminta», e maledetto chi la prova, cantava l'ultima strofa del famoso *Mamma mia dammi cento lire*. Si diventa americani per desiderio, per amore, per odio, per interesse, per ideologia, per abitudine, per ambizione, per arrivare o per scappare, per convertirsi o per non essere costretti a convertirsi. Una nazione composta da ogni razza della Terra contiene ovviamente anche tutte le possibili pulsioni umane. Lo si può diventare di colpo, in poche ore, come i milioni che attraversarono la fabbrica di americani a Ellis Island fino alla chiusura negli anni Cinquanta. O si possono impiegare anni, un giorno alla volta, come si diventa vecchi. «Senza accorgersene» avrebbe detto il re Priamo nelle *Baccanti* di Euripide. Ora che neppure

5000 italiani all'anno si «naturalizzano» rispetto ai 5000 al giorno dei primi anni del Novecento, nessuno di noi è più costretto a farlo. Non sono diventato americano per salvarmi dal gabelliere, dai soprusi dei Piemontesi o per inventare la pila atomica, come Enrico Fermi.

Non ci sono più puzze, nell'isola che asfissiava con il fetore di un'umanità marinata nella sporcizia del viaggio oceanico nelle stive, e nutrita fino al 1929, quando un nuovo Commissario all'immigrazione intervenne, soltanto da una scellerata dieta di pane nero e prugne. Resta nell'aria il sentore del vimini ammuffito delle ceste bagaglio, accatastate dai curatori del museo come furono lasciate. Dalla porta «dei baci», per l'incontro coi parenti, uscivano con quello che avevano addosso. Era l'ultima stazione della «via dolorosa» dal Paese a qui, spesso la più orribile per le donne più giovani e meno brutte che dovevano pagare in natura la benevolenza dei guardiani. L'abbraccio de «La Merica», per quelle ragazze i cui abiti da sposa bianchi, vergini come loro non erano più, stanno in mostra dentro le bacheche mai indossati, era l'alito addosso di chi le violentava per farle uscire.

Non avevo nessuna intenzione di essere «naturalizzato» e subire, a colpi di formulari insensati che mi chiedevano se avessi mai fatto parte di «organizzazioni terroriste», la stupidità di tutte le leggi sull'immigrazione che, più arcigne sembrano, più favoriscono i clandestini punendo i bene intenzionati. Come migliaia di italiani nati nella libertà postfascista portata anche dagli americani e nutriti poi nel languido benessere democristiano, arrivai a New York sbarcando da un volo dell'Alitalia puntualmente in ritardo, intenzionato soltanto a «sprimintare», come dice la canzone, a vedere, a provare, a raccontare.

Trent'anni or sono, quando portai la mia piccola famiglia a vivere qui, il massimo delle possibili angherie alla frontiera era la rituale cremazione di mortadelle, arance, caciotte e salsicce nascoste in valigia. Si veniva negli Stati Uniti per fare esperienza, per studiare, per aggiungere un altro bollino al cursus honorum professionale o universitario, per fare studi e ricerche impossibili in Italia per cronica mancanza di fondi o, come accade ora nella biologia delle staminali, per miopia. Tre, quattro anni e poi di nuovo a casa, «in patria», come avrebbe previsto Braudel. Per la «intellighenzia» del mondo, era la speranza di diventare ancora più «intelligenti». Per gli artigiani, per i commercianti, per gli *entrepreneurs*, era il sogno del colpaccio alla roulette Usa, come il signor Jacuzzi, che inventò una vasca da bagno con dentro l'elica di un piccolo fuoribordo per aiutare un figlio malato; come il signor Paolucci, che ebbe l'idea di surgelare la pizza, e sembra una cretinata, ma bisognava pensarci; come il signor Boiardi, che per primo mise in scatola la pommarola per gli spaghetti.

«L'America è il luogo delle più grandi opportunità, dove tutti possono far fortuna» aveva proclamato un altro italiano divenuto americano, un certo Alphonse Capone detto «Al», che morì divorato dalla sifilide mai curata, perché terrorizzato dagli aghi. Era passato anche lui dalla porta dei sogni, come passarono la famiglia del giudice della Corte Suprema Antonin Scalia e la famiglia Ciccone, quelli di Madonna, i Cuomo e la famiglia Lucania, storpiata nella trascrizione in «Luciano», Lucky Luciano, i Coppola, i Sinatra e un certo Garibaldi Giuseppe da Nizza, che per sei mesi lavorò a fabbricare candele a Staten Island, qui a New York, prima di stufarsi e tornare in Italia.

La Merica era una porta girevole, non una via a senso unico e il sogno molto spesso si scuoteva in un risveglio acre. «Andai in America perché mi avevano detto che le strade erano lastricate d'oro» racconta la voce di un bracciante calabrese registrata nel Museo dell'immigrazione «e quando arrivai mi accorsi invece che le strade non erano lastricate per niente e che toccava a me lastricarle.» Il 50 per cento degli italiani arrivati a New York con la grande piena fra Ottocento e Novecento tornarono definitivamente in Italia, conclude La Storia *di Jerre Mangione e Ben Monreale, il più bello studio sull'argomento. Uno su due voltò le spalle al sogno.*

Io so che non tornerò più indietro. Chi diventa americano per osmosi, per risucchio, per la quotidianità della vita, perché si impara a dare per scontato che qui nulla è mai scontato, assorbe una droga potente, della quale ci si accorge dipendenti soltanto quando si cerca di smettere.

Mi guardano male, lo so, con questo mio cognome italiano, con la «vocale in fondo», spia dell'origine, perché essere italiani con passaporto americano significa essere diventati americani «col trattino» – italo-americani, nippo-americani, afro-americani, russo-americani – e una società multietnica è una società dove tutti gli stereotipi razziali e culturali convivono, senza mai cancellarsi. Sono diventato un wop, come quelli che arrivavano a Ellis Island *with out papers*, senza documenti: un *guinea*, un *dago*, un *greasehead*, una testa impomatata, un mangia aglio, uno scippatore, un pizzicasederi, un mafioso, perché se tutti i musulmani sono terroristi, tutti gli italiani sono mafiosi. La storia dei pregiudizi etnici è equanime e la ruota gira per tutti. La paura della «minaccia rossa», quella che portò Sacco e Vanzetti alla sedia elettrica, fece la fortuna di un predicatore di Boston che scriveva pamphlet per invitare le autorità «a mandare tutti gli italiani a friggere sulla sedia, perché la loro barbarie sta corrompendo la nostra civiltà».

Il traghetto Miss Liberty *si stacca dal molo dell'isola che chiamavano l'isola delle lacrime, ma anche l'isola della speranza. Sono diventato americano per la speranza che questo esperimento che chiamavano La Merica possa ancora, nonostante noi americani, riuscire, perché se stesse fallendo, se fallisse, nessun altro esperimento di democrazia civile reggerebbe a lungo nel mondo. Davanti alla prua di* Miss Liberty, *nella foschia afosa di questo agosto, il profilo sdentato di Manhattan s'ingrandisce come in uno zoom.*

Era l'11 agosto 2001 il giorno in cui uscii dal tribunale con il russo sordo e i cinesi. Appena un mese dopo, 19 uomini ai comandi di 4 aerei mi dissero che la mia speranza, riflessa perfettamente nell'enormità della loro paura, era ancora fondata.

Per andare a morire in America, il calzolaio e il pescivendolo fecero un lungo viaggio. Nicola dalla Puglia, Bartolomeo dal Piemonte. Sbarcarono a diciassette anni Sacco e Vanzetti a venti, nella Boston del 1908, senza conoscersi, senza neppure sapere perché ci fossero andati, soltanto due *dago*, come chiamavano con disprezzo gli italiani, due immigrati senza permesso, due extramericani andati a infettare con le loro abitudini, la loro religione e le loro idee pericolose una nazione che aveva bisogno di molte braccia a poco prezzo e per questo ne aveva paura. «So bene perché sono qui» disse nel suo rustico inglese Nicola al processo. «Sono qui perché gli oppressori devono ammazzare gli oppressi per restare superiori. Faccia come le pare, giudice.» E il giudice lo fece. In un 14 luglio di circa ottant'anni or sono, condannò a morte Nicola Sacco e Bartolomeo Vanzetti.

Provare a guardarli oggi, ottant'anni di vergogna e di inutili rimorsi più tardi, nelle fotografie sdrucite, nelle pose con il vestito della domenica, il colletto duro e la faccetta seria in mezzo alle guardie tronfie come pescatori accanto al tonno pescato, è impossibile immaginare che attorno a questi due disgraziati, Vanzetti coi suoi baffoni da circo, Sacco con l'aria da bravo bambino, si fosse scatenata la furia della xenofobia e della paranoia «rossa» di una città civile. Ma riprendere tra le dita quelle immagini, quelle carte processuali, quella storia, non è fare un viaggio nel passato dell'America, ma nel presente possibile di tutti. Rivivere, nella Boston del 1921, le pagine della cronaca già vista, delle «emergenze immigrati».

Per arrivare a Boston, Vanzetti era partito dalla provincia di Cuneo, dal paese di Vallefalletto, Sacco da Torremaggiore, tra la Puglia e il Molise. Erano ragazzi, nel 1908, e non sapevano fare niente altro che faticare. Vanzetti era arrivato alla sesta elementare, aveva lavoricchiato come garzone di fornaio. Sacco era un contadino da Terra di Lavoro, che aveva imparato a rifilare le suole delle scarpe, per sfuggire alla zappa.

Nella Boston dove gli antenati dei Kennedy, come loro, sgomitavano per campare, finirono nella pensione di una vedova italiana, la signora Brini, che aveva trasformato la sua casa in una fornace di «teste calde», di anarchici, di sindacalisti, di «rossi». Insieme con il latte della mattina, Sacco, Vanzetti, i loro amici, presto divenuti «compagni», leggevano religiosamente le pagine della *Cronaca sovversiva* dell'anarchico italiano Galleani, diffusa da un altro anarchico, Salsedo, che morirà – guarda guarda le coincidenze storiche – «cadendo» accidentalmente dalla finestra del commissariato dove lo stavano interrogando, come Pinelli nella Milano di mezzo secolo dopo.

La guerra, che i due evitarono fuggendo in Messico, la rivoluzione bolscevica nel 1917, gli attentati, gli scioperi delle donne nelle filande, l'angoscia dell'influenza «spagnola», l'alluvione di immigrati dall'Europa accesero la paranoia dei «bramini», dei vecchi padroni anglo e puritani di Boston.

La città divenne il fronte principale della guerra alla *red scare*, al grande terrore rosso che un giovane poliziotto federale, John Edgar Hoover, i politicanti, i giudici locali decisero di cavalcare e vincere a qualunque prezzo. E quando, un pomeriggio di aprile del 1920, il cassiere di una manifattura e la sua guardia del corpo (Bernardelli, italiano anche lui) furono uccisi per rapinare 15.751 dollari di incassi, la polizia lanciò il rastrellamento degli stranieri e dei rossi. Un passante disse di avere riconosciuto Nick e Bart. La polizia li arrestò, gli trovò addosso due revolver e un volantino con il quale si invitavano i lavoratori a una conferenza, non troppo rivoluzionaria né cospiratoria, visto che «donne e bambini erano calorosamente invitati». Ma Hoover, lo sceriffo e il giudice non ebbero dubbi: quei due erano perfetti, come vittime sacrificali.

Il processo, durato sei mesi, fu una commedia tragica. File di testimoni furono portati in aula dal difensore per offrire alibi di acciaio. Vanzetti stava vendendo pesci per strada, al momento del delitto. Sacco era al Consolato italiano per chiedere un passaporto e tornare in Italia, come testimoniò il console stesso, perché si era convinto di avere sbagliato, emigrando. Il gangster di una banda criminale italiana, la Morelli gang, confessò e diede nomi, circostanze, dettagli. Il danaro non fu mai trovato. E la sola «prova» contro Nick e Bart fu l'automobile usata dagli assassini per fuggire. Bart l'aveva presa in prestito, in altre occasioni, disse il procuratore. Invano il difensore dimostrò che era un'auto diversa, con pneumatici più grossi.

L'avvocato aveva commesso un errore fatale: aveva trasformato il processo in un processo politico, invocando la solidarietà del mondo, di tutte le sinistre, degli intellettuali, in un'ondata di sdegno e di solidarietà internazionale che servirono a convincere il giudice e la giuria che il pescivendolo e il calzolaio erano la «minaccia rossa» che avrebbe divorato l'America.

Impiegarono sei anni, per ammazzarli sulla sedia elettrica. John Dos Passos gridò «brava America maledetta, hai ucciso te stessa», i cortei chiedevano giustizia, i due consumavano il tempo scrivendo lettere, gonfie di incredulità, come il più freddo Vanzetti, o di orgoglio disperato, come Sacco: «E se mi uccidereste e io potrebbe rinascere, io tornasse davanti a voi giudici per farmi ammazzare ancora». Leggevano freneticamente tutto, Dostoevskij e Thoreau, Proudhon e Malatesta, ma Sacco trascorse l'ultima notte prima dell'esecuzione a chiedere al cappellano se davvero esistesse l'Aldilà.

Finirono insieme il lungo viaggio il 23 agosto 1927, quando in Italia governava Mussolini e in Germania Adolf Hitler aveva cominciato la sua marcia verso il potere. «Una macchia indelebile sulla storia americana del XX secolo» definì la loro fine lo storico Arthur Schlesinger «il tributo umano alla follia xenofoba e ideologica». Joan Baez gli dedicò un pezzo famoso, *The Ballad of Sacco and Vanzetti*. Nel 1977, il governatore del Massachusetts, Michael Dukakis, proclamò il giorno dell'esecuzione il «Sacco and Vanzetti Memorial Day». Il primo sindaco italo-americano di Boston, Tom Menino, gli ha fatto erigere un monumento ricordo. Le belle, inutili rimembranze della storia di ieri che non sa di essere sempre e soltanto la cronaca di oggi.

La frontiera del sudore

Il termometro nel cruscotto scandisce il viaggio verso il confine, come la discesa dentro un vulcano.

Parto da Phoenix che segna 32 gradi centigradi. Appena la città si arrende al nulla dell'Arizona, sbriciolandosi in un vuoto che mi accompagnerà per 350 chilometri fino a Yuma e inghiottirebbe mezza pianura Padana senza un rutto, comincia a salire. Dopo un'ora è a 35 gradi. Dopo due ore e mezza sfiora i 40 gradi. E quando l'enorme bandiera americana che segna la fine del mio mondo appare oltre la curva di un piccolo canyon color cioccolato, ecco la frontiera, ecco il vulcano. 46 gradi. In maggio. *Welcome to Yuma.*

Cinquecento arresti al giorno. Gatti grassi contro topi famelici. Settantamila all'anno che ce la fanno e settecento che no, che muoiono seccati dal sole come prugne, nella corsa per attraversare il deserto e sfuggire alla «Migra», la polizia antimmigrazione. Qui sorgerà il muro americano, la nuova Berlino pensata non per chiudere dentro, ma per chiudere fuori, nel punto dove il contatto immaginario fra il Nord e il Sud si fa incandescente sotto le suole e nero come l'asfalto che sfuma e prende alla gola. Qui si combatte una guerra di silenzi, di morti che cadono senza un grido e vengono seppelliti dove cadono, sotto le pietre per proteggerli dagli animali, una battaglia senza esplosioni, sotto un cielo stupendamente feroce e infinito. Prigionieri di un paesaggio che Dio aveva creato per le salamandre, non per gli uomini.

Yuma, Arizona. L'ultima frontiera, la guerra tra i ricchi del mondo che hanno bisogno dei poveri per restare ricchi, e i poveri che hanno bisogno dei ricchi per sfuggire alla condanna della nascita. Sì, c'è anche il treno per Yuma, processioni di container trascinati dai muli diesel della Union Pacific, lentissimi perché nulla può muoversi in fretta in questo forno, neanche un treno. *Mexico: Last Exit before the Border*, mi avverte un cartello sull'autostrada numero 8, ultima uscita prima del confine. Commedia divina alla rovescia: lasciate ogni speranza, o voi che uscite, perché per rientrare, se la vostra mamma non ha avuto il buon gusto di partorirvi nel mondo giusto, sarete condannati a vivere affacciati sull'abisso e a consumare l'esistenza a decidere se buttarvi giù.

In 11 milioni, se le cifre sono vere e ne dubito, sono saltati giù e sono sopravvissuti. In 500 mila ci provano ogni anno, tenendosi per mano, chiudendo gli occhi, portandosi solo quello che hanno addosso, una maglietta sudata, un paio di jeans, prima che costruiscano *the Wall*, il muro di seicento chilometri che ora dovrebbero innalzare per sigillare l'Arizona allo Stato di Sonora, il *Norte* che ammicca nel buio oltre i cespugli e il *Sur*, l'America che non è America.

Quando Bush è stato qui, gli sceneggiatori della Casa Bianca, che hanno riscoperto la guerra nel deserto di casa loro dopo il disastro della guerra nel deserto degli altri, lo hanno inquadrato dietro l'unico pezzo di frontiera fortificata ma, come tutte le scenografie della falsa informazione, anche questo sketch era un inganno, un set.

La frontiera fra gli Usa e il Messico non esiste. Basta uscire dalla città di Yuma, che finisce a sbattere contro il posto di controllo di San Luis, seguire le strade di campagna dall'altra parte o da questa, per vedere che la sola barriera sono il caldo, la notte, il disorientamento, lo spazio, i serpenti a sonagli. E al muro nessuno crede davvero, neppure quelli che lo invocano per far scena con gli elettori. Non lo vuole neppure Bush, che parla di «frontiere sicure» e di «permessi di lavoro temporanei» con documenti per gli immigrati clandestini, che è l'equivalente politico del «sale sulla coda».

Documenti, dice? Torniamo a Yuma. La *chica*, la ragazza

messicana che mi porta i tacos al tavolo, ha occhi belli e svegli sotto le ciglia finte e il rimmel, sia mai detto che una messicana si fa trovare struccata fuori casa. «Desculpe, me necessitan papeles...» azzardo nel mio improbabile spagnolo. «Parlo inglese» mi fulmina con un lampo di mascara. «Sono nata qui a Yuma, I am an American.» Ok. Sorry. «Mi servono documenti per un'amica che cerca lavoro... insomma... capisce» e stiro venti dollari sul vassoio di plastica. Capisce. La ragazza, rassicurata dal mio accento straniero, mi sussurra in fretta «Pollo a la Brasa», poi un indirizzo e un nome, «Colorado Avenue e Quindicesima. Ernesto» e se ne va coi miei venti dollari e le sue ciglia finte.

Documenti, mister President? Nella rosticceria del pollo alla brace l'Ernesto rosola galline e frigge documenti falsi. Il menu è semplice: un pollo intero con *papas fritas* 15 dollari. Permesso di soggiorno falso 500 dollari, e senza patate fritte. Se lo voglio buono, con identità vera rubata a qualche ignaro cittadino, ci vogliono tre mesi e 5000 dollari. La roba buona costa sempre cara. Però poi neppure la «Migra», riesce più a pizzicarti. Torno domani coi soldi, lo saluto. E il pollo non lo vuoi? No, niente pollo. I polli sono quelli che si agitano credendo che si possa spegnere il vulcano dell'immigrazione dal Sud con un secchio d'acqua.

Yuma, Arizona. *El Norte*, la calamita, ed *el Sur*, il Sud polvere di ferro, limatura di umanità che vola e si incolla per sempre. Un popolare demagogo di origine italiana, tale Tom Tancredo, sta in tv a ogni ora e in ogni canale per predicare che i clandestini andrebbero arrestati tutti e deportati nei Paesi di origine: Messico, Honduras, Guatemala, Salvador, tutto il Centroamerica.

Il classico cretino di successo da talk show, come ne conosciamo bene, che aveva tentato anche la lotteria della Casa Bianca, subito scartato. Basti pensare a quanti Jumbo 747 servirebbero per portare via almeno 11 milioni di persone, circa 31 mila aerei, più dell'intera flotta civile e militare del mondo. Per adesso, sotto la notte senza fine della Frontera, anziché deportarli, se non ce la fanno li seppelliscono sotto una pietra anonima con una scritta graffiata: *no olvidado*, non dimenticato. La sera prima che arrivasse Bush, sono morti una donna incinta e il figlio di due anni. Al presidente non lo hanno detto, per non turbare lo spot.

Attraverso e riattraverso la Frontera, per gusto sadico, per impudenza, come i ricchi che nelle vignette si accendono i sigari con le banconote. Perché io posso e loro no, loro sono nati nel posto sbagliato e muoiono nel posto sbagliato. Tutti gli uomini sono stati creati con gli stessi diritti inalienabili, proclama la Costituzione americana. Dipende da dove nascono, si sono dimenticati di aggiungere. Questa volta vado a piedi, ad Algodones, insieme con frotte di vecchi americani che vanno in Messico a comperare farmaci che costano un terzo rispetto agli Stati Uniti e sono altrettanto inefficaci. Riprovo la stessa sensazione di vertigine che avvertivo quando attraversavo, tre decadi or sono, la frontiera sovietica. Di qua o di là, carcerati per caso. Rifaccio la parte dell'aspirante clandestino.

Le ottanta farmacie che conto nella strada principale di Algodones sono la pista di lancio della polvere verso il Nord. Nella farmacia Maria Virgen (un po' di devozione aiuta la farmacologia), sotto un bar dove coppie di americani d'antiquariato succhiano margarita e daiquiri da cannuccine strettissime per farli durare di più, chiedo e ottengo risposta. Il «farmacista», che di giorno vende pillole e di notte fa il «coyote», il traghettatore di anime oltre la Frontera, conosce le leggi del mercato. «Ora è tutto più difficile, più *peligroso*, da quando Buuush – lo pronunciano così, strascicando la «u» – ha chiuso la Frontera» mi spiega. Duemila dollari a persona, con recapito in una casa sicura a Yuma. Duemila? I miei amici avevano detto mille e cinque. «No, Mister (Señor lo dice soltanto Speedy Gonzales), oggi c'è Buuuuush, muy duro, muy duro.» Ci sono garanzie? Ride. «Suerte, mister». Questione di culo.

Nella notte infinita, io, figlio del passaporto giusto, guardo dal basso della valle, dove il Colorado alle sue ultime anse, ormai stanco dopo aver scavato il Grand Canyon, bagna di verde le sponde del deserto, come il Nilo in Egitto; guardo i lampi delle fotoelettriche della «Migra», montate sui furgoncini bianchi, tagliare la notte – sembrano i riflettori delle contraeree – contro il cielo stupendo.

L'agente Tom Clayburn, che mi scorta, ascolta nel walkie-talkie il bollettino: 250 presi e ributtati oltre, *catch and release* si dice, acchiappa e rilascia, come i pesci pescati dai pescatori buoni. Lo scorso anno ne avevano presi 75 mila, in questo tratto. «E dove le abbiamo 75 mila celle?» ride amaro.

I politicanti sognano tendopoli apposite, erette nel deserto, per detenere i clandestini. «Se l'immagina l'incubo di dar da mangiare e da bere a 200 mila accampati nel deserto, vecchi, neonati, malati?» Me l'immagino, ma la politica deve fingere di avere soluzioni, anche quando soluzioni non ci sono. Se acciuffano i *coyotes*, i contrabbandieri di anime che arrotondano con l'ecstasy, le anfetamine prodotte in Messico e divorate negli Stati Uniti, quelli sì, li mettono in galera, ma i *coyotes* sono bestie accorte. Fiutano l'odore della «Migra» da lontano, lasciano al loro destino i poveracci che hanno spolpato e corrono dall'altra parte ridendo: «Ci rivediamo domani sera, *maricones gringos*», americani froci. «Fermare l'immigrazione clandestina con pezzi di muro» dice Alejandro Ruiz Costa, dell'Arizona State University, «è come stringere un palloncino pieno d'aria. Si gonfia da un'altra parte. Chiudi la California, passano per l'Arizona. Sigilli l'Arizona, passano per il New Mexico, poi il Texas. E se accetti l'ignominia di un "Berlin Wall", arriveranno dal Canada, passando dal forno al frigorifero, o per nave, come i container che oggi sbarcano a Seattle carichi di cinesi, a volte vivi, a volte no.»

«Vada all'ospedale di Yuma» mi aveva suggerito il professore dell'Arizona State University. Yuma oggi ha 200 mila abitanti, scoppia di soldi, è una *boom town*, ha appena costruito uno shopping mall scicchissimo, con tutto il ciarpame del consumo di lusso. Ha portici di finto stucco coloniale irrorati da una nebbiolina di acqua gelida che scende a velo dal soffitto sui consumatori per tenerli freschi e vogliosi di spendere. Il 95 per cento della manodopera che l'ha costruito era di clandestini, scrive il comune di Yuma, l'altro 5 per cento erano «regolari», probabilmente con i *papeles* cucinati da Ernesto. Sono gli stessi manovali, muratori, carpentieri che hanno costruito l'ospedale, lo Yuma Regional Medical Center, nuovissimo.

Gli ospedali, come gli obitori nelle zone di guerra, non mentono mai, sono i tristi amici del cronista. Entro nel reparto Maternità e Infanzia, un'ala a parte. Sembra la hall di un albergo a cinque stelle. Vetrate isolanti, climatizzazione perfetta, gli «illegali» hanno lavorato bene. Colori rassicuranti, pastelli azzurri e rosa, ovviamente. Peluche giganti, qualche citazione western, decorazioni di gusto apache ma sobrio, e poi qui gli Apache c'erano davvero, anche se oggi i loro discendenti gestiscono i parcheggi e il solito casinò. Nella sala d'attesa con poltrone comode ma non soffici, studiate per donne col mal di schiena da gravidanza, ne conto dieci vistosamente incinte, otto con neonati o bambini piccoli a rimorchio. Nessuno piange, nessuno protesta. Sono tutti *latinos* meno una, la receptionist, che mi guarda un po' strano. «Posso aiutarla?» «No, grazie, mia figlia verrà, volevo vedere.» Ho visto. Come avevo visto, qualche ora prima, la «Clinica» di Algodones, la sola del paese.

Un'ora di macchina, una corsa nella notte tra i cespugli con il cuore in gola, un documento falso, e una donna porta il bambino che ha in pancia da un bordello sudicio, sporco, urlante, sgomitante a questo reparto di maternità dove anche a un maschio viene voglia di partorire. E quella che riuscirà a farcela, a vendere tutto quello che possiede, se stessa compresa, la donna che sopravviverà alla traversata del deserto, a ore nel cassone sigillato di un camion sotto il sole di Sonora, ai *coyotes*, ai serpenti e agli uomini velenosi per sbarcare allo Yuma Regional Medical Center metterà al mondo un americanino vero, uno del *Norte*. Uno con il suo passaportino giusto e tutte le cartine a posto. Uno con un futuro attraverso tutte le Fronteras.

Non l'hanno ancora inventato un muro che possa fermare una donna incinta che vuol dare un futuro al proprio figlio. Ma ci costano 20 miliardi di dollari all'anno, strepitano i nativisti che sognano la grande muraglia nel deserto contro i messicani che vorrebbero tornare in quelle terre che ieri gli appartenevano. È vero, le donne che ce la fanno, quei bambini che verranno al mondo cittadini del grande Nord e andranno a scuola e si faranno curare nei pronto soccorso costano e parlano spagnolo. Fuori tutti, gridano. Via, via, chiudete la porta e buttate la chiave. E poi gli shopping center con la pioggerellina finta chi glieli costruisce? L'Ernesto? Chi gli compera tonnellate di rimmel e mascara? Le donne sepolte sotto le pietre non si truccano.

Storie di somari ed elefanti

Tutte le galline del presidente

Per prima cosa, se si vuole vincere un'elezione americana, è bene stare alla larga dalle galline. Ricordare sempre quello che Lyndon Johnson, un futuro presidente, tentò di fare nella campagna elettorale del 1948 per un seggio di deputato in Texas, quando suggerì al proprio addetto stampa di spargere la voce che l'avversario, un pollicultore scapolo, leniva la solitudine maschile fottendo le galline. «Ma... ma...» balbettò l'addetto stampa sbigottito «ma non è vero.» Certo che non è vero, gli rispose Johnson con un sorriso diabolico, ma pensa che faccia farà quando dovrà andare davanti ai giornalisti a smentire che lui tromba le galline.

Chiarito quindi il delicato problema della pollicoltura e della perversione bestiale, la lista delle gaffe, degli errori, dei «no no», delle cose da evitare se si vogliono conquistare incarichi elettorali negli Stati Uniti è una fisarmonica che la fantasia malvagia degli avversari e dei manipolatori di immagine espande all'infinito, per seguire il variare dei tabù e delle fobie nazionali. Ci sono i «no no» seri, politici, per esempio la micidiale «T» come tasse, la terza rotaia della politica americana, chi la tocca muore. Tutti devono proclamarsi per il «meno tasse per tutti» arpeggiando soltanto su variazioni sociologiche: meno tasse per i redditi medi, meno tasse per i piccoli imprenditori, meno tasse per chi fa studiare i figli. Ma sempre meno tasse, preparandosi naturalmente ad aumentarle sottobanco.

Rischiosissimo, anche se non mortale come la «T» di tasse, è apparire *soft*, molli, morbidi, soffici, pastosi. Guai all'ambizioso che appaia molle coi criminali, morbido coi terroristi, soffice con gli avversari interni ed esterni, mentre felicemente tramontato ormai è almeno l'anatema spuntato del *soft on communism*, accomodante con i comunisti, avendo la maggior parte degli elettori capito che il comunismo superstite in Cina produce non più rivoluzioni, ma tonnellate di paccottiglia a basso costo per la gioia dei consumatori americani e per il maggior profitto delle aziende.

La «morbidezza» è ammessa soltanto quando si parla di famiglia, di figliolanza, di caduti in guerra o in servizio. In questo caso, la lacrimuccia, il gonfiore delle mucose nasali, il «magone» sono di rigore. I consulenti d'immagine hanno stabilito che l'elettorato femminile, il 54 per cento di coloro che ancora si prendono la briga di andare a votare (appena il 49 per cento alle presidenziali del 2000), pretende politicanti che sappiano piangere e siano in contatto con il mitico «lato femmineo» della loro personalità. In caso di secchezza delle ghiandole lacrimali, si può surrogare con il collirio, che i portaborse di ogni candidato tengono sempre a portata di mano, o con maglioni di buona lana (non cachemire, considerato troppo elitario e dunque «estremista») con toni autunnali, per umanizzare. Il generale Clark, democratico stroncato in poche settimane di primarie, dopo quarant'anni nell'esercito pareva in divisa anche quando era nudo e neppure i maglioni girocollo frettolosamente indossati poterono ammorbidire il suo look marziale, come neppure i golfoni color pastello poterono umanizzare l'androide Al Gore, nel 2000. Mentre le fortune elettorali di Hillary Clinton conobbero un temporaneo risorgimento quando accennò a una lacrimuccia dopo una sconfitta.

Ma il contatto con il lato femmineo non deve tradursi in contatti con femmine non autorizzate. Nessun candidato scapolo è stato mai eletto alla Casa Bianca nel XX secolo. Lo scapolone sarà imputato di «dongiovannismo», se non di omosessualità, accusa che puntualmente cade anche sulle politicanti femmina che abbiano aria troppo autorevole e non siano seguite da codazzi di figli e nipotini.

E non importa se la sposa fedele che guarda con espressione rapita il marito ripetere per la centesima volta lo stesso discorso sia quotidianamente tradita come Mrs Eleanor Roosevelt (Mr Roosevelt aveva la segretaria amante), Mrs Mamie Eisenhower (il guerriero del D-Day si riposava con la propria attendente), Mrs Jacqueline Kennedy (JFK soffriva di una grave disfunzione alle ghiandole surrenali che pare lo costringesse a gettarsi su ogni donna che transitasse alla Casa Bianca) fino ad arrivare al leggendario Bill «Bubba» Clinton. La fedeltà coniugale deve essere implicita fino a prova contraria, ma non ostentata. Jimmy Carter, che non perdeva occasione per dichiarare il proprio amore per la sua Rosalynn, fu accusato di «bigottismo». Tentò sciaguratamente di contrastare quest'immagine concedendo un'intervista allo sporcaccioncello «Playboy» nella quale ammise di essere anche lui peccatore e di «desiderare ogni tanto anche altre donne». Solo desiderare.

Il divorzio è ok e non potrebbe essere altrimenti in una nazione dove per 2,4 milioni di matrimoni (eterosessuali, per ora) annuali ci sono 1,2 milioni di divorzi, il 50 per cento. La signorina Lewinsky, colei dalla pizza galeotta e dal tanga invitante, si è sacrificata molto per ridurre l'impatto dell'arma di distruzione politica di massa, l'adulterio, rammentando al Paese, in una sua importante dichiarazione fondata sull'esperienza, che «noi americani non dobbiamo eleggere un sacerdote, ma un uomo». L'arma, tuttavia, è sempre in agguato, e prudenza vuole che sui palchi dei comizi i candidati salgano circonfusi da stagionate signore con ridotto potenziale di tentazione, corpulenti signori accaldati e distinti politicanti locali in severi completi blu o grigi. Se compare anche una giovane donna si può essere certi che si tratti di figlia, sorella, nipote, parente stretta o, nei casi più *risqués*, cognata.

Permessa la camicia senza giacca, anche con maniche

rimboccate, se il pubblico è di «colletti blu», mentre esclusi sono abiti chiari o completi spezzati, che darebbero subito un tono da Grande Gatsby o da viveur, togliendo *gravitas*. Blu scuro o grigio scuro, senza gemelli, cravatta preferibilmente rosso pompiere tinta unita su camicia bianca, che viene bene in tv e fa patriota, *red, white and blue*, il tricolore della bandiera. Da evitare l'ostentazione del danaro.

Il concorrente può essere un miliardario come Bush (uno dei 400 uomini più ricchi d'America, secondo la rivista economica «Forbes»), che non ha mai fatto nulla per guadagnarsi la propria fortuna se non ereditarla o riceverla da amici di papà, ma deve presentarsi come uno di noi, uno che deve sfangare la mesata e pagare le bollette, accetta in mano, stivaletti infangati e cagnetto sul pick-up, quando non è in servizio. Il suo papà, che guardò stupefatto il codice a barre su un prodotto da supermarket non avendo mai fatto una spesa in vita sua, fu giudicato uno snob dal popolo e prontamente trombato. Kerry, che dalla seconda moglie, Madame Ketchup, vedova ed erede della fortuna Heinz, ha ricevuto 248 milioni di dollari, racconta di avere ottenuto «in prestito» dalla moglie 6,5 milioni di dollari per alimentare la propria campagna elettorale quando sembrava agonizzante. Ma possiede sei grandi *mansion*, sei superville, una barca a vela (Kennedy *oblige*), appartamenti a New York e Boston, nonostante da diciannove anni non sia altro che un semplice senatore. Fortunatamente, nessuno qui oserebbe accusarlo di essere un «politicante ladro», perché nel galateo della politica americana vige una regola ferrea: ogni accusa è un boomerang, e quello che viene lanciato oggi, ti torna in faccia domani, perché i media vegliano. A meno che si tratti di galline, naturalmente. Nel 1948, Lyndon Johnson fu eletto e cominciò il suo viaggio verso la Casa Bianca.

Il vecchio somaro

È stato il rifugio di eroi e mascalzoni, martiri e schiavisti, femministe e cretini. Un grande partito, dunque. Ha prodotto i due presidenti considerati peggiori (almeno fino a ora) della storia americana, Franklin Pierce e James Buchanan; il più rimpianto (da morto), J.F. Kennedy; gli unici due formalmente *impeached*, cioè incriminati e processati dal Parlamento, Andrew Johnson e Bill Clinton, e un terzo, Andrew Jackson, che si meritò nel 1828 dai giornali il non affettuoso soprannome di *jackass*, somaro, destinato a diventare il simbolo del partito.

La storia del partito più antico del mondo, il Partito democratico degli Stati Uniti, è dunque la storia morale e immorale della nazione che lo partorì, con grande dolore e nessuna voglia, alla fine del Settecento. In quella meravigliosa tempesta senza fine che è l'esperimento politico chiamato Usa, molti altri partiti sono nati, i Federalisti, i Whigs, i Laburisti, i Libertari, i Socialisti, i Progressisti, i Verdi e, molti anni dopo di loro, i Repubblicani che ancora resistono, ma i Democratici sono stati il principale bacino alluvionale nel quale una nazione ha riversato tutto il meglio e il peggio dei propri duecentotrenta anni di storia costituzionale e unitaria.

Cercare un filo conduttore ideologico, una coerenza politica riconoscibile, che leghino i leader di oggi, come Barack Obama, Bill e Hillary Clinton, la presidentessa della Camera Nancy Pelosi, il capo della maggioranza in senato Harry Reid ai padri della patria e precursori del partito come James Madison e Thomas Jefferson sarebbe non soltanto impossibile, ma senza senso. Thomas Jefferson, orgoglioso proprietario di schiavi e di schiave delle quali non disdegnava approfittare, sarebbe colto da malore se scoprisse che tra i massimi candidati democratici a prendere il posto che fu suo, di presidente, c'è un uomo di colore con un nome africano, Barack Obama. Mentre Andrew Jackson (il «somaro»), che cavalcò la conquista di New Orleans strappata ai britannici fino alla Casa Bianca, rifiuterebbe di credere che proprio gli esecrati *British* siano, da un secolo, i più amati e obbedienti alleati degli Stati Uniti.

Ma la lezione del partito che ha dato alla nazione 14

presidenti per ottantacinque anni complessivi di governo dal primo, appunto il conquistatore di New Orleans Jackson, fino a William Jefferson Clinton non è una lezione di politologia né ancor meno di linearità ideale. Non sarebbe il partito più longevo, né quello che ancora oggi misura nei sondaggi un favore più alto dell'altra formazione (37 contro 33 per cento) se avesse aderito a una «linea». Se non si fosse fatto la «grande tenda» sotto la quale ogni viandante può fermarsi e rifocillarsi, senza presentare tessere o sottoporsi a test di purezza. Se non fosse stato capace di non essere niente, e di diventare tutto.

Centosettantanove anni di esistenza con il nome ufficiale di Democratic Party, e più di due secoli se si vogliono includere fra i precursori anche Jefferson e Madison, non sono un cattivo curriculum per un partito che, come scrisse lo storico Arthur Schlesinger jr, «era nato soltanto per morire». I «Repubblicani», come originariamente si chiamavano, ironie delle nomenclature, i Democratici, furono figli della rassegnazione, non della passione. L'America degli anni Settanta, nel senso del 1770, aveva, tra i dissensi che scuotevano i rissosi agricoltori della Virginia e i mercanti di Boston, soltanto due ferme convinzioni comuni: il rigetto per i «*Brits*», per le giubbe rosse e i gabellieri di re Giorgio III, e la radicale idiosincrasia per i partiti politici, che infatti i padri della patria chiamavano, con disgusto, «fazioni». Talmente profonda era la convinzione che, anzi, le fazioni fossero la radice di ogni mala amministrazione, che essi fossero, come ripeteva Thomas Jefferson, «organismi creati soltanto per profittare a spese della gente», prova, se mai ce ne fosse stato bisogno, che «l'antipolitica» non è un'invenzione di ieri, che il sogno dei *gentlemen* coloniali era quello di fare addirittura a meno di un governo.

La chimera dell'autogoverno, della polis amministrata dai buoni cittadini (e qualche rara cittadina) riuniti periodicamente nella *townhall*, la casa comune del villaggio, rendeva ovviamente inutile la formazione di gruppi politici organizzati per difendere o promuovere interessi particolari. Fu la guerra rivoluzionaria, la lunga e pericolante campagna contro i mercenari tedeschi di Giorgio III, a dissipare l'eterna illusione dell'agorà e dell'assemblearismo.

Gli eserciti, anche quelli improvvisati, non sono democrazie, come ben presto scoprirono George Washington e i suoi ufficiali, e molto a malincuore i padri fondatori dovettero ammettere, in una celebre frase dei *Federalist Papers*, che soltanto «se gli uomini fossero angeli, non sarebbe necessario un governo». Constatato che angeli non erano, neppure quelli emigrati oltre Atlantico, si rassegnarono a formarne uno centrale, con due propositi tanto chiari quanto contraddittori: che avesse grande autorità, ma che questa autorità fosse limitata e controbilanciata al massimo.

Da questa nobile contraddizione centrale nacque il figlioletto illegittimo che Jefferson, Madison, Hamilton tanto temevano: i partiti. Jefferson e Madison sostennero che un governo centrale, «repubblicano», dovesse esistere e funzionare per garantire i cittadini dalla prepotenza dei potenti e che le prerogative dei governi locali dovessero essere temperate dal timore che tanto più locale è il potere tanto più saranno potenti – e prepotenti – i ras del posto. Hamilton temeva l'esatto opposto, che un'autorità centrale imponesse la propria volontà e i propri decreti ovunque, riportando la neonata nazione all'imperio regale contro il quale si era ribellata e spingendo gli Stati del Sud a secedere, formando subito una seconda Unione.

Due partiti, i «Repubblicani», che poi divennero «Democratici» perché si proclamavano sostenitori di un potere popolare, dunque democratico, espresso in un governo centrale, e i «Federalisti», protettori delle autonomie locali, erano nati, segnando gli argini di quel sistema bipartitico che poi il meccanismo elettorale avrebbe reso permanente. Nessuno ha mai sancito il bipartitismo, negli Usa. Ma il collegio uninominale, dove chiunque prenda anche un solo voto più del secondo vince tutto, costringe i candidati ad accorparsi sotto la tenda più grande possibile, perché per i piccoli non c'è scampo. Da qui la necessità di convocare elezioni primarie che indichino il candidato più forte, perché per i deboli, per quelli fuori dalla «tenda», nel meccanismo elettorale del vincitore unico non c'è salvezza.

Se esiste dunque un sottilissimo filo rosso che colleghi il Partito democratico di oggi con quello di Andrew Jackson nel 1828, il primo a farsi chiamare «democratico», e all'embrione di Jefferson e Madison è il senso della necessità di un governo, di uno «Stato» si direbbe in Europa, capace di funzionare da «lobby» per chi lobby non ha. Ma è un filo sottile, teso fino a torcersi dalla resistenza opposta dal Sud democratico prima all'abolizionismo, che porta la firma del primo presidente repubblicano, Abraham Lincoln, nel 1863, e poi all'integrazione delle scuole, imposta con le baionette ancora da un repubblicano, Dwight Eisenhower, mezzo secolo fa a Little Rock. Non furono i Democratici, oggi visti come i campioni dei diritti civili dopo la svolta degli anni kennediani, i promotori dell'emancipazione, ma i Repubblicani, nati nel 1854 proprio sulla base di un programma antischiavitù.

La percezione del Partito democratico come partito «di sinistra» nasce nel XX secolo, e negli Stati del Nord atlantico, certamente non in quelli del Sud dove proprio i Dixiecrats e i democratici incappucciati alla George Wallace dell'Alabama difesero fino all'ultimo cappio la supremazia bianca. Si intravvede prima con l'idealismo internazionalista e vanamente generoso di Woodrow Wilson e poi, e soprattutto, con Franklin Delano Roosevelt, nella risposta al collasso sociale e morale della Grande depressione, prodotto dalla feroce lezione della realtà di un Paese naufragato, dopo la sbornia degli anni Venti, nel crac finanziario del '29. Come sempre, quando il pane scarseggia, si guarda al governo come all'ultima salvezza e il Roosevelt che creò il primo e il secondo New Deal, i programmi di lavori pubblici, i grandi interventi redistributivi di ricchezza secondo filosofie che noi avremmo chiamato socialdemocratiche, e infine portò l'America in guerra contro il Patto Tripartito Roma-Tokyo-Berlino, non era il Roosevelt che i suoi stessi elettori si attendevano, il patrizio, sdegnoso, superbo erede della «nobiltà» newyorkese. Sarebbero stati necessari una cinquantina d'anni, e il ritorno in forza delle vacche grasse, perché un altro democratico, chiamato Bill Clinton, si proclamasse un «Nuovo Democratico», come Blair si sarebbe proclamato un «Nuovo Laburista», e dichiarasse la fine del New Deal rooseveltiano, riconfermando la legge del pragmatismo e dell'adattabilità come primo comandamento per la sopravvivenza e il successo.

Poiché la coerenza è una condanna che gli dei hanno sempre loro risparmiato, i Democratici ne sono immuni. In una nazione dove il 68 per cento degli interrogati risponde che «c'è troppo Stato nella vita dei cittadini», ma poi lo stesso 68 per cento chiede che non vengano toccati programmi pubblici come le pensioni sociali, le garanzie sui conti bancari, l'assicurazione malattie per gli anziani o gli stanziamenti per la difesa, la coerenza sarebbe suicidio, per un partito con ambizione di governo nazionale.

Sono soltanto le caricature opposte da polemisti quelle che dipingono l'avversario come «il liberal comunista» o il «conservatore vampiro che deruba i poveri». Nella quotidianità della politica e dei voti parlamentari è una rara eccezione, mai la regola, che un partito americano voti compatto o che un presidente rispetti quel fumoso libro dei sogni, chiamato la «piattaforma», cioè il programma, che viene presentato a ogni congresso quadriennale. Scritto e dimenticato prima ancora che l'inchiostro sia asciutto.

Senza autentica organizzazione sul territorio, formandosi e deformandosi a immagine del proprio candidato elettorale e secondo il flusso dei finanziamenti privati o pubblici, regolati dalla legge (ma non sempre rispettati), i Democratici come i Repubblicani sono più che partiti leggeri, partiti inesistenti, montati e smontati per le occasioni. Tra i 51 senatori del gruppo democratico su 100, teoricamente la maggioranza eletta al Senato nel 2004, c'erano senatori completamente allineati con Bush, come Joe Lieberman, ebreo ortodosso praticante, che oggi viene accusato di essere «il barboncino della Casa Bianca», un ex iscritto al Ku Klux Klan, Robert Byrd della West Virginia, una senatrice come Dianne Feinstein, femminista, pro abortista, pro gay.

Se questo partito vive e sopravvive da duecento anni, dopo essere stato dichiarato più volte morto, è perché sembra avere capito il segreto impronunciabile della politica, almeno negli Stati Uniti: un partito «deve sempre essere un passo indietro rispetto ai propri elettori», come diceva l'uomo che per anni controllò la Camera come un capitano negriero, il deputato di Boston Tip O'Neil, «e la gente che proclama di voler seguire un leader in realtà vuole che sia il leader a seguire loro», in fondo definizione non pessima di democrazia. Cinismo, realismo, opportunismo. Ogni accusa e ogni ammirazione sono possibili. «Ma se esistiamo e prosperiamo da duecento anni» mi disse un democratico italo-americano del New Jersey, Peter Rodino, protagonista della demolizione di Richard Nixon, «forse qualcosa di giusto abbiamo fatto.»

La luce del mito

All'inizio non fu il verbo, ma la luce, a creare il vangelo dei Kennedy. Le parole che il mondo avrebbe poi ammirato, quelle frasi sonore che avevano scosso dal sonno una nazione intorpidita, «... non chiedete che cosa l'America possa fare per voi...», «... una nuova generazione ha impugnato la fiaccola...», «... sogno il giorno in cui la nostra forza militare sarà eguagliata dalla nostra saggezza...», erano belle e ancora echeggiano nel vuoto che JFK ha lasciato. Ma quando apriamo il libro dei miti del XX secolo e risentiamo la tenace, immortale seduzione che questo nome evoca, non sono parole quelle che emozionano la memoria. Sono fotografie, sequenze, provini, come quelli che Richard Avedon scattò pochi giorni prima dell'ingresso della famiglia alla Casa Bianca, e raccontano nel linguaggio della luce, regina del bianco e nero, senza la distrazione del colore, la nitidezza di una speranza che forse non è mai esistita, ma che esisterà per sempre. L'immagine dei Kennedy è l'immagine.

John Fitzgerald Kennedy fu il primo presidente americano, il primo uomo politico nella storia, a sedurre una nazione e a conquistare il potere cavalcando un raggio di luce. Furono i riflettori a baciare lui negli studi televisivi di Chicago, mentre scarnificavano il volto di Nixon, e a far credere ai telespettatori che avesse vinto il duello, mentre gli ascoltatori, nell'oscurità delle radio, avevano concluso il contrario. Era stata la luce del mattino riflessa dall'oceano Atlantico in casa Kennedy a Hyannis Port, dove quarant'anni più tardi il figlio John sarebbe precipitato con il suo Piper tentando di raggiungerla, a giocare con i capelli, il vento, i dentoni, il sorriso e a dipingere il ritratto di una famiglia senza ombre, mentre ora sappiamo quanto scura fosse l'ombra, dentro e fuori quella casa tragica. Ed è ancora la poesia della luce sui volti dei bambini, nelle mani degli adulti, negli sguardi di Caroline, negli occhi di Jacqueline, quella che le foto di Avedon catturano, perché l'artista aveva intuito che lì stava, e avrebbe abitato per sempre, l'essenza luminosa del mito. Nella luce.

Eppure nemmeno il presidente eletto, come vuole il suo titolo prima che presti giuramento il giorno 20 gennaio, aveva capito quanto sarebbe stato profondo il debito che avrebbe contratto con quelle immagini. Alla fine della lunga, noiosa sessione di pose e di scatti in un'altra delle case di famiglia – quella di Palm Beach in Florida dove anni dopo un suo nipote, Willy Smith Kennedy, sarebbe stato accusato e processato per violenza carnale sulla spiaggia di notte, a proposito di buio –, uscì sbuffando che quella «era stata una mattina sprecata». Sapeva bene quanto importanti fossero i media, i settimanali patinati con le loro magnifiche illustrazioni, il pubblico femminile, la moda, che era la specialità di Richard Avedon, ma mancavano appena due settimane all'*inauguration*, all'insediamento, e la sua agenda ribolliva di impegni.

C'erano i segretari di gabinetto, cioè i ministri, da scegliere, i finanziatori elettorali da ricompensare con ambasciate o nomine altisonanti, lo staff della Casa Bianca da formare, le interviste importanti, quelle politiche, con i grandi quotidiani e i network da organizzare, il discorso inaugurale, «... una nuova generazione ha impugnato la fiaccola...», da mettere a punto con Ted Sorensen, il cantore del kennedismo, il mago della parola. E proprio quel giorno, Fidel Castro aveva rotto le relazioni diplomatiche con Washington in risposta all'embargo, disegnando i contorni di futuri errori, rischi e tragedie nucleari planetarie evitate per un soffio.

JFK aveva acconsentito a quella stucchevole *photo session* con il maestro della moda, i suoi invadenti collaboratori, i riflettori, i flash, gli ombrelli per l'illuminazione morbida e indiretta, l'immancabile rullo di carta bianca che Avedon sempre usava come sfondo per i suoi ritratti, per fare contenta Jackie. Lei era un'insaziabile consumatrice di riviste di moda («tu mi stai mandando in rovina con le tue spese per abiti» l'avrebbe poi rimproverata durante una lite nello Studio Ovale), ammiratrice del fotografo figlio di un ebreo russo emigrato a New York, che aveva cominciato la carriera facendo le macabre fototessere dei marinai per la loro identificazione nel caso fossero annegati. Lui neppure sapeva chi fosse. Era nervoso, irritabile, distratto. Entrava e usciva dalle stanze trasformate in studi, sempre seguito da un assistente al quale dettava note, memo, messaggi, nomi di persone da chiamare, frasi da proporre a Sorensen per il discorso inaugurale, mentre John, il bebè di neppure due mesi, alternava il sonno agli strepiti del neonato che vorrebbe dormire.

«Interrompeva una dettattura per un attimo di posa e poi riprendeva senza mai perdere il filo» sbalordiva il fotografo. Non avrebbe neppure dovuto esserci, JFK, nel servizio per «Look», il favoloso magazine fotografico che avrebbe pubblicato le immagini, ma non riusciva a non esserci. «Io non avevo chiesto niente, ero andato per ritrarre la futura

First Lady, gli abiti che lei stava preparando con Oleg Cassini per il ballo ufficiale, i bambini, la famiglia, ma lo speravo, lo sapevo che il presidente non avrebbe resistito.» Nel mezzo di una serie di scatti, JFK faceva irruzione, posava e scappava tra le raffiche dei «flomp flomp flomp» dei flash, come lontani colpi di carabina.

La luce era quello che lo attirava, come un amante che sapeva che sarebbe stato appassionatamente ricambiato. Già un altro grande fotografo dell'epoca, Orlando Suero, che aveva fatto un servizio per la rivista femminile «McCall's», ricordava infastidito che John F. «proprio non riusciva a star fuori dall'inquadratura» e continuava a «infilarsi dentro lo scatto». Irritava anche Jackie, che si sentiva un po' del mestiere, che aveva sognato di fare la fotogiornalista, aveva lavorato per «Vogue» e per un anno come paparazza di gossip e di mondanità per il «Washington Times-Herald» (il progenitore del «Washington Post»). Aveva lasciato il giornalismo – che sua madre, Janet Auchincloss, considerava un mestiere «poco dignitoso» per una signora – soltanto per sposarsi. Dunque sapeva quanto seccante fosse per un fotografo di moda, per il quale ogni dettaglio deve essere perfetto, trovarsi improvvisamente un estraneo che ruzzola dentro l'obiettivo, anche se l'estraneo è un presidente degli Stati Uniti.

Altri cavalieri del mito, designer e architetti di quella storia che i proiettili di Lee Harvey Oswald avrebbero trasformato in una storia infinita, erano già all'opera o ci si sarebbero presto dedicati. Sorensen forgiava i discorsi. Theodore White, coccolato e ospitato dal clan Kennedy che lo accolse, unico giornalista, nella casa di famiglia a Hyannis Port per la veglia dei risultati, raccoglieva gli appunti per la sua definitiva cronaca di «come si fa un presidente», *The Making of a President*. Arthur Schlesinger jr costruiva la definitiva agiografia di JFK, quella storia dei «Mille Giorni» della presidenza incompiuta che sarebbero divenuti l'equivalente delle «vite dei santi e dei cavalieri» nella cultura popolare dell'Alto Medioevo. E Pierre Salinger, giornalista giovanissimo e di non particolare lustro, era stato scelto come «voce e volto» della nuova presidenza, ad appena trentasei anni, perché l'America e il mondo potessero vedere la rappresentazione della «gioventù» finalmente al potere.

Erano tutti giovani davvero, John Kennedy con i suoi quarantaquattro anni, Jackie da poco trentenne, Caroline che non ne aveva ancora compiuti quattro, John John neonato, il fratello Bobby che sarebbe diventato ministro della Giustizia a trentasei anni. Lo stesso fotografo, Avedon, pur nella sua fama e nel suo successo, aveva appena trentotto anni e l'equazione fra luminosità e giovinezza era facile da imprimere sulla pellicola. Più di vent'anni dopo, un altro presidente, il solo che nel dopoguerra avrebbe avvicinato le proporzioni del mito kennediano, Ronald Reagan, avrebbe annunciato che con lui «era di nuovo mattina in America», ma il suo era soltanto un intelligente, efficace slogan. In queste foto, nella loro luce, si vede invece che una notte è davvero passata, che è tornato il sereno, anche se è il sole artificiale dei riflettori e dei flash. Perché ci sono i bambini, che sono il messaggio immediato di un «nuovo mattino».

Gli attori professionisti temono bambini (e animali) perché sanno che nella loro spontaneità incontrollabile essi rubano la scena, che calamitano l'attenzione, gli «oooh» e «aaaah» degli spettatori, e proprio in questo si vede la genialità del fotografo. Nei provini il grand'uomo, il presidente, è una quinta di scena, una presenza allusa più che ingrandita, il padre insieme assente e presente, come nelle famiglie da sillabario che ancora, in quell'alba della decade Sessanta che le avrebbe scompaginate, erano la norma e l'ideale della società post Eisenhower.

Nello scatto più bello, quello che a quarantasette anni di distanza ancora riesce a commuovere persino chi lo ha visto migliaia di volte, il padre è soltanto una falce di uomo, uno spicchio, l'ombra di una mano scura, un po' pelosa, ma sicura e inconfondibilmente virile, contro la quale Caroline, la figlia, poggia la guancia, pallida come il suo vestitino di pizzo, i capelli illuminati dai colpi di sole, da mèche naturali contro il fumo di Londra dell'abito paterno. Caroline è l'America, è la bambina che offre amore incondizionato al padre nella certezza di riceverne altrettanto da lui. È la *daddy's little girl*, la cocca del papà, ancora ingenua, ignara, innocente come la nazione che ancora non aveva conosciuto il male, il mondo, la corruzione, il Vietnam, il Watergate, i soldi delle lobby voraci che si comprano i candidati, lo stupro di Manhattan.

La nazione-bambina, nella sua luminosità assoluta, ruba giustamente lo show al padre, che Avedon ricorda come troppo rigido, poco spontaneo, quel giorno di gennaio nella villa della Florida, e per questo lo riduce spesso a presenza intuita, implicita. Neppure Jacqueline, nella sua coproduzione dell'abito da sera con Oleg Cassini, sul quale lei aveva voluto cucire in vita una coccarda di raso tinta su tinta per un omaggio sottile alle origini francesi del padre, Bouvier, riesce a imporsi, pur nella sua luminosità esaltata dai filtri, dalle luci e dai ritocchi con l'*airbrush*, la pistola a spruzzo che fotografi e foto editor dei settimanali usavano, prima che fosse inventata la fotografia digitale. Fin troppo ovvio, nel messaggio politico e sociale che vuole inviare, è il ritratto ufficiale dei sovrani, di Jack (come era chiamato in famiglia) e Jackie, lei leggermente alle spalle del marito, rispettosa dei ruoli politici e familiari, la mano nell'incavo del suo gomito, protettiva e protetta insieme, con lo sguardo rivolto verso il suo uomo. Ritratto di corte.

Tutto è ancora luce, per Jackie, per il neonato, il futuro John John che tenta di aprire i suoi occhietti cisposi di bebè e subito li richiude infastidito, per Caroline, per i consumatori di quelle foto, per noi che ancora non sapevamo nulla e credevamo a tutto, lontani ancora da quell'età dei sospetti che proprio quest'uomo, con la sua morte appena mille giorni dopo queste immagini, avrebbe scatenato.

La bambina-nazione avrebbe accompagnato presto quello spicchio d'uomo al cimitero di Arlington. Il bambino con gli occhietti appiccicosi si sarebbe inabissato nelle acque non lontano dalla casa di famiglia. Jackie avrebbe sporcato l'abito bianco di una vedovanza di stato, sposando uno degli uomini più brutti e ricchi del mondo, Aristotelis Onassis. E la pubblicistica, la memorialistica, gli storici avrebbero demolito il castello di cartone di Camelot, della corte del nuovo re Artù, raccontandoci cose che forse avremmo preferito non sapere: le gravi malattie del sovrano imbottito di pillole per tirare avanti, i suoi contatti con Cosa nostra, le «bambole», Marilyn, le segretarie inseguite. Le storie dell'ombra, dopo le rappresentazioni della luce. E Avedon non poteva saperle, né potevano interessargli, perché il compito dei pittori di corte non è la verità. Ma una verità, in queste foto, c'è, involontaria. Di quella famiglia, una sola persona è sopravvissuta, nonostante tutto. La bambina. Dunque la nazione.

Un uomo per bene

Con quel sorriso un po' assente di chi in vita sua ha picchiato la testa contro troppi spigoli, Gerald Rudolph Ford jr, il trentottesimo presidente degli Stati Uniti, era un uomo straordinariamente fortunato. Già oltrepassare i novant'anni non è dato a molti ed è un notevole segno di benevolenza divina. Ma arrivarci dopo essere sopravvissuto ai kamikaze giapponesi, a un tifone che distrusse la nave sulla quale era imbarcato, a due attentati, a tre ictus cerebrali, allo scandalo Watergate che devastò il suo partito repubblicano negli anni Settanta, a un'innumerevole serie di zuccate facilitate dalla sua altezza vicina ai due metri, diventando l'unico presidente nella storia americana che abbia governato senza mai essere stato eletto alla Casa Bianca, forma la biografia di un uomo protetto dagli dei. E dalla propria serena, blanda, ammirevole, oggi quasi incomprensibile integrità morale.

Anche sulla sua culla di neonato, venuto al mondo alla mezzanotte del 14 luglio 1913 nell'ospedale di Omaha, Nebraska, le fate a modo loro sorrisero. Sul certificato di nascita stilato dalle ostetriche c'è scritto un nome diverso da quello con il quale sarebbe divenuto celebre. C'è scritto Leslie Lynch King jr, che era il nome del primo marito della mamma e suo padre naturale, un uomo senza la vocazione della famiglia visto che se ne era andato di casa mentre la signora era incinta. Al piccolo Leslie fu dunque risparmiato il calvario dei bambini più grandi che assistono al divorzio dei genitori e il solo uomo che lui vide in casa, che conobbe come padre, e che amò molto, fu il signor Gerald Ford, che sposò sua madre poco dopo la sua nascita.

Fu così che l'ex Leslie Lynch King jr rinato Gerald Ford jr cominciò una vita di esemplare tranquillità familiare, inizialmente piatta come la prateria dove era nato, un'esistenza da iconografia rockwelliana per copertine di settimanale. Crebbe in campagna, a bidoni di latte intero, bistecche e pane di mais, divenendo grande, grosso e facendosi notare dall'Università dell'Ohio che lo ingaggiò con borsa di studio come atleta-studente per la propria squadra di football americano. Giocava come *nose tackle*, difensore di punta, il ruolo più esposto, il «naso» della linea difensiva che deve incornarsi a testa bassa contro il più grosso degli attaccanti avversari, con il capo protetto soltanto da un leggero elmetto di cuoio e spesso neppure quello, come sosteneva il maligno Lyndon Johnson, presidente democratico e leggendaria linguaccia, che lo odiava e aveva diffuso la storia delle sue troppe partite giocate senza elmetto.

Quando divenne leader del partito repubblicano, Johnson ne aggiunse un'altra, volgarissima, sostenendo che Ford fosse talmente stupido e imbranato da non essere in grado di «scoreggiare e masticare gomma al tempo stesso», frase poi edulcorata per il gentile pubblico in «camminare e masticare».

Stupido, in realtà, Ford non era e non fu mai, anche secondo i non elevatissimi quozienti di intelligenza della politica. Semmai ingenuo, con l'aria un po' stupefatta del Peter Sellers in *Oltre il giardino*, di colui che accetta la vita senza pretendere di capirne i labirinti. Si laureò all'Università dell'Ohio e più tardi a Yale, in Legge, la stessa università che avrebbe laureato generazioni di Bush. Divenne ufficiale di Marina sulla portaerei *Monterey*, partecipò ai maggiori scontri navali nel Pacifico, fu investito da un tifone che sballottò e demolì la nave, gettandolo a capofitto contro una balaustra d'acciaio (e una) che lo stordì, ma gli salvò la vita.

Al ritorno in patria, carico di glorie belliche e sportive, in quell'Ohio fanatico di football, farsi eleggere deputato repubblicano nel collegio di Grand Rapids, dove si era stabilito con la fresca moglie Betty, sposata nel 1948, fu un progresso naturale. Sarebbe stato eletto e poi rieletto per tredici volte, da quel 1948 fino al 1974 quando, dopo appena un anno come vicepresidente d'emergenza chiamato da Nixon per riempire il buco lasciato dal corrotto Spiro Agnew, lo stesso Nixon dovette lasciare la Casa Bianca. E il bambinone con due nomi e troppi bernoccoli giurò come trentottesimo presidente, il giorno 9 agosto.

Fu detto che quando Nixon la carogna aveva scelto lui come vice di rimpiazzo, lo avesse fatto nella convinzione che nessuno avrebbe mai osato defenestrare il presidente sapendo che al suo posto l'America sarebbe stata guidata da colui che non riusciva a masticare gomma e camminare allo stesso tempo. Come in tutte le altre occasioni, Nixon si sbagliava. Ford, un moderato vero, un repubblicano di vecchio stampo, internazionalista ma non interventista, come tutti coloro che avevano visto e fatto la guerra davvero, antistatalista ma non arcigno, imbroccò subito il tono e le scelte giuste.

Proclamò, senza retorica, che «il nostro incubo nazionale era finito». Amnistiò Nixon, immunizzandolo da sicuri, strazianti processi pubblici e auto da fé, decisione contestata quanto saggia. Procedette prontamente a dare la prima testata contro lo stipite di una porta dell'*Air Force One* (e due), ruzzolò giù da un podio dando un'altra capocciata (e tre), fu sfiorato dalle pallottole di Lynette «Squeaky» Fromm, una delle «streghine» di Charlie Manson, che lo voleva uccidere. Lui era rimasto diritto mentre tutte le guardie del corpo si gettavano a terra («mi ero dimenticato di chinarmi, cara» disse a Betty) ma commosse il pubblico quando ammise la propria modestia: «Io sono una Ford non una Lincoln», come dire sono una Fiat non una Ferrari.

Assistette stoicamente all'inevitabile evento che lui aveva previsto, la presa di Saigon nel 1975 da parte dei nordvietnamiti, e all'attacco contro una nave americana nelle acque indocinesi, la *Mayaguez*, senza scomporsi e senza riaprire le piaghe di un conflitto ormai perduto e finito con inutili rappresaglie. Continuò la politica di distensione con Brežnev, calmando i nervi del mondo. E quando, nel novembre del 1976, dopo un congresso di partito nel quale i suoi repubblicani avevano cercato di silurarlo usando la stella nascente Ronald Reagan, affrontò Jimmy Carter alle elezioni generali, fu sconfitto senza misericordia.

Pagò lui il conto di Nixon e, dopo appena due anni e mezzo di presidenza senza elezioni, si ritirò con buona grazia e quasi con sollievo. «Ho fatto il mio dovere e le consegno un'America in pace» disse a Carter accogliendolo alla Casa Bianca per il passaggio delle consegne il 21 gennaio 1977. Tenne una breve conferenza stampa durante la quale un microfono a giraffa, di quelli sospesi in alto, gli cadde sulla testa (e quattro).

Si ritirò a Vail, in Colorado, con la moglie Betty – che aveva saputo sopravvivere al cancro al seno, all'alcolismo e ad altre dipendenze dando vita a una delle più famose cliniche per la disintossicazione, il Betty Ford Center –, e si dedicò alla passione divorante per il golf, riuscendo, secondo copione, a farsi colpire in testa da una pallina vagante (e cinque). Ma nei trent'anni da ex presidente, l'omone della prateria divenuto presidente per caso avrebbe saputo farsi amare e rispettare come forse non lo era mai stato negli anni di tifoni politici che lo avevano investito. Aveva imparato a ridere di se stesso. Partecipava a show televisivi nei quali si prendeva in giro, fingendo di inzuccarsi dappertutto e di incespicare sui gradini. Nei congressi di partito, la sua apparizione rappresentava un'oasi di *civility* nell'acredine faziosa che ammorba ormai la politica. Fu colpito da uno dei suoi tre ictus cerebrali proprio durante una convention, a Philadelphia. Dopo la scomparsa di Reagan aveva ricevuto il mantello di «più anziano ex presidente vivente», decano degli ex.

Non passerà alla storia come un grande presidente, come un ideologo che pretendeva di cambiare il mondo né come un disastroso pasticcione velleitario, ma come un uomo per bene, mai sfiorato da sospetti o scandali. Il traghettatore che portò la propria nazione fuori dalla bufera del Watergate su sponde più serene, restituendola intatta ai futuri capi dello Stato eletti. Un *hombre vertical* direbbero gli spagnoli, un uomo eretto. Nonostante le zuccate.

Ninna nanna per un nonno

Fu detto che Ronald Reagan, prima di essere un presidente, fu il «padre» che ogni sera rimboccava le coperte alla bambina America perché si addormentasse serena, dopo troppi anni di notti agitate. Alla fine è stata la figlia a rimboccare la coperta al padre per l'ultima volta con la tenerezza di ciabatte di gomma e neonati in passeggino e T-shirt tese su pance troppo ampie. Tutti schierati in piedi e per ore sui marciapiedi piovosi di Washington, per cantare la ninna nanna a un padre uscito dalla politica per entrare nel santuario dei nonni e dei rimpianti. Il lunghissimo, trascinato, interminabile addio al nuovo santo della religione repubblicana è finito, lasciandoci qualche dimenticabile comizio sulla bara, la nostalgia di un'altra America e l'immagine incancellabile di una donna scarnita e spettrale ormai oltre i miracoli della chirurgia plastica, che dieci anni di agonia avevano consunto e preparato a questo giorno: Nancy Davis Reagan, la First Lady divenuta Prima Infermiera e poi *First Widow*, prima vedova.

Ai funerali di Stato, gli ospiti ufficiali, tra i quali era disperso anche un Silvio Berlusconi invisibile e fuori dai piani di inquadratura della ripresa diretta, partecipano notoriamente per rendere omaggio soprattutto a se stessi e bagnarsi un poco nell'acquasantiera del defunto. Ma Ronald Reagan, e il guscio tremante di quella piccola donna che «gli diede un'anima», come disse lui, e ha dovuto costantemente aggrapparsi al braccio di un generalone per restare in piedi, ha vinto, da morto, anche la battaglia contro la retorica di Stato e le miserie politicanti che avevano tentato di mummificarlo.

Persino il Bush in carica ha avuto pudore della strumentalizzazione politica, dicendo che «ora lui è entrato nella storia dei tempi ma preferiremmo che fosse ancora tra noi». Nei discorsi funebri, nelle «eulogie» di chi aveva ricevuto il compito di celebrarlo, neppure le lacrime inghiottite dal vecchio Bush, neppure il rancore ideologico della signora Thatcher, affranta da ictus cerebrali ma ancora ferrea sotto il cappellino *british* nelle sue fissazioni politiche, o le garbate banalità del presidente in carica hanno potuto impedire che lo spirito dell'uomo chiuso nella bara resuscitasse prepotente. Il distruttore del comunismo, il profeta della rivoluzione fiscale, il «Mosè della destra repubblicana paleo o neoconservatrice», come venne definito nelle ore di alluvione commemorativa, sono felicemente scomparsi davanti all'immagine, ricordata dal vecchio e saggio Bush, di un Reagan convalescente dalle ferite sorpreso in ginocchio ad asciugare l'acqua che aveva rovesciato nella camera d'ospedale. «Per non mettere nei guai l'infermiera» spiegò imbarazzato a chi gli chiedeva sbalordito che cosa facesse un presidente ferito curvo a pecoroni sul pavimento.

I politicanti della destra, i suoi eredi di varia legittimità, hanno ogni diritto di rimpiangere il campione dell'anticomunismo, il «reinventore» del movimento conservatore e il salvatore di un partito repubblicano che lui ereditò a pezzi. Ma non è quello il Reagan che il popolo delle infradito, schierato dalle sei del mattino sui viali di Washington, che ogni quattro anni saluta i trionfi dei nuovi imperatori elettivi e le loro morti, sentiva come un parente, come un amico partito, come il padre da accompagnare al riposo finale. E chi aveva conosciuto Reagan da vicino negli anni della sua marcia verso il massimo trono politico del mondo si chiedeva come avrebbe reagito lui, profondamente timido sotto l'esibizionismo dell'attore, come lo ricorda Michael Deaver, il mago dell'immagine reaganiana, davanti alla pomposità imperiale delle esequie, allo schieramento di potentati o di presunti tali, ai delegati di 176 nazioni, allo sfoggio di solennità marziale che lo ha accompagnato anche nell'ultimo viaggio, nei cinque chilometri di strada dalla rotonda del Parlamento, dove 150 mila persone sono sfilate per vedere la bara, fino al tempio dei riti funebri nazionali, la National Cathedral, con i 4000 super vip in lutto.

Reagan non era semplice né schivo come Eisenhower, il liberatore dell'Europa, che chiese di essere sepolto in una cerimonia privata con indosso il giubbotto corto di panno militare che vestiva nel giorno del D-Day, ma il rito dell'addio ufficiale gli avrebbe forse strappato uno di quei suoi sorrisi ironici che, ancora, il vecchio Bush ha ricordato. «Quando un collega attore gli chiese perché non tentasse di fare il presidente, Ronnie rispose: e presidente di che? Degli Stati Uniti, spiegò il collega e Reagan sospirò. Ecco, anche tu vuoi che smetta di recitare.»

La disumanità rituale di questi funerali, scanditi da schieramenti di militari perfettamente addestrati e in superba forma fisica – come gli otto marinai e soldati che hanno dovuto trasportare a mano su e giù per le infinite scalinate del Campidoglio i tre quintali e mezzo del feretro di zinco, mogano massiccio e ottoni con la salma leggera di Reagan ridotto a cinquanta chili dall'Alzheimer –, gli sarebbe tornata affettuosamente comprensibile e umana nel vedere la moglie Nancy abbarbicata al braccio del generale Jackman, comandante della piazza di Washington, al quale lei si reggeva, mormorandogli commenti con occhi sbarrati che il buon soldato ascoltava senza cambiare espressione.

La noia dei discorsi, che aveva indotto in Hillary Clinton e nel marito, inquadrati in prima fila, un attacco invincibile di sonno e di palpebre pesanti, avrebbe colpito anche lui, maestro, purtroppo non imitato dalle caricature europee del reaganismo, dei discorsi brevissimi. Eppure avrebbe avuto poca importanza, di fronte alla moglie, tanto imperiosa e odiata dalle dame della società washingtoniana quando regnava sulla *social life* della capitale quanto fragile in quel momento: non riusciva a staccarsi dalla bara e con le piccole mani ormai scheletrite la accarezzava e la afferrava, come fossero ancora le lenzuola del letto dell'ospedale George Washington dove il marito arrivò a pochi millimetri dalla morte, con il proiettile dell'attentatore conficcato nel polmone accanto al cuore.

In altri luoghi e per altre persone, il lungo addio a un capo di Stato che gli organizzatori dell'«Operazione Serenata», come hanno chiamato il saluto, hanno trascinato per una settimana intera, sarebbe sembrato artificiale, forse politicamente motivato, forzato come erano le lugubri esequie ai segretari del Pcus sepolti tra le note della marcia funebre di Chopin. Ma l'America senz'altra religione di Stato che il culto di se stessa ha un bisogno autentico di queste cerimonie quasi religiose, di ritrovarsi attorno ai propri caduti e ai propri simboli, che trascendono le miserie della rissa ideologica. Ronald Reagan, da quando l'*Air Force Two*, il gemello del Boeing *Air Force One* sul quale viaggia il presidente in carica, si è staccato dalla base di Andrews per portarlo alla sepoltura in California, naturalmente al tramonto, non è più un repubblicano, come Roosevelt e Kennedy non sono più democratici. È un nome consacrato nel calendario della storia americana che appartiene a tutti i cittadini, l'eroe di un'epopea salvata dall'ironia dell'uomo e della storia, che fino alla fine gli ha riservato un sorriso maliziosamente scherzoso.

Era stato lui a ordinare la costruzione dei due grandi «747» presidenziali celeste e argento e a lamentarsi che non erano stati consegnati in tempo perché riuscisse a volarci da vivo. Ci è salito soltanto in morte, nel viaggio finale verso il Pantheon dell'America.

Per un pugno di mosche

Dollaro. La parola tintinna alle orecchie del mondo con il suono di quei talleri d'argento boemo ai quali deve il nome. Evoca sogni di ricchezza, ma soprattutto di sicurezza, di forza e di egemonia, come un transatlantico inaffondabile tra la flotta di barchette e navigli monetari sballottati dalle onde delle periodiche «tempeste valutarie». Vederlo oggi imbarcare acqua speronato dall'euro, dalla sterlina, dal franco svizzero, persino dall'umile dollaro canadese, che gli statunitensi avevano sempre guardato come moneta per il Monopoli, è molto più che un problema finanziario o una questione di commerci. È lo shock di scoprire che una supremazia apparentemente inattaccabile, espressione e strumento insieme della supremazia dell'America sul mondo, sta facendo acqua e rischia di essere un altro dei caduti sotto i colpi della presidenza Bush.

Il dollaro è da settant'anni più di uno strumento valutario, di una moneta rifugio o di una riserva custodita nei forzieri delle nazioni, o nei conti numerati dei despoti e dei trafficanti: è la bandiera che i marines e i fanti sbarcati nelle isole del Pacifico e sulle spiagge di Normandia piantarono, anche acquistandola con le loro vite, sul mondo.

A noi passeggeri sul «dollaro Titanic», qui a bordo del transatlantico America che ignora la crisi dell'*Almighty Dollar*, la sola moneta che avesse meritato l'aggettivo riservato al Signore Onnipotente, il sentimento di stupore del mondo arriva attutito, lontano. Tra la completa indifferenza del comandante e degli ufficiali in plancia, che guardano con *benign neglect*, con benevola negligenza, la deriva della nave, ben contenti che i rapporti di cambio ostacolino le importazioni mentre favoriscono le esportazioni e ingrossano i profitti delle multinazionali che fatturano anche in euro, l'America di Main Street, il popolo dello shopping natalizio e dei saldi, non avverte ancora le scosse. L'orchestra dei consumi, quella che fa ballare due terzi dell'economia americana, continua a suonare. La celebre frase di Richard

Nixon, che nel 1971, nel pieno di un altro uragano monetario, rispose al presidente della Fed Arthur Burns, preoccupato anche per la lira italiana, «io me ne strafotto della lira», suona oggi autoironica.

Agli elettori dell'«America rossa», come qui si definisce l'America repubblicana, che guida Chevrolet e Ford, fa acquisti negli hangar commerciali della più grande catena di discount al mondo, la WalMart, mangia carne macellata in Nebraska, patate raccolte in Idaho e indossa camicie cucite in Cina pagate pochi centesimi all'ora, l'affondamento del dollaro ben poco interessa. È nell'America della «costa blu» e della «riva di sinistra», la California, delle sponde oceaniche dove milioni di «senza documenti» sudano per mandare a casa dollari che comprano sempre meno, si calzano scarpe italiane, si guidano auto tedesche e si sogna la vacanza in Toscana-Italia, che l'anemia della valuta americana pesa. E qualcuno insinua, come il finanziere James Cramer, conduttore di uno show di Borsa, che a Bush non dispiaccia troppo punire gli «snob» che comunque non voteranno mai repubblicano o le rimesse di quegli immigrati che in California votano democratico. Ma né a Manhattan né a Omaha, né a San Francisco né a Cincinnati, ci sono quei segnali di panico che avrebbero travolto l'Italia, se avesse visto la vecchia lira affondare.

Sono i centri studi, gli osservatori che cercano di guardare oltre l'orizzonte dello shopping e dei soliti cicli di *boom and crash*, come quelli che stanno squassando il mercato degli immobili e dei mutui, ad annusare il cambio epocale di clima. «Ormai il mondo ha due monete di riferimento, l'euro e il dollaro, non più soltanto una, il dollaro» avvertiva già nel 2003 il Cato Institute di Washington, un centro non partigiano, e soltanto perché la Cina, che insieme con il Giappone ha la massima quantità di cambiali del Tesoro americano nelle proprie riserve, puntella ancora la valuta Usa, il «Signore Onnipotente» non tracolla. Ma l'universo statico dei cambi, costruito a Bretton Woods sopra l'egemonia politica, militare e culturale degli Stati Uniti dominanti, è divenuto una galassia fluida, un sistema a due soli, per ora. Almeno fino a quando la Cina dovesse decidere di calare la carta del proprio yuan e commerciare utilizzando la propria moneta.

Di questa rivoluzione che sta portando alle conseguenze inevitabili quello che accadde nel 1971, quando Nixon fu costretto ad abbandonare la parità fra dollaro e oro per impedire il saccheggio dei lingotti di Fort Knox compiuto soprattutto dalla Banque de France, il pubblico che grida felice sugli ottovolanti di Disney World, che intinge patatine fritte nel ketchup da McDonald's, che lotta contro le compagnie di assicurazione per le cure mediche, nulla sa.

I grandi media popolari, e anche i giornali di qualità, ignorano il fatto che il dollaro americano si sia dimezzato di valore rispetto all'euro nell'arco di cinque anni, da quando bastavano 75 centesimi di dollaro nostri per comperare un euro al 2008, quando ne occorreva il doppio, 150 centesimi. L'universo di Internet, pronto a vibrare per ogni voce sulle possibili relazioni saffiche di Hillary Clinton o sulla biancheria mistica indossata dal mormone Mitt Romney, dorme di fronte al colossale debito americano, ai miliardi di buoni del Tesoro accatastati nelle casseforti di Cina e Giappone, al rischio di inflazione che sempre la svalutazione della propria moneta comporta.

È l'autismo valutario di una nazione abituata a considerare appunto «Dio» la propria moneta, che resiste anche alle voci terrificanti di un possibile passaggio in massa dei produttori di greggio dal dollaro all'euro. O alle non più tanto velate minacce dei cinesi, che meditano di passare dal dollaro alla nostra valuta come principale strumento di riserva. Non si sente una voce autorevole riflettere su quale fondamentale ruolo abbiano giocato il dollaro, la sua centralità assoluta, il suo essere il danaro del commercio, delle riserve, dell'ultimo rifugio, nel creare il secolo americano vero, il XX. La fissazione con la forza militare ha fatto dimenticare che, senza l'egemonia culturale e l'egemonia finanziaria, le armi da sole non sostengono un impero, neppure se si crede un impero del Bene.

Qualche pensionato, che fino a ieri attraversava le frontiere con il Canada e il Messico per rifornirsi di medicinali a minor costo, sta scoprendo amaramente che il vantaggio di cambio è svanito e il dollaro non arriva più lontano come un tempo, né viene accolto come il Messia. Gli immobiliaristi di New York si consolano al pensiero dei futuri acquirenti europei, arabi e asiatici che, come accadde già negli anni effimeri dello yen giapponese trionfante, stanno sbarcando per raccattare appartamenti e palazzi in saldo. Ma nel fondo della coscienza popolare, l'idea che quella moneta con la sua inconfondibile «S» barrata stia diventando soltanto un'altra valuta in un mondo che è costretto ancora a tenerla nelle riserve, senza più desiderarla, non è ancora penetrata. Soltanto chi ha speculato un anno fa, o ancora sei mesi or sono, sul grande ritorno del transatlantico verde, ha scoperto che quel pugno di dollari si è trasformato in un pugno di mosche.

Il disegno incomprensibile

Se fosse vivo e potesse leggere i giornali americani di oggi, nel lungo e noioso viaggio verso le isole Galapagos a bordo del *Beagle*, probabilmente Charles Darwin sorriderebbe nel vedere come la sua «teoria generale dell'evoluzione» si applichi non soltanto ad amebe e scimmie, ma anche a coloro che la negano.

Grazie al ricco fertilizzante sparso da finanziatori miliardari, la rivolta contro «l'evoluzionismo» nel nome del «creazionismo», cominciata come un movimento *fringe*, di minoranza, è diventata in America un animale forte, astuto e aggressivo, che oggi merita lo stucchevole prefisso di moda: «neo-creo». Ha cambiato pelle e nome e ora, con l'etichetta del «disegno intelligente», sinonimo di Dio in abiti razionali e moderni, è arrivata fino alla Casa Bianca, al Congresso, sulle pagine dei grandi giornali e soprattutto nelle aule. Contende, in 20 dei 50 Stati americani, le ore di scienze nelle classi, per riconquistare i cuori e le menti degli scolari.

Latente da almeno due decenni, ma visibile dalla creazione del Discovery Institute di Seattle nel 1996, l'attacco sotterraneo al dogma scientifico dominante nel nome del Dio «creatore del Cielo e della Terra» è affiorato dal sottosuolo dove era confinato come un fiume carsico ed è divenuto oggi *mainstream*, un corso d'acqua imponente e visibile. Cavalcando la spinta della politica e della nuova strategia repubblicana di inseguire il voto dei credenti fondamentalisti, i neo-creo sono arrivati fino a Bush, che ha dato l'imprimatur politico definitivo al movimento. «È giusto che gli studenti siano informati dell'esistenza di un'altra spiegazione alla vita, accanto a quella darwiniana, alla dottrina del "disegno intelligente"» disse il capo dello Stato.

«Disegno intelligente» è la formula di marketing che adottarono quando i soldi di miliardari come gli Ahmanson e soprattutto di Mellon Scaife, l'elemosiniere di tutte le inchieste più infamanti contro Clinton, decisero che insistere sul libro della Genesi come testo scientifico sarebbe stato impraticabile. Il ricordo dello storico «processo delle scimmie» nel 1925, quando un avvocato di paese demolì la testimonianza di un fanatico creazionista, costringendolo ad ammettere che l'immagine di animali in coppietta che s'imbarcano con Noè era palesemente metaforica e ascientifica, bruciava. Dunque i neo-creo dovevano aggirare l'impresentabilità scientifica di una Bibbia che postula in meno di 10 mila anni l'età dell'Universo, quando ormai la scienza l'ha determinata in 16 miliardi di anni. Fu deciso, al Discovery Institute, di imboccare una via più morbida, di recuperare la più blanda e attraente formulazione dell'«orologiaio». «Se vedete un sasso, potete pensare che sia stato prodotto da millenni di lavoro delle acque e del vento. Ma se trovate un orologio per strada, capite immediatamente che dietro c'è un orologiaio.»

L'astuzia di presentare il creazionismo soltanto come un'altra teoria da insegnare accanto, e non contro, l'evoluzionismo ha conquistato i molti portatori di generica fede in un Creatore. Non ha trovato obiezioni tra i cattolici americani, avendo la Chiesa di Roma sistemato la questione sin da papa

Pio XII e dall'enciclica *Humani Generis* del 1950 nella quale il pontefice, memore di Galileo, riconobbe la validità delle ipotesi evolutive, salvando il momento divino dell'introduzione dell'anima immortale. E così nel Kansas dal '99, in Ohio e via via in altri diciotto Stati, accanto all'immancabile poster di ominidi scimmieschi via via più eretti verso il perfetto atleta che saremmo noi, la teoria del Grande Orologiaio è insegnata come scienza, non come credenza.

Il sarcasmo dell'establishment accademico è diventato arroccamento difensivo. Sfruttando i vuoti presenti nella formula evolutiva, che lo stesso Darwin nell'ultima edizione del proprio studio riconobbe, i creazionisti costringono gli evoluzionisti a difendere quello che fino a pochi anni or sono era pacifico. Approfittano delle discordie, tipiche di ogni ambiente scientifico, tra i darwinisti come i paleontologi Richard Leakey e Donald Johansen, che bisticciano e disegnano volti diametralmente opposti per l'ominide *australopithecus afarensis*. Mentre al museo di storia naturale, il celebre poster del cavallino che evolve dal minuscolo *eohippus* al nostro *hippus* è stato discretamente tolto.

L'indignazione degli evoluzionisti di fronte alla tesi dell'Orologiaio Intelligente, che è un atto di fede indimostrabile, viene ammorbidita dall'astuzia dei neo-creo che non pretendono di insegnare una verità, ma di «esporre i giovani a un dibattito di idee», metamorfizzandosi in perfetti relativisti per difendere l'assoluto. Nel suo libro *La scatola nera di Darwin*, il professor Behe, uno dei leader del movimento, chiede come possa un meccanismo raffinato e complesso come l'occhio evolvere da un occhio difettoso e non funzionante. «Un occhio o funziona o non funziona» sentenzia, *ergo* qualcuno deve averlo progettato come è. Dal dipartimento di Biologia dell'Università della Southern California, gli risponde il professor Russel Doolittle, citando il prodigio della coagulazione del sangue: «Partendo dai meccanismi primitivi di coagulazione presenti in animali semplici, è possibile predire con assoluta, matematica certezza l'evoluzione che ha portato allo sviluppo delle venti proteine che coagulano il sangue umano».

Ma se la discussione sull'intuizione darwiniana è aperta non è invece in discussione il successo politico di questo movimento di revanscismo teocratico mimetizzato da alternativa scientifica. Nel manifesto del '99 del Discovery Institute, che oggi stipendia sessanta attivisti missionari con almeno sei milioni di dollari di finanziamenti annui, sta scritto che la missione dei neo-creo non è spiegare l'occhio, ma fondare una «nuova comprensione teistica della natura». Pieno fondamentalismo, dunque. Teo-con, neo-con, ora neo-creo, sono volti diversi di un'evoluzione tipicamente e ironicamente darwiniana, che favorisce il successo e la sopravvivenza degli organismi capaci di profittare meglio dell'ambiente nel quale esistono.

E oggi l'ambiente pagante è la destra culturale, religiosa e politica, avida di ritorni a un passato rassicurante, semplice e gerarchico, nel quale rifugiarsi perché passi la nottata di un tempo inquietante, confuso e complicato.

Dio lo vuole

La terra del cimiterino è soffice sotto i piedi, infracidita dalle piogge invernali e dai resti di tre secoli di storia americana. Nel giardino di marmo attorno alla chiesa, le tombe di militi ignoti sfarinati da tempo dentro le loro giubbe blu o grigie, di madri naturalmente sempre esemplari, di diaconi e vicari dignitosamente scomparsi, accompagnano come pietre miliari i passi dei nuovi signori della destra di Dio che ogni domenica mattina vengono qui a adorare loro stessi, nella Falls Church, nella chiesa delle Cascate alle porte di Washington. Quella dove quasi duecentocinquanta anni or sono, nel 1760, pregava un uomo con la dentiera di legno e la volontà di ferro chiamato George Washington, per una nazione non nata e che lui avrebbe partorito.

Il navigatore satellitare della mia auto dice che siamo ad appena sei miglia, meno di dieci chilometri, dal cuore duro di Washington, dalla Casa Bianca, dal Congresso, dal Pentagono, spersi in uno di quei sobborghi clonati che un urbanista chiamò «il grande dappertutto americano». Ma a volte anche gli urbanisti sbagliano. La Falls Church, chiesa episcopale, cioè anglicana, che i coloni settecenteschi, i cui nomi sono ora scolpiti sui marmi tombali – Sommers, Dulaney, McCarron –, fondarono accanto alle rapide del Potomac in Virginia è un luogo unico, sopravvissuto al tempo e allo spazio. È uno spicchio triangolare di terra e di materiale genetico che persino le ruspe non hanno mai osato stravolgere. Sta sospeso in una dimensione di silenzio e di rispetto miracoloso tra svincoli autostradali ciclopici, shopping center schiamazzanti, piccole Saigon fetenti di aglio fritto, ipermercati, ingorghi perenni, villette fotocopiate, una catacomba a cielo aperto invisibile per tutti, meno che per i praticanti del nuovo millenarismo, esploso dopo l'11 settembre.

Gli uomini del presidente Bush, almeno quelli di fede cristiana protestante, si inginocchiano qui. Ogni domenica alle 10, la catacomba degli apostoli del bushismo si popola dei nomi che negli altri sei giorni della settimana vivono tra i palazzi del potere in centro o si autocelebrano sugli altarini televisivi. Dalla rampa dell'autostrada intitolata a un altro grande concimatore di terre virginiane, il generale Robert E. Lee, lo stratega del Sud ribelle, la processione delle automobili svolta a destra sulla strada della chiesa, chiamata – che altro? – Washington Street e scarica il meglio dell'intellighenzia bushista, i volti, i cervelli, gli apostoli e i diffusori del suo verbo. Sulla soglia a vetrate dell'ala nuova della chiesa, costruita a emiciclo agganciato alla chiesetta dove George Washington era sagrestano, come la lama di una falce nuova al manico antico, il rettore, il reverendo dottor John Yates, accoglie di persona il suo sceltissimo gregge. Stringe la mano all'immancabile direttore della Cia, Peter Gross, e alla moglie Mary, che già la frequentavano quando Gross era soltanto uno dei tanti deputati repubblicani di destra. Saluta Fred Barnes, star dei talk show, penna e volto d'assalto del «Weekly Standard», la Pravda dei neoconservatori, ossequia il giudice Robert Bork, quello che Bush il Vecchio nominò alla Corte Suprema soltanto per vederlo bloccato dall'opposizione quando spiegò che aborto e divorzio erano, per lui, anatema. Non c'è altra chiesa, negli Stati Uniti, che raccolga tanto potere, alla domenica mattina.

Sorride, il rettore alto, biondo e molto *british*, come vuole il dna strettamente Wasp, anglosassone-bianco-protestante, di questa congregazione, all'amico carissimo Robert Aderholt, deputato di quel collegio dell'Alabama che vide la ribellione di Roy Moore, il «Giudice della Bibbia», quando la Corte Suprema gli ordinò di rimuovere un monumento rappresentante le tavole dei Dieci Comandamenti dal suo tribunale perché violava la separazione fra Stato e Chiesa. Aderholt è un mito tra i colleghi parlamentari perché a ogni nuova legislatura propone un'imprecisata legge per la «Difesa dei Dieci Comandamenti» che il Parlamento puntualmente gli respinge, ma con maggioranze sempre più timide.

Fino alla vigilia di Natale, quando un attacco di cuore lo ha costretto a un ricovero d'urgenza per sbloccargli le coronarie, sedeva sempre all'ultimo banco perché «beati gli ultimi...» (*remember Jesus?*) l'evangelista sommo del bushismo, l'uomo che ha messo le ali della retorica agli stivali di George W. Bush, Michael Gerson, l'autore dei discorsi presidenziali. Sono di Gerson, non di «W.», quelle metafore esaltanti e quelle immagini salvifiche, farcite di allusioni bibliche, che troveremo il giorno dopo nei titoli dei giornali. Anche quando lo slancio gli prende la mano, e gli scappa una parola sbagliata come quella «crociata» antislamica che da allora ogni terrorista arabo ha rivoltato golosamente contro gli Usa, Gerson è la voce di Bush, tanto quanto Karl Rove ne è il cervello politico.

A volte, nella massima discrezione consentita dal corteo di furgoni blindati, ambulanze, elicotteri e auto bianconere dello sceriffo che lo seguono, si dice che anche il presidente si faccia vedere tra i banchi della Chiesa delle Cascate, ma il rettore John Yates non conferma né smentisce. George W. Bush, che pure è stato educato da episcopale come il papà, oggi si dichiara presbiteriano. Non che per una pecorella così autorevole il reverendo rettore non sia pronto a spalancare i cancelli dell'ovile: «La nostra porta è aperta a tutti, non chiediamo tessere di partito o professioni di fede. Noi crediamo all'essere prima cristiani e poi episcopali, cattolici romani, ortodossi, si immagini che cosa ci importa sapere per chi votano coloro che vengono a adorare il Signore Dio nella nostra chiesa». Ma allora perché i teologi del bushismo si ritrovano proprio a Falls Church, nel tempio fra le tombe della storia, e non altrove, nelle trecento chiese grandi e piccole che sgomitano tra i sobborghi della capitale nel ricco mercato americano delle fedi? Perché dalle loro lontane ville vengono proprio qui a fare le loro devozioni, spesso affrontando l'intenso traffico? «Non lo so e non lo voglio sapere» insiste Yates, forse infastidito dalla scoperta di questo suo piccolo segreto. «Quello che so è che qui non si fa proselitismo politico o elettorale. Da quando sono rettore io, il nome di George W. Bush è stato fatto una sola volta, quando invocammo la benedizione del Signore sopra i nostri caduti, il nostro Paese e il nostro presidente, chiamato a guidare l'America nella tempesta. Lo fecero tutti i ministri, i pastori, i parroci, i rabbini in ogni tempio, quel giorno. Controlli.»

È vero. Nel sermone natalizio che ascolto pronunciare davanti alla congregazione riunita, come nella raccolta pubblica e consultabile di tutte le omelie del rettore Yates e del suo vicario, il reverendo Swithinbank, non troverete esortazioni a votare per Bush e neppure a votare contro, come nelle parrocchie italiane degli anni Quaranta. Ed è insieme falso, perché il messaggio che scende dal pulpito, insieme con le note dei gruppi folk di chitarre e batteria che hanno rimpiazzato organi e harmonium nell'ala nuova del tempio, è inconfondibile, è l'essenza del neointegralismo cristiano che ha portato Bush alla vittoria e i suoi uomini a raccogliersi qui. È il messaggio, come il rettore sintetizzò nella sua prima predica dopo le elezioni, del ritorno alle tradizioni e ai «valori» giudaico-cristiani nella vita pubblica e politica. Parole in codice, ma leggibilissime, nella vulgata che tutti gli uomini del presidente diffonderanno fuori, nel mondo, dopo le funzioni. Richiami fermissimi alla sacralità del matrimonio come fusione esclusiva di uomo e di donna, al rifiuto dell'omosessualità, dell'aborto volontario, dell'ordinazione di vescovi gay, come proprio la Chiesa episcopale americana ha accettato con voto di maggioranza, indignando la minoranza. Frasi ed esortazioni che ogni fedele, in ogni tempio, sente ripetere ogni settimana e che spesso all'uscita dalla chiesa scivolano come acqua sul dorso di un'anatra. Ma che qui risuonano nelle orecchie di uomini che hanno il potere per tradurle in politica.

È lo stesso messaggio che ho sentito ripetere e amplificare nelle megachiese da 5000 e più fedeli sparse nel grande ventre dell'America repubblicana – ma non solo – e revivalista, diffuso da network radiofonici e televisivi, condito di offensive sceneggiate di guaritori, piazzisti di miracoli e imbonitori con annesso numero verde per l'acquisto di eleganti cofanetti con libri scritti da loro, videocassette e dvd a soli 29,99 dollari, pagabili anche a rate.

Ma nella chiesa che fu di George Washington e ora è di Bush, non c'è nulla della pacchianeria e degli orgasmi da televangelisti, con cori strepitanti e pettorute coriste squassate dall'estasi. I fedeli che ascoltano intenti i lunghi sermoni del rettore prima di avvicinarsi alla comunione, sono i volti e le famiglie composte di un'America come sembrerebbe non esistere più, se Hollywood e la televisione ne fossero lo specchio. Bambini biondi in calzettoni bianchi e blazer blu con i bottoni d'ottone come i loro padri, mamme in teneri colori pastello, gonne e twin-set d'angora con filo di perle, padri in mocassini Oxford o «patent leather», cuoio nero a specchio, come gli ufficiali, qualche uniforme e fuori automobili sobriamente lussuose, mai pacchiane, parcheggiate tra le pietre tombali. Gente perbenissimo, serena nel proprio successo professionale e politico, potere reale senza ostentazione e cafoneria da nuovi ricchi. Gente onestamente persuasa, mentre recita a memoria lo stesso *Credo* di Nicene che i cattolici recitano a Messa – «credo in un solo Dio, Padre onnipotente, creatore del Cielo e della Terra» –, di adorare un Dio che è emigrato in America e che camminerà al loro fianco, tra le pietre tombali vecchie e nuove di una vocazione, nei secoli dei secoli, imperiale.

I kavalieri bianki

Lo si bisbigliava da tempo, in contee e paesi insospettabili del Nord, in comunità della prateria, nel Midwest dei granai, un tempo immuni dal flagello: i cavalieri sono tornati. I crociati orrendi delle tre «K» galoppano ancora, sospinti fuori dalle tombe dal vento del nuovo «grande terrore bianco»: non più i *niggers*, i negracci dei linciaggi nel Sud appesi a un ramo e le bambine dilaniate dalle bombe nelle chiese dell'Alabama, ma gli immigrati, i *latinos* che minacciano il potere dell'America bianca e protestante. Organizzati e reclutati naturalmente dagli ebrei, nell'ennesimo grande complotto sionista per controllare il mondo.

Lo si sapeva, lo si mormorava da tempo con qualche incredulità in Stati nordisti come il Maryland, il New Jersey, la Pennsylvania, nei deserti delle grandi fabbriche devastate dalla globalizzazione, come il Michigan e l'Ohio, nelle praterie granaio, come l'Iowa e il Kansas. E se soltanto le antenne comprensibilmente nervose dell'Anti-Defamation League, l'organizzazione ebraica che osserva la resurrezione degli zombie antisemiti e razzisti, hanno osato denunciare quello che ormai tanti sapevano, è perché questi «neo Klan», questa terza incarnazione dello spettro bianco, hanno saputo mimetizzarsi dietro la politica ufficiale che apparentemente li aborre. L'unico ex klanista al Congresso, il novantenne democratico del West Virginia, il senatore Robert Byrd, ha più volte rinnegato il proprio passato, almeno in pubblico.

Nel 2000, prima di quella giornata di settembre, il Ku Klux Klan era dato per morto da tutti, dall'Fbi come dalle organizzazioni antirazziste. I 3000 presunti iscritti, presunti perché l'appartenenza è segreta, sparsi in pochi «capitoli», o *klaverns* come sono chiamati, erano rottami rimasti a galla dopo la più terribile tragedia del terrorismo politico mai conosciuta dagli Stati Uniti prima delle Torri Gemelle, l'esplosione del 1995 a Oklahoma City con 168 morti e quasi 1000 feriti, per opera dei militanti neonazi e difensori della «civiltà occidentale».

Poi, l'11 settembre, vissuto come l'attacco degli «stranieri», tutti gli stranieri, alla patria. Fu la ferita che diede ai microrganismi del Kkk ancora vivi l'occasione per riprodursi e moltiplicarsi. Meno violenti ed esibizionisti dei primi cavalieri incappucciati del Klan originale – fondato nel 1867 da reduci sudisti che storpiarono la parola greca *kyklos*, circolo –, più nascosti nella rispettabilità della vita quotidiana, nel business, nelle fattorie, nelle chiese, i neo Klan hanno puntato sull'«invasione degli ispanici», hanno scommesso sulla paura che, come scrive un campione della xenofobia, Pat Buchanan, «tra vent'anni il Messico ci assorbirà».

Si sono fatti una radio, la «Kkk radio», perché le radio sono oggi la terra franca di tutte le farneticazioni. Si sono fusi con gruppi preesistenti di neonazi, come il Partito nazista del Minnesota, abbandonando le croci fiammeggianti o le bombe nelle chiese di Birmingham care al secondo Klan, quello che rinacque nel 1915 dopo lo scioglimento del primo ordinato dal presidente Ulysses Grant. Nei periodi di commemorazione dei martiri dei diritti civili, come la ricorrenza di Martin Luther King, e specialmente in febbraio, che è ufficialmente «il mese della storia dell'America nera», diffondono materiale via Internet e stampato per denunciare King come «un agente segreto dell'Unione Sovietica», «il loro uomo in America» dicono, esibendo fotocopie, immagini, testimonianze che pretendono di rivelare il cordone ombelicale fra il Pcus e il reverendo assassinato a Memphis. King uguale Kgb.

Nel loro mondo, riassunto nel sito Internet curato dal Grande Stregone Imperiale, il capo supremo, sotto lo slogan «speranza e liberazione», comunista, ebreo, immigrato, alieno, latino, cattolico e oggi anche gay, perché l'omofobia non poteva mancare all'appello, sono tutti sinonimi, parte di uno stesso «Codice da Vinci» per asservire e snaturare l'America «bianca e cristiana». Manca la minaccia islamica tanto cara ai crociati europei, ma anche per un cavaliere del Klan mescolare nella stessa zuppa il musulmano con l'ebreo e il cattolico risulterebbe indigesto.

Qualche croce viene ancora incendiata, in posti discreti, tanto per provare il brivido degli anni gloriosi nei quali il *nigger* che avesse osato guardare troppo a lungo le gambe di una bianca nel Sud poteva considerarsi fortunato se era punito con una croce in fiamme e non con un colpo alla nuca, come i tre attivisti uccisi nel Mississippi perché avevano tentato di convincere i neri a votare. Ma se per i loro raduni oggi preferiscono i concerti delle band *racially correct*, cioè sfacciatamente neonazi e xenofobe, la strategia dei leader è più sottile e più insidiosa di un cappio al collo.

È l'infiltrazione nella politica ufficiale, il sostegno sotterraneo, richiesto e concesso, a quei candidati che possono tradurre i loro nobili sentimenti in leggi, muraglie, espulsioni in massa e difesa rabbiosa di un'America pura e bianca che esiste ormai soltanto nella loro immaginazione. E sempre rigorosamente avversa non soltanto ai gay, ma anche a quei matrimoni misti che erano ancora proibiti in Alabama fino all'anno 2000, quando finalmente l'ultima legge anti *miscegenation*, contro la mescolanza del sangue, fu abolita. Sono addirittura contro la guerra in Iraq, perché in quel carnaio lontano «muoiono soprattutto i nostri bravi ragazzi bianchi, i nostri futuri agricoltori del Midwest» che dovrebbero schierarsi a difesa delle frontiere di casa anziché dare la caccia a ribelli arabi, lontano.

Quanti siano questi cavalieri neo Klan – certamente più

di quei 3000 censiti prima dell'11 settembre e molti meno dei 4 milioni raccolti alla rifondazione del 1915 – neppure la Lega Anti-Diffamazione pretende di sapere, ma i *klaverns* continuano a metastatizzarsi. Neppure negli anni Venti avevano coperto 19 Stati, dal Golfo del Messico ai Grandi Laghi, e non è il loro numero che spaventa, perché il Klan non è il male. È soltanto il sintomo di un malessere confuso e reale, che il cinismo della politica elettorale e dell'editoria sfrutta, coltiva e poi traghetta, come seppe fare lo stratega di Bush, Karl Rove, verso il potere.

Il vento e la guerra

Ritorno a New York

È così difficile raccontare il vuoto. Illuminare quello che non c'è, fotografare quello che non esiste, guardare dal finestrino dell'aereo che sorvola a bassa quota Manhattan nel silenzio di noi passeggeri che stiamo pensando tutti la stessa cosa – e se anche noi?... – in un giorno di assoluta perfezione settembrina proprio come quell'altro, e vedere soltanto un buco che sembra un cantiere ed è invece la fossa comune dove sono sepolte per sempre 1400 persone fuse senza nome nell'acciaio.

È così facile cadere nel crepaccio della lacrima, cedere alla tentazione di riempire quel vuoto di slogan politici, di oratoria funebre, di invettive e soprattutto di promesse di guerra, il cui solo esito certo saranno altri vuoti e altri cadaveri. È così difficile registrare il suono del silenzio che copre come una cupola di plexiglas trasparente ma infrangibile il vuoto lasciato da due fumaioli della nave Manhattan abbattuti. Le strade che da Wall Street portano al Battery Park e allo Hudson River, risalendo Broadway, il quadrilatero che circonda il nulla, rimandano il tonfo ritmico delle scarpe degli jogger che non rinunciano mai alla corsa, si agitano per le pale del raro elicottero blu e bianco della Nypd, la polizia, perché ormai ogni cosa che venga dal cielo qui fa rabbrividire. Ma ora che il fracasso dei compressori ad aria usati per alimentare le fotoelettriche e dei diesel dei bulldozer che hanno finito di scavare si è spento, il frastuono che aveva misericordiosamente intontito soccorritori e visitatori per undici mesi tace. Né la strana quiete è solo immaginazione: nell'anno dopo le Torri, New York ha commesso il minor numero di crimini, da quando tengono i conti.

Hanno avuto pietà anche i ladri e gli assassini. Hanno fatto un lavoro meraviglioso i monatti e gli *hard hat*, gli operai che hanno ripulito il quadrilatero, lo hanno sterilizzato togliendo ogni appiglio alla morbosità, come quel moncherino di facciata d'acciaio che per mesi era stato l'inevitabile quinta a tutte le riprese televisive. Oggi Ground Zero ha perduto ogni aspetto sinistro, ogni pretesto di inquadratura per le macchine dei turisti che non hanno più niente da fotografare, meno l'espressione inconfondibile dei parenti subito riconoscibili, perché vengono qui ogni giorno a buttare un fiore oltre la siepe di plastica verde tirata attorno alla fossa comune. «Mia moglie e io» mi dice il signor Chuck Hazelkron, che nel vuoto ha un figlio di ventinove anni, Scott, «passiamo ancora molte ore a non credere che nostro figlio sia morto.» Ci sono 2000 fiale congelate con resti di dna dentro, nell'obitorio gigante di Staten Island, che aspettano di essere messi a confronto con i capelli, i peli, i frammenti di unghia presi nei bagni di casa e consegnati dai parenti. Molti sono di cani e gatti, altri di umani.

È così difficile accettare che questo colossale nulla nel cuore della città fino a ieri più piena del mondo sia stato scavato con due temperini taglia cartone, l'arma usata dai dirottatori assassini per impadronirsi dei jumbo jet. Come a Hiroshima, nel parco della Pace, è il rapporto tra le cause e gli effetti che lascia sbigottiti, più ancora del numero dei caduti. Ma se una sola bomba cancellò Hiroshima, almeno essa era il terminale di un sforzo ciclopico di scienza, tecnologia, premi Nobel, ricerca, industria, mobilitati per produrla. Qui, oltre la siepe verde, c'è la clava del cavernicolo, la vendetta degli angosciati dalla minaccia della libertà religiosa e personale che l'Occidente incarna e porta. Due temperini con lama retrattile nelle mani di qualche suicida e tutto diventa possibile, anche rivoltare le meraviglie della modernità contro loro stesse. Questo terrorizza le vittime. Questo incoraggia gli assassini.

Sarebbe stato così facile, per un'America sempre tentata dalla «hollywoodizzazione» di tutto, trasformare l'11 settembre in una *big production*, in uno show di stelle finte circonfuse di angeloni con le ali di carta, da chiudere con l'apoteosi finale del patriottismo che promette «giustizia» e guerre, ma non è accaduto. Un poco perché la prima vittima è New York, città di antiretorica, che non si presta ai kolossal da Cecil DeMille ma preferisce il minimalismo di Woody Allen. Molto perché questa *West Side Story* non ha un lieto fine e neppure un finale. È una storia che non è finita l'11 settembre 2001, è cominciata l'11 settembre e vedrà altre sequenze, altri orrori. Teniamoci qualche lacrima di scorta, perché il silenzio è il classico «occhio dell'uragano» che annuncia tempeste peggiori. Ogni anniversario dell'11 settembre rischia di essere la commemorazione del futuro, non del passato.

Sarebbe così facile piangere e farvi piangere, raccontando che cosa si vede sul lungo tavolo davanti al muro del ricordo, dove vi guardano i nomi e le foto dei trecento poliziotti e pompieri morti anche perché i loro walkie-talkie non sono mai sincronizzati sulla stessa lunghezza d'onda, tanto è il rancore fra loro, nella New York dei feudi in uniforme, e non si poterono avvertire del pericolo.

Il tavolo sembra il banco di una piccola fiera di quartiere, coperto di cianfrusaglie «tutto a un dollaro», sigari seccati (anche uno cubano, un Cohiba Robusto, castrista e illegale), orsi e orsini accompagnati da biglietti scritti da bambini che li hanno sacrificati: *So Daddy can sleep better*, così papà può dormire meglio, perché le madri devono avergli raccontato le solite balle del papà che «si è addormentato». E in mezzo a riproduzioni di angeli cimiteriali e madonne pietose, anche un indumento intimo da donna, un reggicalze nero birichino, memoria di notti che non saranno più vissute. Ma per fortuna, tra addii di amanti e di bambini e di mogli e di padri, dal groppo in gola ci salva la T-shirt di un ruvido texano che mostra due «musulmani» menati dai manganelli sotto la scritta *Payback Time*, ora di pagare i conti. *Go George*.

Andiamo, dunque, riempiamo il vuoto con i morti degli altri, perché la maledizione di essere «iperpotenza», come oggi va di moda dire, è di non poter sopportare il silenzio, di aborrire il vuoto, di non poter subire sconfitte, di non ammettere di essere normale, dunque vulnerabile. La tentazione della forza è irresistibile per chi la possiede. «Ho sentito molta rabbia per il mio governo che non ha saputo proteggere mio figlio» mi aveva detto il padre di Scott.

Passa un poliziotto in bicicletta, lungo il molo 21, quello al quale attraccavano le barche e i traghetti per il World Trade Center, le due Torri, e si ferma per deporre sul tavolo della memoria un *night stick*, un manganello con una targhetta appesa, sgt Anthony Valentine D'Allara. «Era il suo bastone e ho deciso di restituirglielo per l'anniversario», e lo sistema sotto gli occhi di un angelo che guarda la foto del sergente D'Allara. Avranno ancora molto da fare, gli angeli.

Il mondo oltre il giardino

Potrebbero consolarsi pensando che anche il loro scopritore, Cristoforo Colombo, sbagliò di almeno un continente e di parecchie leghe la sua destinazione prevista, ma non ci sono molte altre possibili consolazioni davanti alla scoperta dell'America ignorante in geografia. Nella nazione che ha dato all'umanità i primi esploratori lunari, che estende la propria presenza militare in ogni angolo della Terra, che incarna il concetto e la pratica della globalizzazione, la conoscenza del globo è patetica. Tra giovani di 18-24 anni intervistati nel mondo dal «National Geographic», ironicamente il massimo strumento di cultura e divulgazione geografica, gli americani sono stati i peggiori anche nell'individuare sulle carte una nazione chiamata Afghanistan. Una nazione dove, dal 2001, i loro fratelli e sorelle combattono e muoiono.

L'indifferenza della superpotenza per la geografia, e per la disciplina sorella, la storia, insegnate malissimo nelle scuole pubbliche, non è nuova, in una nazione istintivamente portata all'isolazionismo e strappata ai propri istinti soltanto da periodiche guerre. Ma se ricerca dopo ricerca, come questa condotta ora dall'Istituto Roper per il «National Geographic», è sempre stata confermata questa ignoranza squarciata da lampi di attenzione furiosa, si era sperato che l'11 settembre, con l'irruzione violenta del «mondo» nella quotidianità provinciale, avesse rotto la crosta dell'ignoranza. Lo stesso Bush, che durante la campagna elettorale aveva confessato di ignorare serenamente dove fosse il Pakistan, poi divenuto alleato-chiave nella sua guerra, e aveva confuso la Slovenia con la Slovacchia, ora sembra discorrere di geopolitica con apparente padronanza.

Ma non i suoi ragazzi, quelli che saranno chiamati a combattere per rimodellare un mondo che non conoscono. Meno della metà dei «giovani adulti» interrogati riescono a indicare dove siano l'Inghilterra e il Giappone, storici alleati e nemici, e nonostante siano nazioni arcipelago, dunque ben distinguibili dalle masse continentali. Più della metà, il 56 per cento, non sanno riconoscere l'India, seconda nazione al mondo per numero di abitanti e facilmente individuabile sotto il ventre del continente asiatico. Praticamente nessuno ha la più vaga idea di dove siano incastrate repubbliche ex sovietiche come l'Uzbekistan, il Kazakistan, il Tagikistan, dove pure sono da mesi dislocate truppe e basi americane in appoggio alla guerra in Afghanistan. E non sono soltanto i giovani americani a essere nell'oscurità più nera quando si tratta di congiungere la strategia alla geografia: neppure il 25 per cento di giovani interpellati in Francia, Canada, Usa, Inghilterra e Italia sanno elencare almeno quattro potenze ufficialmente «nuclearizzate», nonostante proprio tre di quei Paesi (Francia, Usa, Regno Unito, più Cina, Russia, India e Pakistan) facciano parte del «club atomico».

Soltanto i giovani svedesi sanno che le due nazioni più popolose della Terra sono la Cina e l'India. Negli altri

Paesi, è una minoranza a saperlo. Né può funzionare la scusa «imperiale», che spiega l'analfabetismo geografico dei giovani americani con la loro indifferenza per il resto del mondo, perché la loro ignoranza si estende gloriosamente anche al proprio Paese. Appena la metà dei sondati dal «National Geographic» sa dire dove sia New York. New York! Mentre un robusto 30 per cento dei giovani Usa, stordito dai discorsi presidenziali sulla loro «grandezza», confonde quantità con qualità, e indica in «oltre un miliardo» la popolazione americana, il quadruplo del numero reale che è poco superiore ai 300 milioni. Peggio degli statunitensi fanno soltanto altri americani, i messicani, che risultano stabilmente ultimi nei test, mentre i tre gruppi migliori sono svedesi, tedeschi e, sì, noi italiani, medaglia di bronzo grazie a una vituperata scuola nella quale, in attesa di riforme, qualche concetto di storia e qualche «carta muta» vengono ancora rimediati.

«Come possono i nostri giovani capire i problemi e i drammi del mondo che ci circonda se non hanno alcuna nozione di come sia fatto fisicamente, di quali culture e problemi vi esistano?» si chiede con toni di comprensibile disperazione John Fahey, il presidente della National Geographic Society, società senza fini di lucro e senza affiliazioni politiche.

La sua domanda resta ovviamente sospesa in aria, perché nonostante gli slogan politici di ogni campagna elettorale, lo stato della scuola pubblica rimane, sondaggio dopo sondaggio, inferiore ad altre nazioni. Nel 1988, quando fu condotta una ricerca simile, i giovani Usa tra i 18 e 24 anni finirono ultimi dopo Svezia, Germania, Italia, Regno Unito, Francia, Giappone, Messico, Canada. Quattordici anni dopo, nel 2002, nulla era cambiato, neppure dopo l'11 settembre. L'istruzione, umanistica come tecnica, resta riserva di caccia per poche minoranze e per istituti di assoluta eccellenza.

Si fa quasi fatica a credere, per esempio, che due terzi dei giovani americani ignorino quello che il loro presidente, i loro telegiornali e giornali ripetono ossessivamente da un anno, che al-Qaeda aveva la propria base principale in Afghanistan (e dove sarebbe l'Afghanistan?), ragione conclamata dell'invasione. In compenso, una forte maggioranza sa indicare con sicurezza il nome dell'isolotto del Pacifico dove è stato girato lo show televisivo di finto primitivismo, *Survivors*. Basta allora dire, per giustificare questa feroce ignoranza, che la storia e la geografia sono discipline coltivate solo da chi ne subisce le conseguenze? Che gli americani, parlando il dialetto del mondo («il cattivo inglese» come disse con regale ma corretta supponenza il principe Carlo d'Inghilterra), non hanno bisogno di imparare lingue straniere, che essi fanno la storia e mutano la geografia politica, dunque non devono impararle, visto che, se non gli piacciono, le cambiano? L'ignoranza è il privilegio dei potenti. Tu, *Felix America*, ignora. Per trovare l'Iraq, ai piloti non servirà la scuola, basteranno i satelliti di posizione che li condurranno esattamente sul bersaglio.

Buonanotte, caporale

Trovare la generazione perduta dei ragazzi dell'80 è facile. Basta seguire i vecchi in cammino verso le tombe dei giovani, perché tutti i cimiteri di guerra sono fatti così. Sono mondi alla rovescia, città capovolte nelle quali i giovani abitano sotto la terra e i vecchi sopra. Nei giorni delle feste solenni, quando le scuole sono chiuse e gli uffici sono muti, sgambetta tra le lapidi qualche bambino che non ricorda nulla del padre sotto i suoi piedi, e si sdraia sulla terra come sul letto matrimoniale ormai vuoto qualche giovane donna che ha paura di dimenticare il suo sposo. Ma nei giorni feriali ci sono soltanto i vecchi e le vecchie, che magari hanno poco più di quarant'anni, ma hanno lasciato quello che restava della loro giovinezza nelle fosse dove giacciono i ragazzi dell'80, la leva dei ventenni americani inghiottita da un'altra guerra combattuta per mettere fine a tutte le guerre.

Ci sono più di 300 mila morti qui nel cimitero di Arlington, il Valhalla americano sulle colline della Virginia a sud di Washington oltre il fiume Potomac, che appartennero al generale comandante delle armate sudiste nella Guerra civile, Robert E. Lee. Seguendo i vecchi troppo orgogliosi per prendere l'autobus identico a quelli che scarrozzano i turisti a Disney World, attraverso i viali e i sentieri pettinati come neanche il giardino del re, si arriva all'incrocio fra York e Halsey Road alla «Sezione 60», la più grande. La si riconosce subito dalle lapidi di marmo ancora fresco e bianco, dai fiori e dai pupazzi sparsi. Soprattutto, l'annunciano due scavatrici giapponesi gialle che smuovono la terra delle nuove sezioni vicine, la 61, la 62, la 58, la 57. Dissodano e rimescolano la terra con le loro pale per fare spazio agli altri «ragazzi e ragazze» dell'80, e presto del '90, che reclamano il proprio posto, in attesa paziente nei frigoriferi degli obitori militari chiusi al pubblico e ai media, per non turbare i sonni dei sudditi.

La terra di queste colline alluvionali, che il fiume porta giù dai vecchi monti Appalachi, è accogliente, soffice. La madre del sergente Princess Samuels, una bella ragazza dalla carnagione color cappuccino a giudicare dalle foto che lei distribuisce a tutti, deve essere rassicurata dal becchino, quando vede la lapide della figlia un po' storta. «Tutte si assestano, dopo qualche settimana, nel terriccio bagnato e la superficie sopra la bara si infossa un po'. Ma noi torniamo a raddrizzare le pietre tombali e a ripianare il prato.» La signora Regina Samuels si rasserena un poco. «Mia figlia si era arruolata per avere i soldi dell'università» mi spiega come se fossi un parente e non uno sconosciuto importuno, nella spontaneità solidale di cimiteri e ospedali. Depone un'altra foto e una piccola zucca gialla. «Andava pazza per Halloween», la festa dei morti che scherzano ed escono dai sepolcri.

Princess era del 1985. Quando morì in Iraq, anzi, durante l'Operazione Iraqi Freedom come sta inciso sulla lapide, perché la protervia della retorica politica non risparmia neppure i morti, era l'agosto scorso, dunque aveva ventidue anni. Una veterana, una «nonna», accanto ai ragazzini che ora le fanno compagnia nella «Sezione 60». Taylor Prazynski, caporale dei marines, era del 1984. È morto nel 2004 il giorno del suo compleanno. Due lapidi un po' pendenti più in là, Nils G. Thompson ci racconta di essere caduto a diciannove anni: nato nel 1986 e morto nel 2005, proprio come il suo vicino, Christopher Joyer di New Orleans.

Diciannove anni aveva anche Colin Joseph Wolfe, caporale dei marines, di religione ebraica annunciata dalla stella di Davide incisa sulla lapide. E poiché le guerre sono sempre molto politicamente corrette e strette osservanti delle pari opportunità etniche, dopo il polacco, la donna di sangue africano, l'ebreo, il sudista con il nome francese, a diciannove anni si sono portate via pure il marine vietnamita Alan Dinh Lan e il cinese capitano dell'esercito Y.L. Chen, senza croci, stelle o altri simboli religiosi. Che ritrovo invece sulla pietra candida e fresca di Humayun Saquid Muazzam Khan, capitano della Us Army, ucciso quando ormai era praticamente un pensionato, a ventotto anni. Il simbolo è la falce di luna della sua fede, l'Islam.

L'età media dei cittadini americani morti in Iraq e in Afghanistan (ormai ben oltre le 3000 vittime delle Torri Gemelle) è di vent'anni e sette mesi. Una giovinezza impressionante, per un esercito di professionisti, di volontari, un brutto segno di come si stia grattando il fondo di una generazione per riempire i vuoti lasciati dagli anziani che se ne vanno appena scade il loro contratto con il Pentagono. Un'età che rammenta più i massacri dei nostri «ragazzi del '99», o i reggimenti dei *Kindermörder*, dei liceali tedeschi che partivano a farsi macellare sulla Marna, piuttosto che un'armata di soldati di mestiere.

«Uccisi nell'esplosione del loro trasporto truppe blindato» ricorda una lapide di marmo grigio più grande sopra una fossa collettiva che ospita i resti di cinque morti, non molti resti, a giudicare dalle dimensioni del rettangolo di erba fresca. Giovani del 1983, 1984, 1985, 1986, ora anche qualcuno del 1987, nelle quattro fosse più recenti, ancora teenager, nei loro diciannove anni, con la barba appena accennata, i seni ancora acerbi, dietro i giubbotti di kevlar spesso comperati dai parenti, con quelle maschere guerriere, gli elmetti da *Star Wars*, gli occhiali scuri, il beccuccio rialzato del visore notturno a infrarossi eretto sull'elmo come il pennacchio di un lanciere.

Non ci starebbero tutti nel terriccio sulle sponde del Potomac: neppure 1 caduto su 10 è sepolto qui. Il ministero della Difesa e l'amministrazione dei parchi nazionali che controllano quest'immensa città dei morti sono parsimoniosi nell'accettare candidati e non tutte le famiglie lo richiedono.

Molti vecchi preferiscono seppellire i loro giovani vicino a casa, nella semplicità di un funerale qualsiasi, senza trombe, silenzi, alte uniformi, lacrime di coccodrillo e schioppettate a salve. Alcuni rifiutano l'effimera consolazione dell'eroismo ufficiale per dispetto, per rabbia contro la guerra che ha consumato i figli. Altri non si possono permettere viaggi aerei andata e ritorno attraverso una nazione continente, per portare un peluche – quanti peluche ho visto sulle tombe dei guerrieri bambini –, una foto, una zucca, un mazzo di fiori, ma non una piantina, che è vietata. E di fronte a una nazione indifferente, che continua a voltarsi dall'altra parte per non vedere quello che ha fatto a una generazione, il raccoglimento di un piccolo cimitero in Mississippi o in Indiana è meno offensivo della prosopopea del «giardino di pietra», come è stata ribattezzata la città dei morti. Sulle alture dalle quali si vede, dopo la caduta delle foglie, la «casa bianca» dove abita colui che li ha mandati a morire.

L'ultima fossa, la più recente, porta la data di nascita 1987 e l'erba si è imbrunita per la siccità e il caldo innaturale di questo ottobre washingtoniano. Le zolle srotolate sopra la fossa – perché seminare vorrebbe dire lasciare la polvere nuda fino alla crescita ed è brutto da vedere – sono inaridite e i giardinieri si preoccupano. Tutto deve sembrare bello, dove niente lo è. Noi dobbiamo credere, fidarci, non vedere e portare qualche fiore ai figli. Magari anche un succhiotto rosa, che una madre ha fatto deporre a una bambina davanti alla lapide del *lance corporal* dei marines, Robert Mininger, classe 1984, morto nel 2005. Chissà se quella bambina ha fatto scenate per togliersi il succhiotto e che cosa ha dovuto dirle la madre, per convincerla, per mentirle: lascialo a papà, così dorme meglio.

Buonanotte, caporale.

La vecchina dell'Apocalisse

La bestia nacque dalla prateria americana, creatura di silicio, nickel, ferro, caucciù. Figlia della terra, dunque, come gli uomini che avrebbe carbonizzato a decine di migliaia. Era identica a tutte le altre bestie partorite in quello stesso luogo, a Omaha, in Nebraska, lo stesso anno, il 1945, ma destinata a portare un nome che avrebbe bruciato per sempre nella memoria dell'umanità: Enola Gay.

Sotto la volta dell'enorme hangar-museo accanto all'aeroporto internazionale di Washington, dove il B-29 che rese possibile Hiroshima ha finito il suo viaggio, la bestia che divorò una città non fa più paura neppure agli studenti attorno a me che vengono a frugarle nella pancia e a toccare ridendo i bulloni che tengono insieme la sua pelle. Sono bambini nella loro uniforme scolastica, gonnelline scozzesi plissettate, giubbetti scuri e calzoncini grigi, non molto diversi da quei bambini e da quelle uniformi fusi e vetrificati nel calore del 6 agosto 1945.

È ormai una vecchia, l'*Enola Gay*. È la nonna dell'Apocalisse, innocua come il reduce con la bustina azzurra degli ex combattenti, il sgt Hotchkiss, che ripete a chiunque voglia ascoltarlo la storia del bombardiere Boeing modello B-29, matricola 44-86292, che da solo uccise 75 mila persone in un secondo e altre 150 mila con l'implacabile pazienza della radioattività. Tutti ricordano e raccontano sempre la bomba, la bomba, soltanto la bomba, si agita il vecchietto che di questi B-29 fu meccanico motorista. Tutti dimenticano che senza l'*Enola Gay*, la bomba non sarebbe servita ad altro che a fare botti dimostrativi spaventosi nel deserto del New Mexico.

Per rendere la bomba un'arma, per poterla depositare sul bersaglio quando non esistevano missili intercontinentali, fu creata l'*Enola Gay*, l'arco senza il quale la freccia è inutile. Fu progettata per volare più in alto, più lontano e più veloce di ogni cosa o creatura mai esistita sul pianeta, la macchina più complessa mai prodotta in tutta la Seconda guerra mondiale. Ora, nel tempo dei jumbo jet e dei bombardieri invisibili ai radar, l'*Enola Gay* sembra goffa, piccola, lei che alla nascita parve a chi la fabbricava un animale gigantesco. Il suo peso era di 75 tonnellate; il grido dei suoi quattro motori Wright Cyclone da 2200 cavalli ciascuno, dieci auto di Formula Uno appese alle ali, era già un'arma psicologica. Chiunque abbia ascoltato dal suolo italiano, o tedesco, o giapponese, il tuono dei B-29 sopra la propria testa non lo ha mai più dimenticato.

Con le sue ali lunghe 45 metri riusciva a volare per 5000 chilometri senza fermarsi mai, a 600 chilometri all'ora e a quasi 10 mila metri di altezza, perfettamente pressurizzata come la cabina di un aereo commerciale. Non che volarle dentro fosse un viaggio in prima classe. Il povero navigatore nella serra di plexiglas chiusa sul naso bolliva quando l'aereo puntava verso il sole e gli ingegneri di volo, nella carlinga, sbarcavano assordati dal fragore dei quattro Cyclone senza isolamento acustico. Se sbarcavano, perché molte delle 3890 bestie d'alluminio prodotte fra il 1944 e il 1945 andarono a impastarsi tra l'erba alta della prateria.

Il B-29 era un aereo troppo complesso, troppo ambizioso per la tecnologia del tempo, troppo caratteriale per i ventenni ai suoi comandi, sfornati dalle catene di montaggio dell'addestramento di guerra. Ma non lei. Non l'*Enola Gay*. L'aereo scelto e protetto dagli dei della vendetta, o della giustizia americana, era «buonissimo», affidabile, una studentessa diligente e poi una madre premurosa, che si prese sempre cura dei propri figli. Nessuno morì mai nel suo grembo d'alluminio. Morì soltanto chi era sotto di lei.

Si capì che l'*Enola Gay* era destinata a una vita speciale quando la spogliarono delle 20 mitragliatrici e del cannoncino da 20 mm che difendevano gli altri B-29, per alleggerirla, lasciandola disarmata. La macchina più micidiale nella storia della guerra era completamente vulnerabile. Se un caccia giapponese l'avesse intercettata, nel viaggio verso Hiroshima, l'avrebbe abbattuta con una sola raffica, sprofondando lei e la bomba negli abissi del Pacifico occidentale. Ma non c'erano più caccia intercettori giapponesi, nel cielo del 1945, e certamente non sopra una città come Hiroshima, di scarso interesse militare, e che non era mai stata bombardata.

Quando la sfioro oggi, nell'aria condizionata dell'hangar-museo, approfittando della distrazione del vecchio sergente Hotchkiss impegnato da un nugolo di ragazzini annoiati, la sua pelle d'alluminio è fresca al tatto. Non ci sono appiccicate tracce di pelle umana, come sessant'anni or sono, quando i meccanici novizi poggiavano le dita nude sull'alluminio arroventato dai Tropici. Impiegò cinque giorni, l'*Enola Gay* pilotata dal capitano Lewis, a compiere la sua migrazione a tappe – dal Nebraska allo Utah, a Los Angeles, alle Hawaii, a Midway e finalmente a Tinian, la rampa di lancio di sabbia e coralli più vicina al Giappone.

Quasi ogni giorno, il comandante Lewis scuoteva la splendida bestia all'alba, e a volte anche di notte, perché caricasse e poi sganciasse uova di ferro sempre più grosse, prima da un quintale, poi da cinque, poi da una tonnellata, poi da due, e su obiettivi sempre più piccoli.

Il 24 luglio 1945 – Hiroshima meno 13 giorni – andò in missione sulla città di Kobe per sganciare una «zucca», una bomba da addestramento, con l'ordine di centrare la ciminiera della fabbrica. La «zucca» piombò in un cortile e il bombardiere, al ritorno dalla missione, si prese una lavata di capo tremenda dal generale «Hap» Arnold. Il giorno dopo, lo spedirono con i suoi dodici omini a bordo a sganciare un'altra «zucca» su una fabbrica di Nagoya, la Toyota. Sbriciolarono un ponticello di legno sopra un ruscello, come da ordini. Gli operai giapponesi dovettero ridere di questi americani scemi che mandavano un bombardiere per sganciare un pallone di ferro su un ponte di legno. Non potevano sapere che il bersaglio scelto per centrare Hiroshima era proprio un ponte.

L'incontro della bestia con il suo uovo avvenne il 31 luglio. Nella baia di Tinian era attraccato l'incrociatore *Indianapolis*, dopo un viaggio talmente segreto che nella rotta del ritorno, quando fu silurato, affondò con tutti i suoi marinai perché nessuno sapeva che esistesse o dove fosse. Scaricarono un'enorme cassa di legno e la base le si mobilitò attorno come una famiglia attorno al neonato. Arrivò Paul Tibbets, il colonnello comandante il reparto, il 509° stormo, per sostituire Lewis. La bestia, l'uomo e la bomba si erano finalmente riuniti nello stesso luogo, Tinian, perché ciò che era scritto si compisse.

Tibbets condusse il B-29 in un volo di prova su Hiroshima, il 31 luglio, e quando rientrò a Tinian spiegò che tutto era stato perfetto, che il ponte a «T» sull'isolotto del fiume Aioi scelto come riferimento era visibilissimo nel mirino automatico Norden. Ok, dissero i generali, e aprirono una busta presa dalla cassaforte del comando. Ci fu uno scambio di messaggi cifrati con la Casa Bianca a Washington e l'ordine segreto fu confermato. La missione operativa che avrebbe sganciato la prima arma atomica nella storia della Terra portava, per chi fosse superstizioso, il numero 13. *Special Order number 13*.

La sera del 5 agosto, aprirono il portellone di carico anteriore, che oggi è aperto permanentemente nel museo e tutti noi ci andiamo sotto, per guardare dentro rabbrividendo, come se da quell'apertura potesse ancora cadere una bomba atomica. *Little Boy*, il ragazzino, chiamato così perché più smilzo del fratello rotondo, *Fat Man*, il ciccione, che un altro B-29, il *Bock's Car* avrebbe buttato su Nagasaki, fu caricato a bordo, sotto gli occhi di uno scienziato del Progetto

Manhattan, il capitano William Deke Parsons. Tibbets, non avendo niente da fare prima del decollo, decise di passare il tempo facendo dipingere sulla guancia dell'aereo il nome della mamma, la signora Enola Gay, battezzata così dal nome della protagonista di un romanzo sentimentale che le era piaciuto molto.

Era ancora notte a Tinian, quando i quattro motori Cyclone furono spinti fuori giri a tutta manetta. Le luci erano accese e le sagome degli uomini e donne della base erano stagliate ai lati della pista a gridare «go, baby, go», vola, vola. Nessuno sapeva se ce l'avrebbe fatta o sarebbe finita tra le carcasse delle sue sorelle e dei suoi fratelli schiantati al decollo e visibilissimi a bassa quota nell'acqua trasparente delle lagune.

Ma l'*Enola Gay* aveva il vento degli dei sotto le ali. Raggiunse la quota di crociera, 24 mila piedi, 8000 metri, senza un problema. «Good girl», brava ragazza, disse il colonnello Tibbets nell'intercom e il primo ufficiale, Lewis, quello che l'aveva addestrata per settimane, rispose, «non avevo dubbi, la conosco bene». Il resto del viaggio fu puro tedio, una missione come mille altre, ma senza rischi. Una rotta da charter di turisti verso una vacanza, diritta su Hiroshima che le nubi della notte frantumate dal sole avevano reso perfettamente visibile. La bestia creata nella prateria del Nebraska scese dolcemente alla quota di attacco, 5000 metri.

I radaristi, Beser e Stiborik, curvi dentro il visore di gomma del loro schermo, ripeterono per la millesima volta al colonnello Tibbets l'*all clear*, nessun altro in vista. Tibbets segnalò al bombardiere, maggiore Ferebee, che l'aereo era suo e ora toccava a lui guidarlo attraverso il mirino computerizzato Norden. La temperatura dentro la pelle d'alluminio era confortevole, il ponte a «T» sul fiume Aioi entrò nel campo di visuale di Ferebee. Quando la croce sulla terra, il ponte a «T», coincise con la croce nel mirino, la bestia depose l'uovo e 30 secondi più tardi la città sotto, gli impiegati che andavano al lavoro, i tram che sferragliavano, i pazienti negli ospedali, le bambine delle scuole medie, non c'erano più. I quattro motori Cyclone gridarono ubbidienti sotto la mano del pilota e del secondo pilota che li spinsero all'unisono per alzarsi più in alto del fungo di polvere umana e di raggi gamma che stava arrampicandosi verso di loro dalla città che non c'era più. L'*Enola Gay* li riportò tutti a casa.

«Ha salvato centinaia di migliaia di vite umane, questa bestia» mi scuote dall'ipnosi il sergente a riposo Hotchkiss, che deve ricordare a tutti perché essa volò, e perché Hiroshima parve, in quell'agosto del 1945, il minore dei mali, rispetto all'operazione «Olympic», l'invasione del Giappone che sarebbe potuta costare 500 mila morti americani e chissà quanti giapponesi. In molti non avrebbero più voluto vederla, la bestia, neppure a pezzi, come fu esposta una prima volta allo Smithsonian di Washington, nel centro della città. L'avrebbero voluta smembrare, come lo sono state tutte le sue sorelle e i suoi fratelli, come una vergogna, come uno di quei mostri da seppellire in pozzi senza fine perché non possano mai essere rievocati e tornare. Come se fosse stata sua la colpa, povera vecchia, di ciò che gli uomini le fecero fare.

Oltre l'arcobaleno

Stelle cadenti

In una mattina assolutamente perfetta come fu la mattina dell'11 settembre, guardiamo il cielo cadere ancora una volta sull'America. Una stella si stacca volando sopra il Texas, lo Stato della «Lone Star», della stella solitaria, ed esplode, si disintegra, ricade sulla Terra tracciando contro l'azzurro un funerale bianco lungo 70 chilometri, fatto di vapore, di detriti e delle tracce di coloro che fino alle otto erano cinque uomini e due donne, e dieci minuti dopo sono tornati a essere polvere di stelle.

«Il viaggio nel buio oltre la Terra continuerà» promette il texano Bush col groppo in gola, per consolare se stesso, una nazione stordita da questo momento di storia orribile che continua e un mondo che comincia a non capire che cosa stia succedendo all'America. Ma il viaggio di Michael, Ilan, Laurel, Kalpana, David, William e Rick non continuerà. Forse, come disse Ronald Reagan nell'addio ai sette del *Challenger* esploso nel 1986, anche loro hanno «toccato il volto di Dio» nel momento in cui hanno sentito la veterana delle navette, *Columbia*, la primogenita ventidue anni or sono, disintegrarsi attorno a loro. Ma certamente lo hanno toccato gli americani, il popolo di Israele orgoglioso del suo primo astronauta, le famiglie e i figli attoniti, e noi, davanti a un altro televisore che illuminava un'altra catastrofe americana, e alla vigilia di una guerra. Tutti a guardare una stella cometa che cadeva su un paesetto del Texas chiamato, e sembra incredibile, Palestine.

Ma non ci sono indizi sinistri, nel volo di questa cometa apparsa sopra la Palestina del Texas, non c'è terrorismo, ne sono certi alla Nasa; c'è il prodotto di una tecnologia estrema, che si rivela, molto raramente, fallibile. In quarantadue anni di lanci, la Nasa aveva perso «soltanto» nove esseri umani, i tre consumati nell'incendio della capsula *Apollo* a terra e i sette nel *Challenger* del 28 gennaio 1986. Ma non aveva perduto mai nessuno nella fase più difficile, il rientro.

La navetta *Columbia* sarebbe dovuta atterrare alle 8.16 del 1° febbraio 2003, ora del Texas. Già dalle 7.53 gli indicatori a terra che riproducono le condizioni del volo, perché non ci sono scatole nere sugli shuttle, avevano cominciato a sussurrare che qualcosa stava andando storto: pressioni idrauliche, assetto di volo fuori tolleranza, temperature troppo elevate, guasti al carrello di atterraggio, come se l'organismo della vecchia primogenita, la veterana della flotta di shuttle, cominciasse a cedere, in tanti piccoli malanni a catena. Ma non ci sono piccoli guasti quando si pesa 200 mila tonnellate, il doppio di una superpetroliera, lanciati a mach 18,3, diciotto volte la velocità del suono. Le manovre di emergenza sono limitatissime in questo deltaplano che scivola senza motore verso la pista d'atterraggio, il Kennedy Space Center di Cape Canaveral in Florida.

Se sbaglia l'angolo, se qualcosa lo smuove o lo squilibra, c'è pochissimo che l'onnipotente computer di bordo, come lo Hal 9000 nella fantascienza di Arthur Clarke, o gli umani possano fare per riprenderla.

Alle 7.59, quando avrebbe dovuto cominciare la fase finale di rientro, cominciò a sbandare sull'ala sinistra. Il suo angolo di picchiata era di 57 gradi, 17 più dei 40 gradi previsti, un'enormità. Il countdown finale era partito.

Era cominciato con uno strazio di cornamuse scozzesi, la marcetta di *Scozia la coraggiosa* che il controllo missione di Houston aveva trasmesso al *Columbia* per svegliarli. «Buongiorno team rosso» aveva detto la voce da Houston, sempre femminile, da mamma che scuote dolcemente il bambino pigro, su su, a scuola, è tardi. «Questo pezzo era dedicato a te, Laurel.» «Grazie, Houston, buongiorno a voi. Siamo tutti pronti per il grande giorno e siamo tutti felici di tornare a casa» le aveva risposto dallo spazio Laurel Clark, di sangue scozzese, medico della Us Navy, veterana dei sottomarini nucleari. Pochi minuti dopo, al comando della navetta, il comandante Rick Husband aveva cominciato la *check list*, la lista di controllo, per il «grande giorno».

Ai loro posti dietro i sedili del pilota McCool e del comandante Rick Husband, i *mission specialists* – gli scienziati che avevano portato in orbita anche una coltura di bachi da seta inviata da una classe di bambini di Pechino – avevano già chiuso tutti i contenitori. Rick ha il «roger» da Houston, che è inquieta dopo tutte quelle indicazioni bizzarre. «*Columbia*, you are go», vai.

Comincia la sequenza di accensione degli esplosivi nel serbatoio, la idrazina e il tetracloruro di idrogeno. Sono le 8.00 del mattino ora di Houston. I 90 secondi necessari all'accensione dei motori trascorrono. La navetta, missione STS 107, viene spinta in avanti e punta verso il basso, con scossoni violenti, ma normali, spiega il capitano Hauck che ha comandato altre navette. Accarezza le prime tracce dell'atmosfera, le sue 20 mila piastrelle di silicato d'alluminio che proteggono la pancia dal calore, al costo di 15 mila dollari ciascuna, cominciano ad abbrustolirsi. Forse, per l'assetto squilibrato, una piastrella si scolla, e poi una seconda e poi un'intera fila si apre. È l'effetto «zipper», da chiusura lampo con un dente saltato, e la lega di alluminio della pelle indifesa brucia. Uno dopo l'altro, i sensori smettono di trasmettere. Le comunicazioni si interrompono, ma è normale. Comincia il cono del silenzio, dal quale *Columbia* dovrà riaffiorare cinque minuti più tardi, per la planata verso la Florida, come la vecchia, affidabile, indistruttibile *Columbia* ha già fatto ventisette volte senza mai un problema.

Passano i cinque minuti. «*Columbia*, do you copy?» comincia a recitare Houston che «vede» sul radar la navetta scivolare d'ala, verso sinistra, mi senti? «*Columbia*, do you copy, over?», passo. Il controllore non è più la mamma affettuosa, è secco. «*Columbia*, il radar legge un angolo di 57 gradi, do you copy?» Nessuna risposta. Insiste. «*Columbia*, abbiamo ricevuto il vostro ultimo messaggio sulla pressione degli pneumatici ma non abbiamo capito bene, ripeti.»

«Ahhh, roger... ba...» risponde finalmente la voce del comandante. Poi fruscio. Saranno le sue ultime parole. La 28ª missione è finita. Qualunque cosa abbia distrutto lo shuttle è stata fulminea, perché ha strozzato la voce in gola al comandante. Quando si vola a 20 mila km all'ora, se qualcosa va storto, va storto molto in fretta. Le tolleranze sono minuscole. Lo shuttle deve essere perfettamente equilibrato, per usare lo scudo anticalore sul ventre, e il *Columbia* è ormai zoppo. A Houston, capiscono. Non ci sono più sedili esplosivi per catapultare fuori, come nelle prime versioni, e i paracadute a bordo non servono a nulla. Si vede il controllore, che si era alzato in piedi come se potesse farsi sentire meglio, sedersi di schianto. Ha capito. Nel grande emiciclo di Houston il fruscio amplificato riempie la sala e diventa la marcia funebre del *Columbia*. Gli addetti alla telemetria ai banchi si coprono la faccia con le mani, perché gli ingegneri, come i Kennedy, non piangono. Piangeranno più tardi, in conferenza stampa.

Il *Columbia* non c'è più. Quello che c'è al suo posto, alle 8.03, è un'esplosione violenta, che a terra scambiano per il ruggito di un tornado, ma il giorno è perfetto, 21 gradi, umidità bassissima, neanche una nuvola. La gente guarda in alto, vede una cometa con una lunga coda bianca brillare, «è una stella di giorno», grida una donna. Sembra volare orizzontale, ma in realtà precipita, in un balletto sincronizzato di meteoriti che si staccano e poi continuano in perfetta formazione di volo con il corpo principale, in un corteo funebre che i teleobiettivi fanno sembrare lentissimo e dolce, un fuoco artificiale alla rovescia. Lo guarda Bush, che è a Camp David e viene chiamato dall'amministratore della Nasa Sean O'Keefe.

Lo guarda Tom Ridge, il nuovo capo dell'Agenzia nazionale per la sicurezza, che subito deve pensare male, perché è il suo compito, ma non troverà impronte di terrorismo. Lo vedono soprattutto le famiglie, i genitori indiani di Kalpana, i quattro figli del colonnello israeliano venuti qui per guardare il loro padre, l'orfano di un Giusto ucciso dai nazisti a Bergen-Belsen, e portare il manoscritto di una bambina gassata ad Auschwitz, che brucerà con lui.

In uno di quei videotape che la Nasa registra sempre prima, con interviste e pezzetti di colore che di solito finiscono in archivio, si vede il figlio di Ramon, l'israeliano, sulle ginocchia del padre, mentre guardano la tv. Il bambino batte le mani e ride, «booom» dice «l'astronave è scoppiata e ha fatto boooom». Il padre cerca di sorridere e gli risponde «ma no, ma quello era un film, stai tranquillo».

Il solletico alle nuvole

Il cielo costava appena un centesimo. E il fiato necessario per scalare 86 metri. Per i valorosi disposti a investire quella somma e ad arrampicarsi a quelle altezze siderali, la guglia della Trinity Church a Wall Street offriva ciò che il pastore della chiesa chiamava «la vista di tutta l'isola di Manhattan». Non mentiva, il buon pastore, non esagerava. Era proprio così. In quel 1850, quando la chiesa episcopale della Trinità fu inaugurata, la sua guglia di 86 metri era l'edificio più alto di tutta New York. Lo sarebbe rimasto fino alla fine del secolo, fino alla costruzione del primo, timido grattacielo, il Manhattan Life Insurance Building a Broadway, nel 1898.

Erano nanerottoli, la chiesa della Trinità, il palazzo delle Assicurazioni Manhattan a 130 metri, il Singer Building di 200 metri, il quartiere generale della Metropolitan Life a 250, che si sarebbero accavallati l'uno sull'altro nella sfida del XX secolo al cielo, casupole rispetto ai 450 metri e ai 110 piani delle future Torri Gemelle. Ma apparvero come ciclopi ai lillipuziani dei ghetti ucraini e delle terre di fatica italiane, dei villaggi irlandesi e delle isbe russe che li guardarono sfilare sbigottiti, senza capire, scivolare sull'acqua verso i moli di Brooklyn, figure mitologiche destinate a stamparsi nella loro immaginazione e nella immaginazione dei figli dei figli come la rappresentazione più assoluta e certa di ciò che noi chiamiamo America. Una simbiosi di architetture e di umanità che una mattina di settembre avrebbe fuso per sempre in una lega indissolubile, nella fornace del World Trade Center.

È facile capire quale fiotto maligno di venerazione, di sbigottimento e di odio doveva bollire nel petto di coloro che lanciarono due grandi aerei contro i grattacieli più alti di New York, quando si cammina dentro la foresta pietrificata di Manhattan, o nel centro di Chicago, o quando si passeggia sulla *promenade* di Brooklyn celebrata da Woody Allen col clarinetto di George Gershwin. O, quando, dopo ore e ore di guida nella monotonia stupefacente delle grandi pianure alluvionali, l'ipnosi del vuoto si infrange nel miraggio di una qualsiasi, miserabile cittadina del Midwest che spara all'orizzonte il monumento a se stessa, l'immancabile *skyscraper*. Nel profilo degli Stati Uniti, che è orizzontale e ondulato, come lo aveva sognato Thomas Jefferson immaginando la futura nazione come una valle del Chianti lunga 5000 chilometri, i grattacieli non sono oggetti funzionali, né prodotti della necessità immobiliare, come a New York dai costi del terreno astronomici. Sono scelte. Obelischi eretti per celebrare se stessi.

In Indiana o in Oklahoma, in Kansas, in Texas o in Nebraska, dove la terra costa nulla e un ettaro è come un vaso da fiori sul terrazzo a Milano, sarebbe assai più economico spalmare gli impiegati della solita assicurazione o banca o azienda in un campus di casette senza gli incubi della climatizzazione, degli ascensori, dei sismi, degli incendi, della manutenzione che un grattacielo di 100 piani comporta.

Per anni così fecero i Dupont de Nemours, i monopolisti della polvere da sparo ingrassati da tutte le guerre americane, che nel Delaware controllavano l'azienda da una serie di baracche affiancate. Se Tulsa in Oklahoma, o Rapid City in South Dakota, o Indianapolis in Indiana vogliono il loro lembo di foresta delle sequoie pietrificate, è perché i maggiorenti della città hanno sentito il bisogno di gridare la loro presenza. Hanno voluto che il loro obelisco annunciasse, visibile per miglia e miglia nelle giornate chiare, «ci siamo anche noi». E anche questa nostra macchiolina sulla carta, nel mezzo del nulla, è America tanto quanto Chicago o New York o San Francisco.

Megalomani, generosi, volgari, materialisti, spacconi, magnifici, scintillanti, i grattacieli americani sono la rappresentazione della virilità di un popolo. Se la maggior parte degli Stati Uniti è femmina, nella curvatura materna del suo interno nutrito dalla generosità del fiume più fertile del mondo, il Mississippi, che la divide in due metà esatte, le città sono maschili, egolatre, aggressive. Tanto eloquente è la loro potenza simbolica, che nelle capitali del resto del mondo i nuovi uomini ricchi della Terra, dai cinesi di Shanghai ai giapponesi della Tokyo dello Shinjuku o agli sceicchi di Dubai, dagli indonesiani ai taiwanesi, si affrettano, appena hanno soldi da buttare, a sfogare la loro «invidia del pene» americano, erigendo torri insensate ma più grosse.

Persino l'Urss di Stalin, che avrebbe dovuto essere immune dal maschilismo esibizionista del profitto, soffrì del complesso. Volle erigere quei sette mostruosi grattacieli nello stile art nouveau e *wedding cake*, torta nuziale, nato nella Manhattan degli anni Venti non per vezzi architettonici, come Stalin credeva, ma per regolamenti edilizi che obbligavano a costruire palazzi a gradinate via via più strette, per non chiudere le strade nell'ombra perenne, problema che Mosca non aveva. Stalin era talmente succubo del mito totemico americano che pretese in quei grattacieli le prese di corrente all'americana, quelle a baionetta, costringendo a importare prese elettriche speciali soltanto per loro. Ci cadde pure il più moderno Kruscev, che inventò una strada di Mosca, il Prospekt Kalinin, per scimmiottare la Quinta Strada.

Ci siamo cascati in molti nel sogno del grattacielo, almeno noi dell'*American generation*, della generazione dei figli della guerra e della liberazione dal fascismo, in un'Italia che di Manhattan aveva visto soltanto le figure, e perciò chiamava i suoi grattacielini tascabili con accrescitivi commoventi, come il Pirellone. O come quei «centri direzionali» che non avrebbero impressionato neppure il reverendo pastore della Trinity Church.

Ma il modello non era trasferibile, era, come è nel Mondo Nuovo, una scimmiottatura. L'America senza grattacieli sarebbe impensabile, peggio, una «non America» come sognavano gli assassini di settembre, perché lo *skyscraper* di Manhattan o di downtown Chicago, dove in realtà nacque il grattacielo, è magnifico perché è il frutto naturale dell'albero che lo ha prodotto. Una Manhattan di villette unifamiliari a due piani – come pure era, prima di arrivare agli orti e alle fattorie di Harlem, a metà del XIX secolo – ci sembrerebbe, giustamente, assurda come un Empire State Building sulla piazza del Campo a Siena.

Ma anche l'ideologia dell'orizzontale e dell'antigrattacielo si è dissolta. Nel sangue, come si dissolvono tanti dei miti ideologici. Il suo zenith è coinciso con il suo nadir, nell'11 settembre, con la distruzione rituale del totem americano. La Manhattan soffocata dalle sequoie pietrificate, che tanti avevano dato per ferita a morte, è tornata a vivere con rabbia. Ora gli acquirenti si contendono appartamenti a prezzi stratosferici in gare d'asta. I costruttori rastrellano quartieri disastrati – il West End dei vecchi musical col coltello a serramanico, i vecchi mercati generali della carne, il lungo Hudson, addirittura parti del Bronx già frontiera del «vicino West» e le strade oltre il confine razziale della 100ª che i «bianchi» non osavano oltrepassare – per rivendere appartamenti ridipinti e risistemati a milionari e scommettitori che si indebitano oggi per rivendere con profitto un mese più tardi. Un tabloid di New York ha raccontato che la polizia ha arrestato, negli ultimi anni, almeno venti falsi immobiliaristi che avevano venduto l'Empire State Building a ingenui, ma ricchissimi turisti asiatici appena sbarcati dall'aereo, con tanto di avvocati, compromesso e, naturalmente, congruo anticipo.

L'abbattimento delle Torri Gemelle non è stata la morte, come speravano i suoi carnefici, ma la resurrezione del grattacielo, la rivincita dell'orgoglio della città, la riscoperta che l'affastellarsi l'uno sull'altro, per dozzine di piani, come su vassoi di umanità alti centinaia di metri, non aliena, come voleva la retorica sociopolitica degli anni Sessanta e Settanta, ma può riavvicinare, riumanizzare, scaldare.

Persino il temuto ascensore, con quel suo incerto e imbarazzato galateo di occhiatine, colpetti di tosse e sguardi imploranti al rosario dei piani che scorre sempre troppo adagio anche ai 60 km all'ora degli ultimi impianti, è un luogo di possibile socializzazione, di valutazioni, di seduzione, di timide avance, forse di futuri amori. La corsa all'altezza è finita, ma il grattacielo, già arroganza del futuro, è diventato archeologia, dunque nostalgia.

Basta arrivare a New York con il treno che sale dal Sud fra gli orrori petrolchimici del New Jersey, o sbucare dall'autostrada 95 correndo verso il Lincoln Tunnel che conduce a midtown Manhattan e cercare con gli occhi quello che conoscevi tanto bene e che non c'è più, per sentire il rimpianto, e la voglia di un sorriso sdentato, ma ancora vivo.

L'onda venuta dalla terra

All'alba del 24 agosto, il dottor Evan J. Smith Blake del Centro nazionale per gli uragani in Florida sorseggiò il suo terzo vaso di caffè amaro e guardò lo schermo del radar Doppler. Sul tavolo di lavoro, il collega del turno di notte aveva lasciato una nota: «Keep an eye on the Bahamas thing», tieni d'occhio la «cosa» delle Bahamas, e il dottor Smith aveva seguito il consiglio. La «Bahamas thing», un innocente sbuffo di nubi e di vento come mille altri attorno alle 700 isole delle Bahamas, era cresciuta mostruosamente nella notte, nutrita da un oceano che aveva raggiunto la temperatura umana, 37 gradi.

Il dottor Smith Blake non perse tempo. Scrisse in cinque righe asciutte il certificato di nascita della dodicesima «depressione tropicale» atlantica 2005. Era ancora troppo piccina, troppo debole, per meritare un nome che avrebbe acquisito soltanto se fosse cresciuta fino a essere un uragano, ma per curiosità Smith Blake scorse la lista dei nomi alternati maschili e femminili preparati in anticipo per la *hurricane season* di quell'anno. I primi erano stati consumati da uragani già passati dal mese di giugno, Arlene, Bret, Cindy... il primo disponibile era un nome da straniera, grazioso. Katrina.

Cinque ore più tardi, a 3000 chilometri di distanza dal meteorologo in Florida, Walter Maestri compose sul telefono cellulare il numero del redattore del «Times Picayune», il quotidiano di New Orleans, che da anni era il suo contatto. «Ho un brutto presentimento» disse il vecchio italo-americano, ex direttore dei servizi di emergenza a New Orleans «con questa depressione dalla Florida.» «Walter, Walter, sono vent'anni che tu hai brutti presentimenti...» Maestri non rise. «Questa mattina sono andato a dare un'occhiata alle mie dighe sul lago. Non hanno fatto niente, neanche un lavoro di quelli che avevo raccomandato e se ci arriva addosso un uragano, che Dio ci protegga.» «Che Dio ci protegga» lo salutò il reporter, che aveva poca fede ma molto da fare. Quando anche lui, come tutta la redazione del «Times», fu costretta a scappare in barca, rimpianse di non avere pregato.

Katrina fu straordinariamente veloce, ma anche dispettosa. Corse zigzagando e attraversando il golfo in soli tre giorni, ingannando i cacciatori di disastri mandati dai network per farsi sbatacchiare in diretta nel centro di New Orleans, che entravano e uscivano dall'unico bar rimasto aperto, il Sonny's, nel Quartiere francese, a bere margarita a metà prezzo, senza catastrofi da raccontare. All'ultimo istante, erano le sei del mattino di domenica 27 in Louisiana, la carognetta aveva fatto l'ennesimo zig, si era addomesticata a una «categoria 4», appena 240 chilometri l'ora, e stava passando accanto, non sopra New Orleans, lasciando i reporter sotto una pioggia qualsiasi, in strade lucidate dall'acqua, ma intatte. Nel pomeriggio, mentre Katrina bastonava le città a est – Biloxi, Mobile, Baton Rouge –, delle quali al pubblico non importava nulla, gli inviati, furiosi per la buca e irritati per l'esaurimento della tequila da Sonny's, si rassegnarono a dire che «New Orleans poteva tirare un sospiro di sollievo».

Fu un inviato della Fox Tv a rilanciare una voce che frullava nel vento: «Si sente dire che uno degli argini a est abbia ceduto». Erano solo voci e non poteva essere una cosa grave. In quelle ore il presidente americano, il pater familias della nazione, era tornato sereno nel suo ranch a esercitarsi su una chitarra con il simbolo presidenziale inciso sopra, omaggio di un cantante country western. Il sindaco di New Orleans, un nero e democratico, Ray Nagin, che aveva previsto la fine del mondo e aveva detto «se restate qui, morirete», aveva fatto la solita figura del catastrofista di sinistra.

Ma non fu l'uragano a uccidere New Orleans, né il Dio di Sodoma e Gomorra, come avrebbe detto poi qualche allucinato predicatore. Sono stati gli uomini, i governi, gli amministratori stolti e improvvidi. La prima onda arrivò da nordest, dalla parte dell'autostrada 510. Non fu granché. Una lunga leccata d'acqua tracimata dalla diga sul lato del Lago Pontchartrain, che non è un lago come il Garda ma un'enorme pozzanghera piatta e limacciosa che ha soltanto, come tutti gli altri laghi che circondano New Orleans – Lago Bourgne, Lago Maurepas, Lago Salvador –, il difetto di essere di cinque metri più alto della conca entro la quale sta la città. Lungo quella diga scavalcata dalla pozzanghera gonfiata, c'erano soltanto le casupole di legno e cartongesso della città nera, di quel 27 per cento di abitanti che vivono sotto il livello della povertà ufficiale, oltre che dell'acqua. Muoiono i poveri, nessun allarme. Una foto che soltanto il «Los Angeles Times» ha osato pubblicare mostra una donna grassa che naviga accanto a un argine, a faccia in giù.

Un'altra donna, sulla spalletta, accarezza il suo cane spaventato e guarda il cadavere scivolare via.

La seconda onda arrivò con la terza, la quarta, la quinta, con tutta la massa che aveva spezzato i *levees*, come li chiamano, gli argini di terra e ghiaia rinforzati da una piccola parete di cemento armato che il Genio militare costruì, secondo gli ordini ricevuti dall'alto, per resistere a un uragano forza 3. «Per ragioni di costo e benefici» spiegano ora, perché i «categoria 5» sono rari e innalzare la barriera sarebbe costato troppo. I 500 milioni di dollari per costruire i nuovi stadi si trovano, ma i milioni che Walter Maestri aveva chiesto dal 2003 per alzare almeno i lati più esposti non c'erano mai. Nella finanziaria del 2005, il sindaco e il Genio avevano chiesto 30 milioni per i *levees* di New Orleans. L'amministrazione, intenta a ridurre le tasse e a pagare il conto dell'Iraq, ne aveva assegnati due e tagliato 200 milioni dal fondo nazionale per la difesa delle coste dagli uragani. E il Genio militare, che oggi lo nega, aveva allora ammesso che la cassa era svuotata dalla guerra. Nella sua infinita misericordia, il Congresso ne aveva concessi tre e mezzo. Manutenzione ordinaria.

Mercoledì 31 agosto, mentre George W. Bush era a San Diego davanti alla flotta del Pacifico per commemorare la resa del Giappone, New Orleans era con l'acqua alla gola e si arrendeva. Nel Superdome, il vecchio stadio di football, almeno 20 mila persone senza mezzi e soldi per fuggire da New Orleans furono intruppate, accatastate sui sedili ma tenute lontane dal campo verdissimo di astroturf, erba artificiale, riassettato in attesa dell'inizio imminente del campionato. Ventimila persone che in poche ore avevano trasformato i gabinetti pubblici in buglioli da lager per il riflusso di feci e urine, senza cibo, senza acqua, senza medicinali, tranne quelli portati di persona dai profughi. «Dome People» furono chiamati, ricordando i «Boat People» vietnamiti alla deriva nell'oceano. In tre si sono buttati dall'anello superiore, sporcando l'astroturf, forse suicidi, forse gettati giù durante una rissa per una bottiglia o una pillola. Una bambina di dieci anni è caduta in coma diabetico, salvata perché dal fondo di una borsa una donna anziana, con meno vita da perdere, ha tirato fuori la sua siringa di insulina.

All'ospedale della Carità un bambino leucemico di sette anni, operato di trapianto del midollo sabato, è stato portato via dentro una gabbia di ferro appesa a un elicottero, tra le braccia della madre che reggeva le flebo. Un bambino più fortunato, forse, degli otto cardiopatici acuti portati sul tetto dell'ospedale allagato e coi generatori sott'acqua, e morti dopo due notti all'aperto, nei 35 gradi all'umido, davanti a cardiologi impotenti. Quando la «battaglia di New Orleans» è iniziata e le colonne di mezzi militari e di soccorsi civili hanno cominciato a entrare per riconquistare la città, l'acqua aveva preso il Quartiere francese, lavato via i resti del bar di Sonny, sventrato le hall degli alberghi. Tra loro, la donna che per un'intera notte ha retto abbracciata al marito sul tetto lambito dall'acqua prima di lasciarsi scivolare giù e salvare almeno il suo uomo stremato. *Titanic on the Mississippi*, ma vero.

«Ottimo lavoro» dirà poi George W. Bush al direttore della Protezione civile, Mike Brown, ignorando il disastro e l'inettitudine di quel funzionario, poi costretto a dimettersi.

Da quella sciagura, New Orleans sta ancora tentando di risorgere. Ma George W. Bush non si rialzò più e New Orleans fu l'inizio della fine per lui.

Che tempo farà

All'ombra di tre monti piatti come un trittico d'altare, la bambina pallida si butta dentro un tornado. Un vecchio con occhi lacrimosi guarda bruciare il mondo e io scuoto la sfera della Terra fra le dita, spostando correnti in quota, nubi, pioggia: che faccio, inaridisco la Francia o inondo il Sahara? Per un'ora, tra i giochi seri e le simulazioni scientifiche, noi siamo i signori del tempo, del vento, dei ghiacci e della pioggia, qui dentro il santuario delle nuvole e del sole dove anche i turisti possono giocare a dio con il clima. Tuoni lontani scendono dalle pale d'altare e rotolano verso questo altipiano del Colorado intriso di sangue indiano. Scuotono le vetrate dell'edificio che I.M. Pei costruì quarant'anni or sono alla maniera degli Anasazi, dei Pueblo Indians, di quei «selvaggi» che 5000 anni fa sapevano già quello che oggi noi siamo costretti a riscoprire con i supercomputer e i satelliti: che della Terra noi non siamo i padroni, ma i custodi. E che stiamo facendo un pessimo lavoro.

Su una delle gibbosità rocciose che in Colorado chiamano *boulder* sta appollaiato il più importante centro di ricerca, divulgazione e predicazione atmosferica del mondo, lo Ncar. Contiene la più grande biblioteca meteorologica del sistema solare, con l'equivalente di 3,6 miliardi di libri di Harry Potter, aperta a tutti, splendida come sa essere l'America quando è ancora l'America che amiamo. Solitario e un po' superbo, come i nidi delle aquile che qui ancora volano e non sono finite impastate sui biglietti di banca, il National Center for Atmospheric Research, lo Ncar appunto, è il Vaticano della meteorologia e della climatologia. È il contenitore nazionale nel quale 66 università americane riversano e poi si contendono a borsettate come coltissime comari al mercato gli spiccioli dei finanziamenti pubblici concessi alla ricerca da un governo indifferente. Si arrangiano con un budget annuale ridotto a 150 milioni di dollari, *peanuts*. Meno di quanto costa una settimana di guerra in Iraq, per rispondere alla più semplice e fondamentale delle domande per la sopravvivenza dell'umanità: che tempo farà domani?

Venire in pellegrinaggio fino al castello color sabbia e roccia che consacrò il nome di Pei nel mondo dell'architettura quattro decenni or sono, per chiedere se domani pioverà, può sembrare blasfemo come violare un conclave per chiedere chi sarà il nuovo parroco di Piazza Brembana. Ma i duecento sacerdoti delle nuvole che lavorano qui dentro mi disingannano subito dal pregiudizio che indovinare le previsioni del tempo sia quell'esercizio che i telegiornali italiani affidano alle formule marmoree della «possibilità di precipitazioni anche a carattere temporalesco sui rilievi», cioè forse, magari, ma non è detto, pioverà. La previsione del tempo è uno dei problemi più complessi e sostanzialmente insoluti nella storia dell'umanità, come ognuno di noi terricoli può testimoniare quando, inzuppato di pioggia sulla spiaggia con la moglie furiosa e il bimbo in lacrime, maledice le previsioni «che non ci prendono mai».

L'enigma del clima e del tempo, parola che nelle lingue romanze non distingue, a differenza dell'inglese, del tedesco, del russo fra «tempo atmosferico» (*weather*) e «tempo cronologico» (*time*), affonda le sue radici nella «teoria del caos», popolarizzata nell'immagine della farfalla in Amazzonia che battendo le ali produce pioggia in Ucraina o siccità in Oklahoma e dunque rende astronomiche le possibili variazioni. Il problema di valutarle tutte già affascinò il genio della matematica francese Poincaré. Attrasse il primo teorico riconosciuto del caos, Lorenz, e appassionò i padri della cibernetica. Von Neumann, colui che inventò l'architettura del calcolatore elettronico ancora in uso, pensò immediatamente di applicare il «computer» alle previsioni del tempo. Il suo ritratto, mi fa notare il dottor Joe Tribbia, che tra i sacerdoti delle nuvole è appunto il teologo del caos, osserva corrucciato la sala riunioni dello Ncar dalla parete.

Nell'autunno del 2005, nell'America sbigottita davanti a un numero straordinario di uragani feroci, una processione di convertiti e penitenti dell'«effetto serra», persino politici di grande calibro come la senatrice californiana Barbara Boxer, che telefona continuamente per avere notizie, hanno bussato a queste porte come villici terrorizzati da una nuova pestilenza, per chiedere lumi e rimedi. Come se questi uomini e queste donne, che spendono una vita soltanto per studiare le minuscole bollicine d'aria imprigionate da millenni nei ghiacci dei poli e capire così che cosa respirassero Giulio Cesare o Gengis Khan, fossero alchimisti con la formula in tasca.

Cosa che fa infuriare due volte i sacerdoti delle nubi:

«Primo» si rannuvola il dottor Kevin Trenberth, che delle «mutazioni climatiche» è qui il massimo sacerdote, «perché tutti ci ignorano quando il tempo è perfetto e poi ci invocano quando piove troppo o troppo poco. Secondo, perché eventi come Katrina, Rita o l'aumento nel numero e nella potenza degli uragani sono facilmente fraintesi come segnali di catastrofi climatiche ormai in atto, mentre in realtà la prossima stagione potremmo non averne, in teoria, neppure uno e questo finirebbe per assolvere tutti dai peccati precedenti. La tragedia non è Katrina, è l'aumento del 30 per cento delle polveri sospese nell'atmosfera a causa del petrolio bruciato.»

Il punto dal quale Trenberth ci chiede di partire per non cadere nella tentazione del panico o nell'ostinazione dello scetticismo è tanto ovvio (per lui) quanto ignorato. «Il pubblico fa confusione tra tempo e clima. Il tempo è quello che si vede fuori dalla finestra. Il clima è la situazione atmosferica globale che deve essere valutata sui lunghi periodi, almeno di 50 anni in 50 anni. Si può avere un'estate rovente, senza che questo indichi nessun mutamento di clima, o un inverno statisticamente normale che nasconde invece mutamenti profondi di clima. Paradossalmente, per il consumatore, sembra più facile azzeccare il tempo di domani che il clima fra cento anni e invece è il contrario.» Nessun meteorologo vero osa spingere una previsione attendibile oltre i tre giorni. Sei, sette, è il confine massimo per i più temerari.

Bene, allora mi faccia le previsioni del clima per la mattina del 1° settembre 2105, quando i nipoti dei nipoti dei miei nipoti andranno per la prima volta a scuola. «Farà caldo, sicuramente più caldo, dai due ai quattro gradi centigradi in più.» Soltanto? «Soltanto?» sorride il climatologo. «Lo sa quanto è la temperatura media del nostro pianeta?» Ovviamente, non lo so. «È di 15 gradi centigradi. Dunque tre gradi in più significherebbe il 20 per cento di aumento, un disastro.» Per colpa nostra? «Anche per colpa nostra. I nostri modelli ci dicono che, se togliamo i fattori di inquinamento atmosferico, le proiezioni cambiano tutte e sempre e semmai la tendenza naturale della Terra sarebbe verso il raffreddamento. Non è detto che eliminando i gas e le polveri da combustibili fossili che oggi vomitiamo nell'atmosfera tutto si invertirebbe, perché basta l'eruzione di un grande vulcano per cambiare il clima per alcuni anni. Ma è certo che, senza cambiare i nostri comportamenti e prevedendo lo sviluppo industriale della Cina e dell'India, le cose peggioreranno. Su questo, nessuno scienziato serio può avere dubbi.»

Strano come il tempo, nel senso del «piove o non piove», sia divenuto materia per il consumo di massa proprio ora che tanta parte dell'umanità vive come mai prima in bolle artificiali, riscaldate, condizionate, appunto «climatizzate», e il maltempo è al massimo una seccatura. Rimorso? Ansia? Timore di essere diventati, come sorride malizioso Joe Tribbia, una sorta di «virus» che l'organismo Terra sta cercando di scrollarsi di dosso con spallate sempre più violente, prima che noi virus impestiamo e uccidiamo lei? Forse, ma questi scienziati non sono Cassandre da talk show, sono osservatori e preferiscono evitare quel catastrofismo sbeffeggiato da Michael Crichton, il romanziere degli scettici, nel suo *Stato di paura* o prediche ideologiche.

Certamente, qui è inutile perdere tempo a cercare tifosi di Bush e del suo stizzoso «no» al trattato di Kyoto firmato dai suoi predecessori democratici. «Questa in carica dal 2001 è la presidenza più antiscientifica che abbia visto nella mia vita» tuona Trenberth. E Tribbia, l'uomo del caos, è appena più moderato nella forma, non nella sostanza: «Kyoto non era gran cosa ma era il primo segnale che i governi avevano finalmente capito che un problema esiste e che può essere affrontato soltanto da tutte le nazioni, e non alla spicciolata. Sarebbe prudente, *prudent*, cioè saggio, cominciare a cambiare i nostri comportamenti e i nostri consumi». Ma cambiare i comportamenti è qualcosa che nessun governo vuol fare, soprattutto in un'America drogata dal petrolio a basso prezzo, perché puntando su quei comportamenti ha vinto elezioni e potere. «Già» mormora lo studioso del caos, allineando sovrappensiero come matite in un astuccio le patate fritte sparse sul piatto, nel caos della colazione.

C'è una sorta di malinconia amara dietro questi scienziati che ogni giorno vedono e misurano lo stupro della Terra e non possono fare altro che pubblicare studi condannati a sfumare nella nostra attenzione, e dunque nella sensibilità dei politici, quando il cielo si rasserena. «Il clima sta cambiando per colpa nostra,» scoppia uno dei «modellisti» del clima «ci sono specie animali, insetti, rettili, uccelli, che avanzano da sud verso nord e che troviamo dove mai avevano abitato prima, e gli animali non fanno politica, non votano. Altre specie, come il rospo dorato, si sono estinte perché la protezione delle nubi d'alta quota dove vivevano si è dissolta. Tra il 1950 e il 2000 si è registrata la temperatura media più alta degli ultimi mille anni e anche cominciando ora a ridurre l'anidride carbonica dovremmo aspettare almeno un secolo per vederne i benefici, perché il CO_2 ha una vita di cento anni.

«Stiamo già assistendo a grandi movimenti di popolazioni causati dal clima mutato. Nei fenomeni delle grandi migrazioni umane non si tiene mai conto dell'effetto del clima. Anche l'Impero romano conobbe difficoltà climatiche crescenti che influirono sulla capacità di sfamare i suoi sudditi. Poiché tutto è così terribilmente complesso, è sempre facile trovare qualcosa a cui appigliarsi per negare» mi dice mentre mi porta a incontrare il personaggio più importante, il Papa blu di questo Vaticano del cielo azzurro. «Lui ci darà risposte ancora più precise e speriamo definitive.»

«Lui» sono 50 armadi collegati tra loro e naturalmente battezzati e antropomorfizzati, come l'Hal 9000 dell'*Odissea nello spazio*. Si chiama Blue Vista, Blue come il nomignolo dell'Ibm che ha costruito questo supercomputer capace di 8,3 teraflops, otto milioni di milioni di operazioni matematiche al secondo. Ciascuno dei processori di Blue Vista ha cento volte la potenza del più veloce calcolatore personale e ne funzionano, in questi sotterranei, migliaia in parallelo. Questo è il Pontefice, l'Oracolo, la Risposta. Forse già un sospetto di Dio.

La finestra per guardare nella mente di Blue Vista è un monitor al plasma da 50 pollici, attraverso il quale, come la pietra del Sinai, il Signore invia le sue decisioni. La mia guida batte sulla tastiera e appare l'immagine della nostra Terra come era nel 1870, quando esplose la seconda rivoluzione industriale. Vedo la sua pelle cominciare ad arrossarsi a fine Ottocento, come il sederino irritato di un neonato, dapprima a piccole chiazze nell'Europa e nell'America delle prime ciminiere. Poi le chiazze rosse sulla Terra si allargano, divengono un eczema, a est, a ovest, a nord. Mentre il calendario avanza, il rosso consuma regioni della Terra, l'azzurro intenso dei mari impallidisce verso il rosa attorno alle coste e il velo bianco dei poli si ritira offeso. Quando «Hal» disciplinatamente si ferma, nel 2100, la Terra è un unico lago rosso, dalla Siberia all'Antartide. «I ghiacciai» butta lì la mia guida «sono come aerei con l'autopilota.» Prego? «Se scatta il meccanismo che li fa sciogliere e ritirare, si scioglieranno sempre di più.» Ora hanno raggiunto il *tipping point*, il punto critico. Volano con l'autopilota verso l'autodistruzione.

Dev'essere l'altitudine, ma qui manca un po' il respiro. Usciamo sulle terrazze che Pei costruì, copiando gli indiani Anasazi, per ricevere il vento dai monti detti del «Ferro da stiro» ed evitare l'aria condizionata (ma non il riscaldamento, gli inverni sono duri). Nel dopo tempesta l'aria è perfetta. Visibili come un cartone animato, all'orizzonte si alzano i grattacieli di Denver. «Sa quanto distano? Diciannove miglia appena, poco, vero? Sembra di poterli toccare quando l'aria è trasparente.» Una pausa e arriva la *punch line*, come si dice in teatro, la battuta-chiave. «La distanza che ci separa da quei grattacieli è esattamente lo spessore di quella parte di atmosfera, la troposfera, che mantiene la vita sulla Terra, tutto qui. Sottile, le pare?»

Sulla terrazza ci hanno raggiunto la bambina pallida che

aveva abbracciato il tornado dentro la macchina che li produce in miniatura, il vecchio con gli occhi sempre lacrimosi, gli altri turisti dell'apocalisse atmosferica. Respiriamo tutti a bocca aperta, inghiottendo grandi boccate d'aria, come se volessimo fare il pieno. Finché ce n'è.

Hotel America

La mamma di plastica

Fu il giorno 31 gennaio 1990, quando la grande «M» gialla del primo McDonald's a Mosca si illuminò sotto gli occhi di Aleksandr Puškin in quella che ancora si chiamava Unione Sovietica, che la Guerra fredda finì davvero e la supremazia globale degli Stati Uniti d'America ebbe la propria celebrazione, fritta con patatine.

Decenni di confronto sulla soglia dell'annientamento nucleare si dissolsero come il grasso delle polpette di manzo tritato sulla piastra arroventata di quel ristorante in piazza Puškin che servì 30 mila moscoviti in dieci ore. «Mi sembra di essere in America» sospirò sognante una ragazza russa al telegiornale della rete Abc. Se la globalizzazione del cibo ha ormai diluito i confini geografici delle cucine nazionali e si consumano pizze in Nigeria e sushi a Trastevere, la polpetta di misteriose frattaglie di bovino in mezzo a un panino è la sintesi perfetta e inconfondibile della nazione che l'ha inventata.

La pizza non è da tempo più italiana. L'hamburger, a dispetto dell'origine nel porto anseatico, resta americano. Le quattro catene principali di fast food nel mondo, la McDonald's di Chicago, la Burger King di Miami, la Wendy's dell'Ohio e la Kentucky Fried Chicken, alzano la propria bandiera in 138 nazioni del mondo, con 50 mila ristoranti complessivi, in un'invasione culturale che terrorizza i tradizionalisti che la subiscono come l'avanguardia dell'acculturazione consumista e secolarista. «Chi mangia un hamburger non va in guerra contro l'America» sostenne, un po' ottimisticamente, Thomas Friedman.

Era stata una piccola, maliziosa rivincita degli dei, fin troppo generosi con l'America, se questa terra era stata inizialmente colonizzata dai figli delle peggiori gastronomie europee, inglesi, tedeschi, irlandesi. Ma la vendetta della potenza americana sul mondo che le aveva inflitto il peggio dei propri cibi sarebbe stata terribile. Lo squallido hamburger ha raggiunto ogni angolo della Terra, perché, come avrebbe detto del napalm il colonnello Bill Kilgore di *Apocalypse Now*, sa di America. Della nazione che rappresenta ha tutte le caratteristiche fondamentali e costituenti. È *fast*, rapido, portatile, mobile, comodo e modulare. Tra i due emisferi di pane, come nei leggendari sandwich che Nonna Papera preparava per i nipotini pennuti, si possono montare piani successivi di carne trita, formaggio finto, foglie di lattuga a piacere, limitati soltanto dall'apertura delle mandibole e dal desiderio di foderarsi le arterie di grassi.

L'hamburger è standardizzato, esattamente come le stanze d'albergo delle grandi catene di hotel e di motel americani indistinguibili le une dalle altre, per un momento di rassicurazione e di conforto per il viaggiatore americano che può illudersi di non essersi mai mosso da casa. Come le benzine, i detersivi, i decongestionanti nasali, le pomate antiprurito, non presenta importanti e decisive differenze, dunque si presta magnificamente alla vera, insuperabile industria americana della differenziazione immaginaria, che è il marketing.

Attorno a polpette ottenute dai brandelli di carne strappati con lo *stripping* alle carcasse spolpate delle parti migliori, la creatività dei pubblicitari e dei *marketeers* si deve sbizzarrire, perché dal successo o dal fallimento di una campagna di promozione, di un pupazzetto associato, di un personaggio cinematografico, dipendono le vendite. Sono Batman o l'Uomo Ragno o le automobiline di *Cars* che vendono i panini, non quello che c'è dentro.

È la traduzione dei meccanismi di produzione in serie

dalle officine di Henry Ford alle cucine, la «taylorizzazione» del nutrimento. Non occorrono cuochi, bastano un adolescente imbranato o un'immigrata salvadoregna in grado di seguire istruzioni elementari per cuocerlo e creare l'illusione della «personalizzazione» con una fetta di cipolla in più o in meno, come spoiler appiccicati sulla coda di auto identiche. È ripetibile all'infinito e non c'è nulla, dalle catene che sfornano le polpette alle friggitrici per le patatine, che un robot non potrebbe fare. Dà, come un film western, una sensazione di pienezza che si dissolve rapidamente e crea il desiderio di consumarne un altro, la «dipendenza». Presenta margini di profitto immensi, al punto di potere essere venduto anche a 99 centesimi di dollaro, 70 centesimi di euro. E permette agli ecologisti, agli anticapitalisti, agli antiamericani in tutto il mondo, dai sacerdoti del «cibo lento» ai difensori degli indios amazzonici, di avere un comodo, soffice, economico e soprattutto universale bersaglio da attaccare per denunciare le infamie dell'imperialismo fritto.

In fondo hanno ragione, perché l'hamburger è arrivato dove neppure i marines possono immaginare di piantare la bandiera. Nel 1972, quando Richard Nixon s'imbarcò sull'*Air Force One* per tornare a casa dopo giorni di banchetti ufficiali nella Città Proibita di Beijing, il Servizio segreto e l'Aviazione militare fecero trovare a lui, al suo staff e ai giornalisti un carico di hamburger. Sull'aereo scoppiò un'ovazione e il presidente in persona annunciò dagli altoparlanti, prima ancora che il carrello si staccasse dalla pista: «bentornati in America, boys». La ragazza di piazza Puškin, trent'anni più tardi, avrebbe capito.

Mangiare meno, mangiare tutti

Che sia una guerra, lo dicono le cifre. Costa 550 miliardi di dollari all'anno, quanto spende il Pentagono per combattere le sue. Che la guerra sia lontanissima dall'essere vinta, lo dice il fatto che ogni giorno una nuova battaglia epocale tra le forze del Magro e le forze del Grasso viene annunciata, combattuta e puntualmente persa, lasciando sul campo milioni di vittime ingrassate come oche nell'illusione di avere trovato la Chimera, il mitico cibo che può essere mangiato a palate senza fare ingrassare. Nell'estate del 2005, mentre il numero di «tecnicamente obesi» e di seriamente grassocci raggiungeva negli Stati Uniti il massimo storico dei due terzi della popolazione, sul campo di battaglia giacevano i rottami della Dieta Atkins, fallita, della South Beach Diet, adottata da Clinton poi infartato, della psicosi anticarboidrati, e il «New York Times» prometteva il nuovo miracolo a lettori in lotta con i bikini e i costumini Speedo: i grassi che fanno bene. Il fritto che non è fritto, ma che si può sgranocchiare senza commettere peccato.

Nei laboratori della Proteus Industries in Massachusetts, già nel nome qualcosa di sinistro, carcasse di pollo sono irrorate da un liquame grigiastro e colloso che le avvolge prima di essere gettate nelle padelle, dove il miracolo si materializza. Il pollo frigge, ma assorbe soltanto la metà dell'unto, grazie al profilattico chimico che lo avvolge e dunque permette al consumatore di mangiarlo più sollevato. E magari di farsene due porzioni, così ingerendo la stessa quantità di grasso di quella che avrebbe inghiottito limitandosi a un pezzo solo cotto senza rivestimento. Ma questo genere di semplice aritmetica alimentare è troppo ostica per una nazione pungolata a consumare e poi flagellata per il troppo consumare.

Tutte le guerre sono gomitoli di bugie propagandistiche e questa non sfugge alla regola. Condurre una campagna a tappeto, come quella che fu condotta per il fumo di sigaretta, per convincere gli americani a ridurre le porzioni e quindi tutti gli ingredienti nocivi che possono esservi dentro, si scontrerebbe contro la potenza e l'importanza economica di un business che nutre e ingrassa la pubblicità, le televisioni, i giornali, i settimanali illustrati che nelle stesse pagine esaltano i meriti dell'ultima dieta, e poi pubblicizzano quei cibi e quelle bevande che hanno appena finito di sconsigliare. L'uscita dalla contraddizione fra dovere del consumo e timore delle conseguenze sta nel trucco propagandistico dello *healthy food*, del cibo confezionato con ingredienti salubri e benefici.

Mentre la Proteus sperimenta il proprio scudo spaziale per galline, la Pepsi Cola distribuisce le *chips* arricchite di fibre vegetali, che l'America consuma in quantità troppo basse, e che passano intatte attraverso l'apparato digerente, dunque non contribuiscono all'ingrasso. In via di estinzione farinacei con ridotti carboidrati, generati da quella folle dieta di Atkins che prometteva linea e salute purché si mangiasse soltanto carne a volontà, arriva la panetteria condita con il nuovo olio santo, l'Omega 3, ricavato dal grasso del pesce. Stimola la crescita cerebrale nei neonati, protegge le coronarie, combatte il rimbambimento senile ed è un altro «grasso che fa bene», soprattutto agli allevatori di salmoni. L'Omega 3, tenta di obiettare un nutrizionista dal curioso cognome – professor Nestlè (*sic*) – è presente in molti alimenti naturali, come le uova, e sono cresciute generazioni di bambini geniali senza mangiare salmone. Ma l'idea di consumare una pagnottona che acuisce l'ingegno e combatte l'infarto è troppo seducente per essere rintuzzata dal buon senso.

I leader politici devono naturalmente scendere in guerra, come vuole la mistica del nostro tempo. George Bush ci fa sapere di aver perduto tre chili e otto etti, avendo rinunciato a quei dolcetti e salatini che rischiarono di strozzarlo davanti al televisore (fu salvato soltanto dal pronto intervento dei due cagnolini). Il sindaco di New York, Michael Bloomberg, esorta, *urges* dice il comunicato ufficiale per dare un senso di urgenza, i ristoranti ad abbandonare burro e margarina, per usare invece olio d'oliva e altri oli vegetali. Arrivano nuovissimi «amidi modificati con enzimi speciali» per ridurre le calorie nelle patatine e nelle tortilla. Trionfano additivi chimici, come un prodotto che tiene in sospensione le bricioline di frutta nello yogurt, combattendo la gravità che tende a trascinarli sul fondo. Soltanto in additivi, si spendono 4 miliardi di dollari all'anno.

Ma il nemico è insidioso, metamorfico. I grassi «parzialmente idrogenati», che ieri parevano l'arma di salvazione di massa, ora sono tabù, impuri. E il problema chiave resta insoluto. I grassi sono i componenti che rendono appetitoso il cibo e ci sono limiti alla capacità umana di gustare carote scondite e pescetti lessi.

Il Sacro Graal che i crociati dell'industria alimentare sognano – dalla Imperial Chemical inglese, massima produttrice di additivi e surrogati, alla Kellogg, che sta investendo milioni per creare un olio di pesce che non abbia il difettuccio di sapere di pesce – è il grasso che non è grasso, che sembra grasso ma non ingrassa. La Kerry Industry (nessuna parentela politica) del Wisconsin lavora freneticamente sulla «gomma di guar», una poltiglia burrosa ricavata dalla pianta del guar, che sembra riprodurre il gusto del grasso ma è ripugnante. «Effettivamente» ammettono alla Kerry «la pasta di guar fa scattare in gola il riflesso del conato di vomito.» Un peccato.

Il rapporto col cibo, nella nazione che ne produce di più e a più buon mercato di ogni altra, diventa così un inferno da separati in casa, da amanti che passano da momenti di libidine irresistibile ad altri di reciproco terrore. La promessa della cornucopia americana, spalancata davanti ai morti di fame della Terra, diventa la minaccia di malattie tremende. Soltanto lo scudo di quell'industria e del suo arsenale da 550 miliardi dispiegato sugli scaffali dei supermercati in quelli che ora si chiamano *smart spots*, il cantuccio per mangioni intelligenti, potrà salvare i due terzi di americani grassi dalla più terrificante delle insidie. Che è la nostra incapacità di mangiare meno.

Il sudore della fronte

L'alchimista che trasformò il sudore in oro non aveva mai sospettato che il suo «succo di alligatore» avrebbe inondato il mondo, dissetando atleti cinesi e italiani, inglesi e giapponesi, e spremendo vendite globali vicine ai 3 miliardi di dollari. Fino al 1965, quando un nefrologo dell'Università della Florida chiamato Robert Cade, morto nel 2007 a ottant'anni, creò la pozione divenuta celebre con il nome commerciale di Gatorade, un sorso d'acqua e al massimo una presa di sale erano tutto ciò che un atleta esausto aveva a disposizione per cercare di rifocillarsi e di ritrovare energie. Gatorade è il nome commerciale, composto da *alligator*, il rettile che infesta la Florida (da non confondere mai con il coccodrillo) e la desinenza di *lemonade*, limonata. Ma non fu in onore delle preistoriche creature che brulicano nei canali di bonifica attorno a Miami che il nefrologo battezzò la bevanda. Fu in onore della squadra di football dell'università che ha, come proprio nome di battaglia, appunto quello di Gator e dove un allenatore in seconda sempre alla ricerca di metodi per far giocare meglio i suoi ragazzi ebbe l'idea di rivolgersi a lui. Chiese allo specialista di patologie renali di spiegare come mai i suoi atleti giovanissimi, robustissimi, allenatissimi, crollassero in rendimento nel secondo tempo come fanciulle in preda ai vapori. E alla fine dell'incontro non riuscissero a spremere un goccio di pipì.

Ora sembra l'uovo di Colombo nella sua ovvietà, ma anche per il sudore, come per l'uovo, serve un Colombo. Il dottor Cade misurò la quantità alluvionale di liquidi che i giocatori perdevano durante le partite sotto i 35, a volte 40 gradi, del campo. Vide che arrivavano a perdere anche 9 chili di peso ed erano chili di liquidi (ne espellevano tanti da non averne più da urinare). Esaminò la composizione della loro traspirazione e vide che perdevano, insieme con l'acqua, sali, elettroliti come il potassio e il sodio, e ne misurò la quantità e le proporzioni. Nel suo laboratorio preparò un cocktail di acqua, un poco di zucchero, sodio, potassio e cloro in minime quantità, per riprodurre la composizione del sudore perduto. Lui e i suoi assistenti lo bevvero ansiosi, come il dottor Jekyll, e immediatamente vomitarono. Faceva schifo. «Sembrava di bere il liquido per sgorgare i lavandini» disse pratica la moglie dell'alchimista.

Fu lei, con la semplice saggezza della donna di casa americana, a suggerire che al ripugnante beverone fosse aggiunto succo di limone e per giorni, nel laboratorio dell'Università della Florida, il dottor Cade, i tecnici e la moglie spremettero limoni e mescolarono sali. Ne uscì una bevanda potabile che questo moderno Mago Merlino portò all'allenatore della squadra per sperimentarla sugli atleti.

Ci furono forti opposizioni. Per valutarne l'efficacia, il nefrologo voleva somministrarla ai più accaldati e poi misurarne la temperatura corporea. Per via rettale. Neanche a parlarne.

Si raggiunse un compromesso. L'allenatore consentì che il «succo di alligatore» fosse dato ai rincalzi della seconda squadra, misurando la temperatura per via orale, meno accurata ma più virile. E quando la seconda squadra, i panchinari, cominciarono a suonarle ai titolari, rimontando gli svantaggi nei secondi tempi grazie a un furioso ritorno di energia, l'allenatore si convertì alla pozione. A lungo, prima che i Gators rivelassero il loro segreto, ci furono sospetti di doping, di fronte a una squadra che nei secondi tempi sembrava rinascere e vinceva 8 incontri su 10. Ma quando la verità fu scoperta, e si vide che il beverone magico altro non era che acqua e sali al limone, la fortuna del Gatorade fu scritta.

Ci sono molti che sorridono davanti al potere magico di questo liquido originalmente di color paglierino, sinistramente simile alla pipì, sostenendo che il potere del Gatorade è al 99 per cento psicologico e all'1 per cento fisiologico, e basterebbero una banana (ricca di potassio), bottiglie d'acqua, uno zuccherino, una presa di sale comune (sodio) e mezzo limone per ottenere lo stesso effetto, a un decimo del costo. Ma quando i diritti della spremuta di rettile furono presi dalla Pepsi Cola, essa fu adottata dalle divinità dello sport come Michael Jordan o come la calciatrice Mia Hamm. I giocatori delle squadre vincenti presero il vezzo di rovesciare bidoni di Gatorade sulla testa dei loro allenatori, invece del volgare champagne da autodromi, e il sorso rigeneratore divenne l'uragano di oggi.

Dopo anni di querele e bisticci in tribunale, il dottor Cade ricevette finalmente le dovute royalties, oggi passate alla moglie che ebbe l'idea dei limoni, e l'università che diede il nome incassa dalla Pepsi 50 milioni di dollari all'anno, con i quali finanzia un laboratorio di ricerca sulle malattie autoimmunitarie. Se il Gatorade faccia davvero vincere resta oggetto di discussione fra specialisti della medicina sportiva, ma il succo di rettile conferma un avvertimento classico di precettori e moralisti: non c'è mai successo senza molto sudore.

La macchina del sesso

La vecchiaia del voyeur divenuto il messia del sesso in carta patinata si celebra e si consuma in una sorta di lussuosa e lussuriosa Treccani di seni, sederi, cosce, pancini e dintorni, sempre rigorosamente femminili, che a mezzo secolo dalla prima copia di «Playboy», uscita nel 1953, raccontano la storia delle fantasie maschili che un tempo scandalizzarono il mondo e oggi non turberebbero il produttore di un qualsiasi varietà italiano. Hugh Hefner ha passato gli ottant'anni, e mai avrebbe immaginato che un giorno la sua Disneyland della pugnetta sarebbe apparsa casta e modesta, di fronte all'immondezzaio che affiora da Internet e che ne sta uccidendo le vendite.

«Playboy» – sempre acquistato per le sue famose interviste o per le stupende vignette, secondo la formula classica – e la conturbante *mansion* di Hefner in California, abitata da polpose coniglie ignude, non fanno più scandalo né vendite. I 3 milioni di copie di oggi, cifra comunque rispettabile, sono la metà di quelle che erano vendute negli anni di gloria. Troppa, e troppo sfacciata, è ormai la concorrenza di altri magazine più brutali e della pornografia gratuita via Internet, perché quelle super Barbie umane, anche con le loro mammelle simili a palloni aerostatici, possano competere. Ci sono voluti 50 anni di pubblicazioni e 80 anni di vita per colui che avrebbe «distrutto la gioventù americana», nelle parole tonanti del reverendo Bill Graham, per dimostrare che lo scandalo di una generazione diviene inesorabilmente la banalità della generazione successiva. Che la trasgressione di ieri è la normalità di oggi.

La collera delle protofemministe, non a caso guidate, fra le altre, proprio da un'ex coniglietta che si esibiva con mutanda di raso nero e ciuffo di pelo bianco sul sedere, Gloria Steinem, ha lasciato il posto a una rassegnazione, o addirittura accettazione, del modello della «donna angelicata» secondo i desideri dei maschi. Ispirate dall'antico principio del «se non riesci a sconfiggere il nemico, unisciti a lui», trionfano catene di negozi di intimo femminile come Victoria's Secret, dove si vendono biancheria, pagliaccetti, briglie, costumini tivedoenontivedo che le mamme delle clienti di oggi avrebbero bruciato sulla pubblica piazza. Le figlie li indossano golosamente, avendo stabilito finalmente che non esiste alcuna contraddizione socio-politico-morale-ideologica tra pilotare un cacciabombardiere di giorno e strizzarsi in guêpière e calze a rete la sera.

Hefner, ormai un nonnino con fattezze rassicuranti che passa tra le bonazze nel proprio castello con l'aria di non ricordarsi più a che cosa dovrebbero servire, ha vinto e quindi ha perso la propria battaglia per smitizzare il sesso femminile, per depotenziare svelando. Le sue 631 inarrivabili bellezze con tutta la mercanzia al vento, ma sempre esposte in pose *coquettes*, modestamente sporcaccioncelle, e mai svaccate, hanno incarnato una visione barocca e irrealistica delle forme femminili sognate dai maschi. Niente ero-look e ninfe anoressiche, in queste pagine. Ma neppure porcate. Foto da studio, non da buco della serratura, come più tardi i concorrenti più sguaiati alla Larry Flint con il suo «Hustler» o «Penthouse» avrebbero fatto. Roba da studenti di licei dei preti, non da militari in libera uscita, immortalata nella formula hefneriana: «Voglio donne con il volto di Julie Andrews e il corpo di Jayne Mansfield». Veneri da convento, vergini esibizioniste, fotografate con il filtro soft.

Soltanto negli anni Cinquanta dell'America di *Lucy ed io*, quando la censura proibiva di mostrare letti matrimoniali per non dare idee strane, ma soltanto letti gemelli, in Italia si cucivano i mutandoni per le ballerine, i chierici applicavano foglie e drappi sorretti da forze mistiche alle pudenda delle statue, questo esercito di belle ragazze smutandate poteva sembrare uno dei segni dell'imminente Apocalisse. Marilyn morì come sappiamo, uccisa dalla propria intoccabile solitudine. Jayne Mansfield si sgonfiò con l'afflosciarsi delle proprie virtù. Ma la maggior parte di quelle regine di forme opulente ancora tradiva il sogno di prosperità di un'America uscita dalla guerra e vogliosa di ricchezze simboleggiate da loro, come dalle Cadillac e dalle Studebaker gigantesche.

Oggi si guidano macchine a motori ibridi, e loro sono, se ancora vive, nonne, casalinghe, signore indistinguibili, per acciacchi, rimpianti, battaglie perse contro la forza di gravità, dalle coetanee che mai sarebbero entrate nel *centerfold*, il pieghevole centrale che si allungava come una mappa stradale del Touring per illustrare ogni curva e ansa della strada verso il sogno. Sono diventate medici (due di loro), infermiere, avvocatesse (quattro), accompagnatrici e acconciatrici di cani (molte), insegnanti (venti), a conferma che quoziente di intelligenza e circonferenza di busto non sono misure contraddittorie.

Il tempo della trasgressione era finito da un pezzo, per Hefner, per le sue nonne conigliette, per i distributori europei che portavano le prime copie e convincevano i fanciulli italiani che le donne americane erano fatte, sorprendentemente, come le nostre. Forse finì nel 1976 quando, confermando la solita scusa del «compro "Playboy" per leggere le interviste», un quaresimalista bacchettone e bigotto come Jimmy Carter scelse proprio quella rivista per una lunga intervista e confessò che «ogni tanto provava desiderio per altre donne», senza per questo tradire la sua ex parrucchiera per signore, Rosalynn. Ci rischiò la testa politica, il futuro presidente, non soltanto per l'umana confessione, ma per avere scelto proprio

«Playboy» per farlo. Erano tutte fantasie, amori di carta, peccatucci di provincia, rapporti sessuali «con la persona alla quale voglio più bene al mondo, cioè me stesso», secondo la battuta di Woody Allen.

Come disse l'umorista Art Buchwald, «guardo "Playboy" con lo stesso spirito con il quale guardo il "National Geographic", per vedere luoghi che non visiterò mai di persona». Questo vecchio folletto ultraottantenne porterà molti maschi all'Inferno, ma almeno avrà dimostrato che nel viaggio non si diventa ciechi.

Il segreto di Victoria

Al momento di intraprendere la loro monumentale ricerca sul «sesso in America» all'inizio del Terzo Millennio, i bravi ricercatori furono presi da un momento di panico: «Definire che cosa sia il sesso in America e se esistano comportamenti e atteggiamenti americani rispetto alla sessualità» scrissero nella loro prefazione «è semplicemente impossibile, di fronte a una popolazione di 310 milioni di persone provenienti da ogni cultura e ogni etnia, indù, italiana, cinese, hmong, francese, scandinava, africana, israelita, musulmana, iberica, britannica, india, etc etc etc, ciascuna delle quali ha portato il bagaglio dei propri comportamenti e della propria storia». In breve: qualsiasi aberrazione, perversione, tabù, repressione, espressione, posizione, qualsiasi variazione immaginata da quando Dio e Darwin trasformarono due amebe monocellulari in un maschio e una femmina, è pienamente e legittimamente «americana».

Dunque gli americani sono effettivamente una nazione di debosciati libidinosi e svergognati come se li immagina nei suoi incubi un Osama bin Laden, e come se li immaginava Hitler. E sono contemporaneamente una nazione di bacchettoni puritani in cilindro nero con la fibbia e il colletto di pizzo bianco intenti a inseguire con la frusta dell'inquisitore presidenti come Clinton o come Kennedy, che avevano la tendenza a pensare con quello che avevano nei calzoni, piuttosto che con quello che avevano sulle spalle. Sono la cultura che ha dato al mondo la «pillola blu» dell'eterna virilità, ma poi ufficialmente e farisaicamente condanna gli effetti che quella stessa terapia prevedibilmente provoca. Mentre rimborsa agli assicurati il Viagra, non paga per gli anticoncenzionali.

Il network Cbs viene bruciato sul rogo della pubblica opinione scandalizzata dall'«incidente al vestiario» che per un secondo scopre una mammella della cantante Janet Jackson (ma con il capezzolo pudicamente occultato da una previdente stellina) durante una finale del campionato di football. Ma in qualunque shopping center, anche nel cuore della «nazione cristiana», la catena Victoria's Secret offre ai clienti capi di intimo che farebbero arrossire di vergogna Madonna Ciccone e turberebbero Marilyn Monroe con le sue castissime mutandone bianche a vita alta esposte alla vista dallo sbuffo dell'aria.

Eppure, e come sempre nelle grandi collettività, se si esce dagli opposti stereotipi dell'America Puritana e dell'America Corrotta, dagli estremi degli ultimi villaggi amish alla capitale del vizio più sguaiato e industrializzato, Las Vegas, si vede che questo calderone di pregiudizi e di apparenze si condensa finalmente e fortunatamente in comportamenti reali niente affatto diversi da quelli di altre nazioni.

Di fronte alla propria sessualità, tutta la coperta di Arlecchino che forma questa nazione tende a riassumersi in colori molto più omogenei. Le donne cattoliche tradiscono i propri compagni e coniugi, divorziano, abortiscono, esattamente quanto le loro sorelle protestanti, non cristiane, o atee. Il 58 per cento dei maschi americani pensa al sesso «almeno una volta» al giorno, molto più delle femmine (28 per cento), un dato che rafforza la convinzione universale che «tutti gli uomini siano maiali». Una donna su tre confessa di «fingere spesso l'orgasmo», una forma di recitazione che trova sicuramente solidali donne in tutto il mondo. Ma poiché tra il pensare e il fare corre il mare, a conti fatti la grande maggioranza delle persone, proprio tra quei maschi «maiali», si dice contentissima di avere, quando ce l'ha, un solo partner amoroso, con o senza certificazione matrimoniale e persino i single, paradigma della libera caccia in libero stato, riconoscono che non battono chiodo. E, se trovano il chiodo, sono ben felici di martellarlo senza cercare altri ferramenta.

Lo fanno per la prima volta alla stessa età media dei loro coetanei, quattordici anni e nove mesi, gli adolescenti allevati nel timor di Dio e inutilmente indottrinati dalle campagne per la verginità e la castità prematrimoniale finanziate e incoraggiate dai repubblicani devoti. Lo fanno, dichiararono in una leggendaria inchiesta parlamentare costata 200 mila dollari ai contribuenti, perché «gli piace», cosa che chiunque avrebbe potuto affermare gratis. Eppure soltanto il 17 per cento delle femmine, siano esse ragazzine, adulte, divorziate, metrosexual o paesanotte, ha rapporti dopo il primo appuntamento. E se invece il 60 per cento dei maschi dice – e forse è vero – che riescono a *score*, ad andare a meta, nel gergo sportivo maschilista, al primo incontro, si vede che quel 17 per cento di donne si dà molto da fare.

Il mito cinematografico e televisivo alla *Sex and the City*, del sesso casual, è, appunto, un mito. La favola del «basta una cena e un cinema» per andare a letto è appunto una favola. E, a proposito di favole, anche la crudele repressione dei puritani non regge alla ricerca storica e anagrafica nei registri parrocchiali. I fidanzati e i corteggiatori nel tempo delle streghe erano costretti a parlare con le promesse spose o con le corteggiate *bundled*, cioè fasciati in bozzoli di coperte che lasciavano fuori solo la testa, anche per proteggersi dal freddo assassino del New England. Ma la farfalla doveva trovare spesso il modo di volare via dalla crisalide, visto che almeno un terzo delle virtuose sposine puritane saliva all'altare già incinta.

Se il puritano dunque è nudo, anche il suo opposto, lo *swinger*, il battitore libero, è più vestito di quanto ci vogliano far credere gli spot, e anche nel tempo delle due pillole, l'anticoncezionale degli anni Sessanta e il Viagra degli anni Novanta, i costumi sessuali non sono dilagati nelle comuni dell'amore sognate dagli hippy né rientrati nel burqa del moralismo, come vagheggiato dai bacchettoni angosciati all'idea di perdere il controllo della sessualità, dunque del loro potere.

C'è qualcosa di teneramente confortante nel vedere che alla fine indù ed ebrei, cattolici e buddisti, animisti e pagani, atei e bigotti, si comportano come tutti gli altri esseri umani e che il più virulento e agitato dei predicatori contro i gay, il reverendo Ted Haggard, finita la vibrante predica antisesso in tv, si rilassava con un prostituto in una stanza d'albergo.

Mi appello alla libido della Corte

30 giugno 2004: la Corte Suprema non vieta la pornografia via Internet.

Per proteggere un grande ed essenziale bene comune, la libertà di espressione, la Corte Suprema deve turarsi il naso e accettare un male, la pornografia. Nella scelta lancinante e forse impossibile tra la libertà di espressione e la protezione dei bambini, la Corte costituzionale americana è stata costretta a schierarsi dalla parte della libertà di espressione e difendere, recalcitrante, ciò che non avrebbe voluto difendere, gli spacciatori di sesso via Internet. Bloccare il porno in Internet è incostituzionale.

Divise, contrastate, per niente sicure di avere fatto la scelta giusta, le vestali della Costituzione hanno deciso per cinque voti contro quattro che lo stato dell'arte e la tecnologia non consentono di «filtrare», come si dice nel ciber-gergo, di bloccare l'accesso dei minori all'infinita galassia dell'osceno senza limitare il diritto di tutti alla libertà di comunicazione e di espressione.

Erano stati prima Clinton e poi Bush, per una volta allineati su un terreno che unisce liberal e conservatori, destra e sinistra, a muovere il ministro della Giustizia all'attacco dei siti porno che stanno proliferando ovunque come parassiti nel campo di Internet e non soltanto coinvolgono, ma puntano alla seduzione del pubblico più vulnerabile, i più giovani. Attraverso una nuova legge, e con querele contro i mercanti di *smut*, di porcherie, avevano chiesto ai tribunali ordinari di imporre meccanismi per oscurare quei siti e impedire l'accesso ai minori di diciott'anni. Si era tentato con le carte di credito, le password, le firme elettroniche per assicurare che l'utente fosse un adulto.

Ma come già in passato aveva fatto vittoriosamente Larry Flint, l'editore di «Hustler», uno dei più truci settimanali porno, anche i produttori dei 372 milioni di pagine elettroniche dedicate a ogni forma di sesso e di perversione in 62 milioni di siti si erano difesi agitando il primo emendamento della Costituzione, quello che proibisce al Parlamento, e all'esecutivo, di promulgare leggi o prendere misure che limitino la libertà di espressione. E il caso è inevitabilmente rotolato laddove tutte le grandi controversie sociali, legali e costituzionali finiscono negli Stati Uniti, sul lungo tavolo dei nove *Supreme Justices* a Washington, le due donne e i sette uomini della Corte Suprema. Tra i quali un giudice, Clarence Thomas, che fu accusato pubblicamente durante le udienze in Senato per la sua conferma di essere un entusiastico consumatore di film sexy. E di commentare con l'assistente, Anita Hill, il proprio film preferito, dal titolo *Long dong Silver,* Silver il pisellone.

E cinque di loro, con il dispositivo finale scritto dal settantenne giudice Kennedy, hanno dovuto a malincuore concludere che la tecnologia dell'oscenità ha saputo correre più veloce della giurisprudenza. Gli strumenti indicati dal Parlamento per bloccare l'accesso erano troppo rudimentali e drastici e avrebbero «limitato il legittimo accesso al medium di Internet di cittadini adulti» che devono mantenere il loro diritto a vedere e leggere e produrre. Come ha commentato uno degli avvocati dell'American Civil Liberties Union, l'associazione libertaria che sempre difende la sacralità dei diritti costituzionali anche a prezzo di grande impopolarità come in questo caso, la «Corte ha dovuto riconoscere che la situazione era quella di una famiglia costretta a bruciare la casa per distruggere gli scarafaggi» e per difendere la casa della Costituzione, allo stato attuale della tecnologia, si è costretti a sopportare la presenza degli insetti.

Ma neppure le cinque «toghe nere» che hanno scelto di stare dalla parte della libertà di espressione infestata da parassiti che incassano profitti per 2 miliardi e mezzo di dollari l'anno soltanto negli Usa (più dei profitti dei tre massimi network televisivi nazionali) sono convinti che pornografia e libertà siano sinonimi. Hanno rinviato il caso ai tribunali di grado inferiore, perché lo riesaminino, insieme con gli avvocati del governo, e studino quali modifiche possano essere fatte alla legge per renderla compatibile con il sacrosanto «primo emendamento». Non è stata dunque una segnalazione di via libera, né un'assoluzione, quella che la suprema magistratura costituzionale ha concesso ai piazzisti del porno, ma una proroga in attesa che l'industria di Internet trovi l'insetticida giusto per sterminare gli scarafaggi senza distruggere la casa. E soprattutto, nell'attesa che qualcuno riesca finalmente a sciogliere il nodo di che cosa sia «pornografico» e che cosa sia «artistico», un dilemma che nelle anticamere dei tribunali gli avvocati da sempre risolvono in maniera volgarmente grossolana, secondo un detto popolarissimo nelle facoltà di Giurisprudenza: «È artistico tutto ciò che fa abbioccare Vostro Onore. È pornografico tutto ciò che lo fa tirare al giudice».

Criterio con qualche fondamento empirico, ma troppo sfacciatamente maschilista. E forse neppure tanto attendibile, in una Corte Suprema dove siedono donne e vegliardi.

Siamo tutti peccatori

Il grido del sindaco in mutande alla vista degli agenti dell'Fbi scosse le pareti della stanza dell'albergo di Washington come il ruggito di un orso bruno caduto in una tagliola: «La puttana mi ha incastrato», e quelle parole echeggiano da allora come una maledizione inascoltata che continua a colpire e abbattere.

Dalle stelle di Hollywood, come il cocco di tutte le donne, Hugh Grant, arrestato nel 1995 mentre caricava una monumentale battona nera sul Sunset Boulevard avendo a casa che lo aspettava la squisita supermodella Elizabeth Hurley, all'umiliazione ben meritata del moralista moralizzatore di New York, il governatore Eliot Spitzer, continua la parabola del potente, della star, dell'idolo, del pezzo da novanta, dell'uomo che si va a schiantare tra le braccia di una *working girl*, di una professionista, e viene smascherato grazie a intercettazioni di posta elettronica o di conversazioni al cellulare, quando avrebbe potuto avere legioni di entusiaste dilettanti a disposizione.

Se non tutti hanno il finale tragico del vicepresidente Nelson Rockefeller, trapassato con il sorriso sulle labbra nel letto della segretaria giovinetta che lo guardò morire mormorando: «Oh Signore, oh mio Dio» senza avere il coraggio di chiamare i numeri di emergenza (non capita a tutte di avere un vicepresidente americano colpito da infarto tra – diciamo così – le braccia), molte di queste storie hanno lo stesso livido, sordido, squallido finale: il finto pentimento del puttaniere sorpreso, la moglie terrea e impietrita costretta ad affiancarlo sotto le luci da obitorio delle telecamere, la promessa di farsi perdonare dalla famiglia, le scuse, le dimissioni, la fine. Avanti un altro, le signorine sono in camera.

Lasciando a psicologi e studiosi del comportamento la risposta alla domanda del perché personaggi potenti, dunque implicitamente «sexy» per apparenza, successo, danaro, cadano come sedicenni foruncolosi nelle *honey pots*, nelle trappole del miele, l'album del big sorpreso come il sindaco di Washington Marion Barry in un hotel con una prostituta che gli passava il crack come stimolante rivela una doppia costante: la convinzione di essere troppo importanti e quindi intoccabili, e l'illusione che la donna (o l'uomo, come vedremo) a pagamento sappia soddisfare ogni fantasia erotica, concedere brividi trasgressivi, senza il peso di melasse sentimentali, impicci matrimoniali e telefonate lamentose il mattino dopo: «Ma mi ami davvero?».

Nella lista dei clienti della «Hollywood Madam», la signora Heidi Fleiss, che forniva compagnie femminili a produttori, registi, primattori, finanzieri, c'erano nomi come quelli di Mick Jagger, Charlie Sheen e Michael Douglas, non proprio studentelli alla ricerca di un disperato rimorchio al sabato sera. E se, compiendo enormi sforzi di generosità, si può capire che Hugh Grant fosse stanco di troppa nouvelle cuisine con la fidanzata Hurley e volesse provare le emozioni di un panettone di colore in minigonna inguinale, non c'è sesso, ma sfrontatezza e marameo politico nel leggendario quadretto di Dick Morris in accappatoio bianco.

Era costui, Morris, uno dei più cinici e astuti manipolatori d'opinione. Era stato ingaggiato dai non meno cinici Clinton per salvare il presidente da Monica Lewinsky (che non si faceva pagare, sia detto a suo merito) e dall'impeachment, dal processo che il Parlamento aveva lanciato contro Bill, non per l'appiccicosa relazione con la stagista, come si crede erroneamente, ma per avere deposto il falso nella querela sporta contro di lui dalla signora Paula Jones, che lo aveva accusato di molestie e tentato stupro. Quando la Corte Suprema aveva stabilito nel 1998 che nessuno, neppure il presidente, è immune da procedimenti penali o da querele di parte per atti compiuti al di fuori dell'esercizio delle funzioni istituzionali, Clinton era stato costretto a deporre e aveva, secondo l'atto di incriminazione, appunto l'impeachment, giurato il falso e cercato di ostruire il corso dell'inchiesta.

Pagato con un milione di dollari per la sua «consulenza», Morris aveva preso residenza all'Hotel Hay Adams di Washington, nell'incantevole suite all'ultimo piano dalla quale si ammira la Casa Bianca ai propri piedi, all'altro lato della stessa piazza, Lafayette Square. Con lui, era andata ad abitare la signora Sherry Rowlands, grande e apprezzata professionista, che si godeva, probabilmente più del compagno bruttino, la posizione, nel senso del balcone, e la vista. Amava sorseggiare champagne in accappatoio bianco, contemplando dall'alto la candida e verginale residenza dell'uomo che il suo cliente avrebbe dovuto salvare da accuse di libertinaggio mendace.

Non era chiaro chi dei due, se la prosperosa signora Sherry o il piccolo signor Dick, fosse la prostituta, visto che la sola fedeltà di Morris è a chi lo paga in quel momento per le sue prestazioni, destra, sinistra, cristiano, pagano, ma fu chiarissima la scenetta che un fotografo riprese con un eccellente teleobiettivo. Furono immortalati insieme, Morris in accappatoio e la dama bianca a tassametro, che più tardi rivelò che il giochino erotico preferito dal suo cliente era lo stesso caro alla ex principessa Sarah Ferguson: farsi succhiare il pollicione del piede.

Morris, oggi di nuovo apprezzato commentatore politico per le reti cristianissime e patriottiche come la Fox di Murdoch, aveva almeno l'attenuante di non essersi mai presentato come un crociato della pubblica moralità come Spitzer, che aveva fatto della lotta alla prostituzione una delle sue più vigorose patenti elettorali quando era procuratore capo di New York e poi governatore dello Stato.

«Non inviate mai nulla di riservato per posta elettronica, né fate confidenze attraverso i telefonini» aveva avvertito, perché «tutto quello che spedite via Internet o dite al cellulare, noi lo possiamo sapere.»

Infatti fu proprio seguendo la sua e-mail, e la traccia del suo cellulare, che l'Fbi lo identificò come il cliente «numero 9» nell'organizzazione di «accompagnatrici», di *escort girls*, che lui si portava dietro a caro prezzo negli spostamenti di lavoro tra New York e Washington. La sua carriera politica, che sembrava promettere successi ancora più esaltanti, finì istantaneamente. Confessione, dimissioni, addii. E conferma di un teorema dimostrato più volte. Quanto più forte ragliano i moralisti, quanto più acuti sono i loro strilli contro la corruzione dei costumi, la pornografia, il lassismo, i *tempora* e i *mores*, il collasso dei valori tradizionali nella società della gratificazione istantanea, tanto più alta è la probabilità che essi strepitino per nascondere i propri vizi e vizietti, più che per bonificare quelli degli altri.

Deliziosa fu la scoperta che il più tonante telepredicatore pentecostale degli anni Ottanta, il molto reverendo Jimmy Swaggart, che fulminava i miscredenti da ben 200 emittenti tv e aveva pubblicamente denunciato e distrutto le fortune di altri savonarola da teleschermo come lui, aveva una predilezione per le stanze di motel, i film hard e le prostitute. Fu fotografato all'uscita da uno di questi motel con Debra Murphee, apprezzata professionista della Louisiana. Pianse copiosamente in diretta, «perdonami Signore, perdonami», ma se il Signore può averlo perdonato, non così il pubblico dei devoti creduloni.

Ancora più lancinante fu la rivelazione, nel 2006, che l'implacabile fustigatore evangelico dell'omosessualità, il reverendo Ted Haggard, specializzato nell'avvicinarsi all'obiettivo delle telecamere con il ditino alzato e il viso distorto dal grandangolo mentre sibilava «lo so che cosa stai facendo, frocio, l'inferno ti aspetta», sapeva davvero che cosa stessero facendo i suddetti. Perché era esattamente quello che faceva lui, con un «massaggiatore» e fornitore di metanfetamine in stanze d'albergo.

Pianse anche lui, accanto alla povera moglie impietrita, con la stessa espressione ebete e scioccata di un'altra moglie, la sposa del senatore Larry Craig, cowboy repubblicano del Far West, dell'Idaho, reo confesso di avere fatto piedino a un vicino di gabinetto pubblico frequentato da maschi in cerca di rapide compagnie. Spiegò che lui è alto e sulla tazza tende «a tenere le gambe larghe». Anche Craig, come il collega parlamentare repubblicano Mark Foley, costretto a dimettersi dopo le sue pesantissime avance verso i proprio stagisti e assistenti maschi, era un cavaliere implacabile del «Dio, Patria e Famiglia», della lotta all'omosessualità, all'aborto, al turpe relativismo, alla spaventosa degenerazione dei costumi e dei valori.

Alla fine non è comunque mai il peccato, come forse i

soliti luoghi comuni sull'America bacchettona farebbero pensare, a fulminare il peccatore. È il rapporto fra il peccato privato e la retorica pubblica, la solita, mortale tagliola dell'ipocrisia. Hugh Grant con la sua giunonica africana e Dick Morris con la dama nell'accappatoio bianco non predicavano, non si pretendevano più giusti dei giusti ed entrambi, come i clienti della «Hollywood Madam», hanno ripreso la loro carriera.

Non così i pii pedofili, puttanieri, bonificatori come gli Haggard, i Foley, gli Swaggart, l'ex governatore e inquisitore Spitzer, che pagava 5000 dollari (3500 con lo sconto) all'ora le accompagnatrici, ingaggiate – tenero pensiero – per il giorno di San Valentino. La rete criminale, scoperta grazie alle intercettazioni telefoniche, si chiamava «Empire», impero. E tutti sappiamo fin da piccini che non è mai bene, per l'imperatore, farsi sorprendere nudo.

All'altro capo della solitudine

Helena aveva una laurea a Oxford, un master a Yale, i tacchi a spillo e le giarrettiere con le calze a rete da soubrettona d'avanspettacolo. Le colleghe di lavoro le dicevano che era matta a conciarsi così, ma non si prendono una laurea e un master se non si è ragazze coscienziose e diligenti. Visto che il suo lavoro era fare la sacerdotessa del sesso, lei si sarebbe vestita da sacerdotessa del sesso come se la immagina un uomo. Anche se quell'uomo non l'avrebbe mai vista e non avrebbe mai potuto apprezzare, perché Helena Echlin faceva sesso, ma per telefono, a 20 dollari all'ora massimo. «Mi vestivo così perché volevo entrare nella parte, perché pensavo che sarebbe stato più facile essere quella che i clienti volevano che fossi. Non ci chiamano *sex phone actresses*, attrici del sesso telefonico, per niente. Mi truccavo e mi travestivo come qualsiasi attrice.»

Bastarono poche settimane, due mesi, di quella recitazione per spingere anche lei, come le migliaia di altre «attrici» che contribuiscono a un'industria della solitudine che solo negli

Stati Uniti produce oltre 5 miliardi di dollari d'affari all'anno, sul fondo di una depressione che neppure la necessità di pagare l'affitto a San Francisco poteva curare. E non fu per lei, come non è per le altre, l'imbarazzo o l'umiliazione di dovere interpretare dieci, venti volte al giorno, e alla notte, sette giorni alla settimana, la parte della voce senza corpo, della bambola che deve soltanto saper ripetere le solite battute e mugolare al momento giusto, a spingerla via da un lavoro che ha un ritmo di turnover, di ricambio, più elevato del lavoro in miniera. Lo shock al quale le donne, e ormai i molti uomini, che rispondono ai telefoni dell'erotismo più desolato non reggono è la scoperta dell'abisso umano che li attende dietro lo specchio delle brame altrui. Più del rapporto fisico, del contatto ravvicinato che può intimidire e frenare, quell'incorporea relazione libera i demoni e le paure, scatena le miserie e scioglie le inibizioni come neppure il più sperimentato dei confessori e degli psicoterapeuti deve affrontare.

La storia di Helena, oggi divenuta un'autrice di libri pubblicati, è la parabola fotocopiata dell'esperienza di migliaia di donne, spesso, ma non sempre, giovani (c'è anche una coriacea veterana di sessantun anni), che credono ai Lucignoli di questa industria e alle promesse del Paese di balocchi erotici.

Immaginano di poter fare danaro facile con quattro moine, tre parole e due sospiri per mantenersi agli studi, per pagare le bollette di casa o i medicinali ai figli, per integrare gli stipendi leggeri e s'illudono di avere, attraverso il telefono, il controllo di un rapporto che non può degenerare in violenza fisica. Invariabilmente scoprono quello che i reclutatori con le loro false promesse di guadagni senza fatica non spiegano loro e che loro avrebbero dovuto sapere da sole. Che in quel rapporto di sesso senza sesso, all'altro capo del telefono, anche se distante mille chilometri, c'è un essere umano e ogni rapporto umano, con o senza contatti, avvolge, risucchia e divora nel gomitolo inestricabile delle emozioni. Non è l'infezione virale a stroncarle, ma l'infezione emotiva.

L'addestramento che le società di *phone sex* offrono a coloro che cadono nella seduzione dei Lucignoli è succinto e sbrigativo, pensato per proteggere loro stesse, non le centraliniste. Vengono spiegati quali siano le parole, i dialoghi, le allusioni da evitare, dunque giù con gli eufemismi, la mia gattina e il tuo leone, perché la Federal Communication Commission, l'autorità che sorveglia le comunicazioni, ascolta. Proibita la rappresentazione della pedofilia, dunque mai fingersi minorenni o bambini, la bestialità, l'incesto, la descrizione di violenze carnali, perché reati. Cambiare continuamente personaggio – a meno che il cliente richieda specificamente l'«attrice» con la quale ha già parlato –, dunque oggi la misteriosa orientale con gli occhi a mandorla e le ineffabili arti erotiche dell'Oriente o la dominatrix in completo di cuoio e frustino; un'ora dopo la moglie affettuosa e comprensiva, disposta a fingere di fare quello che la moglie vera rifiuterebbe di fare. Spesso la suora.

Le suore sono richiestissime. Soprattutto, ed è il primo comandamento, si deve tenere l'interlocutore al telefono il più a lungo possibile, perché il tassametro corre e ogni minuto porta 4 dollari nel bussolotto della società e un decimo di quella cifra, 40 centesimi, nella borsetta dell'attrice. Coloro che sono troppo brave, e portano il cliente troppo rapidamente al culmine della telefonata con un grugnito e un sospiro, saranno licenziate. Helena era troppo brava. «Con la mia cultura letteraria, la mia capacità verbale rafforzata dalla preparazione fatta sui peggiori romanzetti e film porno [era una secchiona, vi avevo avvertito] in pochi minuti arrivavano al grugnito e a riattaccare.»

Ma questi, della sveltina telefonica, sono i clienti normali, i naufraghi della frustrazione adolescenziale o coniugale, quelli che parlano a bassa voce per non farsi sentire dai genitori nella stanza accanto o dalla moglie che ronfa davanti al televisore. È dietro di loro che avanza la schiera degli spettri incarnati nelle voci. Raccontano a lungo, per la gioia delle società magnaccia, la loro vita vera o immaginaria, le cose che farebbero a quella donna, come, dove, con ricchezza alluvionale di dettagli e di rappresentazione.

Come le prostitute che «spengono il cervello» per non sentire quello che viene fatto al loro corpo, anche queste donne senza il corpo, per sopravvivere, si rifugiano in una sorta di schizofrenia. Con la voce ripetono roboticamente le frasi strafatte, miagolano, mormorano qualche vago incoraggiamento, recitano il copione delle parolacce richiesto dal personaggio che stanno interpretando – la suora, la battona, la verginella spaventata, la depravata, l'ingenua – mentre leggono, studiano, pensano alla cena da preparare a casa, ai panni da ritirare dalla lavanderia, al tetto che perde e va rifatto. Helena finì di correggere le bozze del suo primo romanzo, mentre mugolava. Qualcuna si difende attaccando, come la studentessa che rispondeva agli studenti che la chiamavano il sabato sera: «Ma come, è sabato sera e con tutte le donne vere che ci sono nel vostro college, dovete telefonare a me per dire porcherie?». La società tollerava perché il cliente, superata la sorpresa, spesso s'imbufaliva e si lanciava in una serie di insulti e di male parole che lo tenevano in linea. E intanto il conto saliva.

C'è anche un sindacato, l'International Union of Sex Actors, che le dovrebbe difendere e ha intentato, senza successo, una causa per danni a favore di un'attrice che sosteneva di avere preso sul serio la parte e di essersi ammalata perché condivideva entusiasticamente gli orgasmi dei clienti. La donna perse la causa, perché non fu creduta. Ci sono alcune che dopo qualche mese di questo lavoro divorziano dal marito, perché tornano a casa talmente disgustate dagli uomini, talmente inorridite dalle fantasie ripugnanti che devono ascoltare dai maschi, che non riescono a non vedere anche nel loro uomo la somma di tutti gli uomini.

Theresa Randle, l'attrice che interpretò per Spike Lee la parte della Girl 6, la ragazza numero sei in uno di questi centralini, confessò che dopo avere ascoltato le conversazioni di quelle che lo facevano sul serio, per prepararsi alla parte, fu tentata di rinunciare al film «perché tornavo a casa tutte le sere con la nausea e non riuscivo neppure a mangiare». L'unica «sacerdotessa del sesso» ad avere vinto una causa è stata Janice Huge, quando ha scoperto che il suo datore di lavoro, la Erotic Communications, le aveva sottratto 8000 dollari dalla commissione. Janice, che per i clienti era «Kyla la maiala», era la più richiesta di tutte. Era cieca, e la sensibilità di non vedente alle voci e ai toni la rendeva ancor più seducente. Le sue clienti più affezionate erano donne, che semplicemente volevano parlare a lungo con un'altra donna anonima. I contabili del servizio carte di credito calcolano che la durata media della chiacchierata con una donna sia di venticinque minuti. Con un maschio, e le donne capiranno, sei minuti.

Neppure Internet ha scosso l'industria dell'erotismo telefonico, che si sta allargando. Come chi chiama una compagnia aerea o il call center di un servizio clienti, anche i naufraghi della solitudine amorosa o i logorroici delle perversioni immaginarie possono trovare all'altro capo una donna indiana che risponde loro da Delhi. L'oceano della malinconia erotica si globalizza.

Yo spik inglisc

Sua Altezza Reale era inquieta. Due secoli e mezzo dopo avere perduto un continente per mano di un gruppo di contadini evasori armati di schioppi e forconi, un'altra perdita catastrofica si annunciava per la corte di San Giacomo. Questi maledetti americani, intonò Sua Altezza Reale principe Carlo d'Inghilterra in conferenza stampa, «si sono messi a inventare ogni sorta di parole nuove e di verbi che non dovrebbero esistere» si lamentò e poi lanciò il grido di battaglia: «Dobbiamo agire subito per salvare l'inglese inglese, non quella cosa che parlano in America». Hey, Prince, 'a principe, gli rispose a stretto giro da Los Angeles l'attore comico Bill Maher: «Ma vai a farti fottere tu e il cavallo che ti ci ha portato», espressione non soltanto rudemente texana, ma, peggio ancora, figlia di quell'orrore che la povera Altezza, e il suo cavallo, aborrivano: dello slang.

Un miliardo di esseri umani usano oggi per comunicare tra loro qualche mutazione della lingua che genericamente chiamiamo inglese, ma che re Giacomo Stuart, che commissionò la traduzione della versione più accreditata della Bibbia inglese pubblicata, faticherebbe a riconoscere come il *Queen's English*, l'inglese inglese. Dalle frasette rudimentali e ridicole dei principianti, come quelle usate da Silvio Berlusconi nei memorabili incontri con Bush e consegnate alla posterità attraverso gli archivi di You Tube, al *pidgin english*, i dialetti incomprensibili parlati in nazioni come la Giamaica, per arrivare al glossario da catecumeni impiegato dai fedeli di Internet e dei messaggini, la frantumazione dell'inglese e la sua reinvenzione quotidiana sono semplicemente la prova che quella lingua è divenuta l'esperanto del mondo, la conferma del dominio planetario della cultura e delle sottoculture che esso rappresenta.

Ma non è per Berlusconi o per il dialetto giamaicano odoroso di ganja, di cannabis (ecco un classico esempio di slang), che Sua Altezza Reale s'inquieta. L'oggetto delle sue preoccupazioni è quella fucina meravigliosa e per lui satanica di espressioni, verbi, forme, sintassi, grammatica che l'America alimenta da quando nacque, partorita dalla mescolanza furiosa di popoli e dal comune desiderio di ribellarsi al proprio passato e dunque alle lingue che il potere impiegava per controllarli. Ogni popolo, ogni gruppo sociale, ha sempre creato una propria lingua privata, un argot, un lingo, un patois, un vocabolario informale, furbesco e spesso criminoso (la madama per la polizia, nel gergo della mala milanese) per costruire la propria identità diversa. Ma in nessuna epoca o luogo, la produzione di derivati linguistici è stata così furiosa, ingorda e strutturale come negli Stati Uniti.

Si può dire che non esista gruppo – dai *brothers*, gli afroamericani che vivono nello *hood*, abbreviazione obbligatoria di *neighborhood*, quartiere, vicinato, agli yuppy oggi trasformati in metrosexual, che ruotano attorno alla *street*, che non è la strada felliniana ma Wall Street, la Borsa – che non abbia inventato un proprio glossario e che non ne inventi uno ogni giorno. William Cran, uno degli autori di una meravigliosa storia dell'inglese trasmessa dalla televisione pubblica americana, che non è fortunatamente la Rai, ha calcolato che alla fine di ogni puntata di due ore almeno dieci parole nuove sarebbero state inventate da qualcuno, in qualche college, o liceo, o ghetto, o stadio, o taverna. Un'osservazione che rende ogni tentativo di produrre un dizionario dello slang un'impresa tanto coraggiosa quanto futile. «Se un'espressione di slang entra in un dizionario ufficiale, vuol dire che è già morta» sentenziò William Safire, *columnist* (ecco un'altra parola di slang, questo giornalistico, da *column*, rubrica) e raffinato linguista del «New York Times».

Lo Ncid, il National Center for Infectious Diseases, calcola, con ogni approssimazione, che esistano almeno 180 sinonimi di gergo per definire la cocaina, e 270 per la marijuana, dalla Santa Marta usato dagli ispanici che esprimono la loro devozione cattolica alla canna, fino all'ormai universale *grass*, erba. Soltanto il sesso tenta di competere con la droga come fucina di neologismi che, senza il bisogno di passare per i tribunali, entrano nell'alveo del linguaggio corrente e accettato, come *screw*, avvitare, dove il senso figurato è evidente, o lo *snafu*, parola che nessuno studente di inglese potrebbe mai adoperare in classe, ma che è l'acronimo, diffusissimo tra i militari, in pace e in guerra: situazione normale, tutto è fottuto. Forme e formule che indignarono il sociolinguista Kenneth Wilson: «La nuova lingua sembra costruita usando verbi e sostantivi ripresi dalle scritte sui muri dei gabinetti».

Ma di reali e di studiosi, l'America che non ha un sistema educativo centralizzato e affida programmi e insegnamenti all'autonomia degli Stati e delle contee si disinteressa. L'inglese americano, o amerese o inglano, parlato nella vita quotidiana, è stato paragonato al grande fiume padre e madre del continente nordamericano, il Mississippi, che trascina con sé detriti, terriccio, carogne, che nutre e travolge tutto ciò che gli si oppone.

Sulle acque dell'istintiva riottosità alle regole e all'autorità, la nuova lingua dell'informale, del permissivo, corre come quei battelli a pale che portavano anch'essi il proprio carico linguistico e idiomatico, nei gilet dei *riverboat gamblers*, dei giocatori d'azzardo, e di espressioni come «la mano del morto», la doppia coppia di assi e otto che Wild Bill Hickok stringeva fra le dita quando fu ammazzato e che ora ogni giocatore preferisce non vedere. La schizzinosa e celebre osservazione di George Bernard Shaw, secondo il quale «Inghilterra e America sono due popoli divisi soltanto dalla lingua» è sempre meno vera, nelle onde di ritorno che portano anche in Inghilterra il riflusso dell'americanizzazione dell'inglese attraverso il cinema, la televisione, la musica e la pubblicità.

Lo slang delle ragazzine bene della California, le *Valley Girls* cresciute nella grande vallata oltre le colline di Hollywood, raggiunge le loro coetanee della vecchia costa atlantica, le ragazzine inglesi, e diventa il glossario che una generazione di donne si porteranno dietro da adulte e trasmetteranno ai figli, interpuntando ogni discorso con l'avverbio *totally*, totalmente, che infilano ovunque: sono totalmente stanca, quello è totalmente carino, mi sono totalmente divertita.

Ma appena uno studente universitario scopre che qualche espressione creata nel dormitorio del college viene adottata nei licei, la abbandonerà con ribrezzo, come abiti usati passati alle sorelle minori. Il moto linguistico deve sempre essere dal basso verso l'alto, e riciclarsi senza sosta, per sembrare accettabile. E se arriva da ambienti guardati con sospetto, magari dalle strade dei ghetti, dove i giovani di colore producono incessantemente neologismi e sintassi immaginarie spaventosamente politically incorrect, quanto più forte sarà lo scandalo degli adulti, tanto più certo il successo.

Il bello, l'interessante, il desiderabile, fu per anni *phat*, che si pronuncia come *fat*, grasso, ma tradisce le iniziali di *pretty hips, ass and tits*, belle cosce, tette e sedere. Il fatto amaro che anche lo slang tradisca la stessa prepotenza, in questo caso dei maschi sulle femmine, che vorrebbe sfidare nell'inglese ufficiale, sfugge ai creatori dei neologismi. Come la country music e il jazz, così oggi rap e hip hop hanno influenzato e penetrato il vocabolario di tutti i giorni. Così ampio e complesso è ormai il vocabolario dell'America nera, che molti vorrebbero codificarlo e insegnarlo in una lingua nuova e autonoma, l'ebonics, da *ebony*, nero, e *phonics*, fonetica.

Le forze armate, nella loro perenne fretta, sono fabbriche instancabili di slang e di acronimi. Dal tragico *fraggin'*, prodotto in Vietnam quando i soldati uccidevano gli ufficiali troppo cretini o troppo aggressivi con una bomba a mano a frammentazione lanciata fra le loro gambe, ai *klicks*, abbreviazione di *kilometer*, sostantivo troppo lungo, i militari vivono di Dod, Nco, Tlam, Aamram, Psyop, Bda, Lamps, e almeno altre migliaia di acronimi in un universo linguistico tutto loro, che spesso finisce in un gigantesco Fubar come il Vietnam o l'Iraq: «Fucked up beyond all recognition», fottuto oltre ogni possibile riconoscimento.

Si può contribuire alla morte e alla risurrezione di una lingua per civetteria, per calcolo, per ribellione. L'insurrezione dei ghetti produsse fenomeni linguistici come il rovesciamento dell'aggettivo *bad*, cattivo, per indicare il contrario: quel tipo è *bad*, cioè grande, bravo, per dimostrare il rifiuto delle categorie morali dei bianchi. George Bush si ostina a pronunciare *nuclear* come *nuculare*, perché così viene pronunciato dai meno raffinati nel Sud e nel Sudovest, strizzata d'occhio ai propri elettori, «io sono uno di voi, vedete», non come quei radical chic (a proposito di slang).

È inutile inseguire e spiegare la genesi dei significati, il flusso e riflusso arbitrario del gergo, che può fiorire o tornare nell'oscurità dell'archeologia linguistica, morendo con le generazioni che l'avevano partorito. Per l'America che sbarcò in Normandia una cosa buona era *swell*, espressione che oggi nessun giovane si farebbe cogliere a usare. Per i loro figli era *groovy*, termine scomparso con gli hippy, grandi fabbri di glossari. Per i loro nipoti ciò che va bene, che piace è *cool*, fresco, ma può anche essere l'opposto, cioè *hot*, bollente, arrivando a generare frasi apparentemente insensate, ma comprensibilissime per chi le usa, come «quel ragazzo è fresco, perché è bollente».

Sono parole di «resistenza», come le definiva uno dei massimi poeti americani, Walt Whitman, sono la letteratura informale di un popolo che parla a se stesso e che i puristi e i puritani tentano invano di contrastare. La proposta di creare un'Accademia nazionale della Lingua, sul modello di quella francese, che insegue ogni giorno con la bombola del Ddt glottologico gli insetti dei neologismi che punzecchiano la lingua di alta scuola producendo mostriciattoli come l'*ordinateur* contro l'universale computer, è sempre rimasta lettera morta, respinta come una possibile monarchia linguistica.

Nella repubblica popolare del linguaggio, per ogni falla tappata dai «prescrittivisti», come si chiamano i difensori del linguisticamente corretto, un'altra se ne apre. Irrompe l'onda di Internet, con la sua minestra primordiale di Lol, iniziali di *lots of laughs*, mi fai ridere, di blog. E puntualmente, un nome proprio diventa un verbo, come Google, il famoso motore di ricerca: ho *googled* quell'uomo politico e ho scoperto che mente, *I google, you google*. Può un insegnante, un accademico, inseguire queste maree, cacciare questi sciami? No, e non lo deve neppure fare, pensa Jesse Sheidlower, il direttore dell'edizione americana dell'Oxford English Dictionary, un linguista di origine ebraica, nato e cresciuto in uno dei più ribollenti calderoni etnici e linguistici d'America, Brooklyn. Sheidlower religiosamente compulsa le riviste più sordide, ascolta la musica più estrema, cataloga ogni espressione sconosciuta, osservando se essa ce la faccia, come la proverbiale ameba, a uscire dal brodo e camminare verso i media, le tv, i quotidiani, i periodici più conosciuti. «Se la gente la usa, chi sono io per respingerla?» si chiede questo rispettatissimo studioso che scrisse il saggio definitivo su una sola parola: *fuck*. Scopare.

Dunque lo slang, essa stessa parola dall'etimologia oscura, non è la morte della lingua, ma il suo metabolismo. È l'America. «Una lingua appartiene a chi la parla, alle moltitudini ignoranti come alle élite ben istruite» diceva Mark Twain che nel suo *Huckleberry Finn* aveva ampiamente saccheggiato i tesori dello slang. È un segnale di ribellione dei sudditi, e per questo spaventa il principe. Povero principe. E povero anche il cavallo.

L'ultima sigaretta

Fu magari perché l'uomo a cavallo morì come un cane, con i suoi polmoni di Marlboro Man devastati dalle cicche, che l'aria d'America divenne di colpo irrespirabile per i fumatori? O fu John Huston, il regista che aveva diretto un altro leggendario fumatore in tanti film, Humphrey Bogart, a dare il colpo di grazia al più americano di tutti i vizi, al tabacco, quando predicò l'astinenza in tv, ansimando pentito e allacciato alle bombole d'ossigeno dopo ottant'anni consumati a succhiare sigarette?

Il materialista cinico risponderebbe che furono gli avvocati, e fra tutti il greco Peter Angelos, «lo squalo di Baltimora», che estorse in tribunale 246 miliardi di dollari – il doppio del prodotto interno lordo annuo della Nigeria – in multe alle corporation del tabacco, a trasformare una nazione che per cinque secoli era stata la massima spacciatrice di tabacco al mondo nella crocerossina decisa a strappare quei «tubicini della morte» dalle labbra degli ultimi suicidi. Ma stabilire con esattezza quando la sigaretta divenne il solo e l'ultimo vizio «socialmente inaccettabile» e politicamente indifendibile in America, un Paese dove persino i pedofili hanno una loro discreta lobby, la Man-Boy Love Association, e il *pimping*, fare il magnaccia, è considerato una carriera desiderabile, sarebbe futile. Come convincere uno sciamano maya che il grande spirito non si manifesta affatto nelle spirali di fumo emesse da un «si'kar», come loro chiamavano i rotolini di foglie di tabacco essiccato, appunto i sigari.

Il dio dell'America, quello che periodicamente richiede sacrifici di miserabili piaceri umani nel nome della salvezza morale e fisica della propria nazione prediletta, oggi ha individuato nei fumatori le nuove streghe. Non c'è distinzione di destra o sinistra, «neocon» o «neolib», di repubblicani o democratici, di Bush (che fino a quarant'anni, tra una bottiglia e l'altra di bourbon, si faceva un pacchettino al giorno di Newport col filtro) o di Clinton (che fumava, e non solo fumava, i sigari di nascosto dalla gentile consorte). Quando si tratta di sigarette, la *bipartisanship* del *nanny State*, l'unanimità dello Stato governante, è assoluta. E al viaggiatore intrappolato in un altro tempo, aggrappato alla vergogna dell'ultima comunione satanica con Lucifero e il fiammifero, la sigaretta provoca ormai l'inquietante sensazione di mangiare una fetta di cotechino alla Mecca.

È questa la nazione dove la California ha bandito il fumo sulle spiagge pubbliche, anche se alle tre del mattino e deserte, dove i penitenziari hanno vietato le sigarette nei bracci della morte per proteggere la salute dei detenuti in attesa del boia. La stessa America dove più di cinquant'anni or sono, mentre usciva il primo studio sul rapporto tra fumo e malattie respiratorie, l'aula delle udienze di McCarthy per bonificare il Paese dalle streghe rosse era una palla di fumo che annebbiava gli obiettivi delle antiche telecamere? Dove sono finite le succulente *cigarette girls* che in costumini da paggetto con calze a rete mi offrivano, nei club più distinti o più deplorevoli di Manhattan, Lucky Strike, Pall Mall, Camel o Chesterfield, con voce peccaminosamente affumicata? Sono diventate probabilmente le nonnine dai capelli turchini che oggi pattugliano i marciapiedi dell'aeroporto di Miami, assicurandosi che i fumatori si accalchino nei pochi metri quadrati riservati a loro e non sconfinino. Mentre oltre le zone di sicurezza passano di mano balle di cocaina finissima, scambiate da piloti, assistenti di volo, portabagagli e agenti periodicamente e inutilmente arrestati.

Fumare, nell'America del povero Cristoforo Colombo,

che nei suoi diari citò quelle strane foglie capaci di emettere aromi sconosciuti offerte dagli ingenui indios, o nell'America delle Virginia Slim, le sigarettine affilate che negli anni Settanta le femministe accendevano per segnalare la propria liberazione dal perbenismo maschilista, non era permesso, era obbligatorio.

Quella era ancora la nazione che ci aveva liberato dalla barbarie nazifascista e poi dalla minaccia comunista, sparando dai carri armati Sherman bordate di sigarette, salvando milioni di italiani dalla tirannide delle Nazionali, per non parlare neppure delle orrende *papirosy* sovietiche, detestate persino dai compagni. Bastava accendere una Pall Mall e poi assaggiare una *papirosa* staliniana per capire, senza bisogno di leggere Koestler, Pasternak o Solženicyn, chi avrebbe alla fine vinto la Guerra fredda. Fare un viaggio negli Stati Uniti comportava inevitabilmente la corvè di portare in Italia stecche contrabbandate di Virginia per amici che al bar schioccavano la lingua sentenziando che erano molto meglio di quelle fabbricate sotto licenza in Europa.

Fumare era *cool*, come si sarebbe detto anni dopo nello slang americano, era ganzo, e non per niente una marca celebre si chiama appunto Kool. Fumavamo guardando Bogey dire addio a Ingrid sotto la pioggia di Casablanca, cercando di imitare il Duca, John Wayne, che se le arrotolava da solo tra i picchi rossi dell'Arizona o le buttava ai propri marines sulle sabbie di Guadalcanal, con l'invito che segnalava ai soldati la pausa prima della battaglia, «smoke'em if you got'em», fumatevele se le avete, ora o mai più. FDR aveva vinto una guerra tirando incessantemente dal bocchino d'avorio, ma avremmo dovuto capire che l'aria si era fatta pesante quando JFK cominciò a fumare di nascosto. E Nixon, bugiardo anche in quello, negava di essere un fumatore quando parlava con i legislatori del Nordest puritano e poi tirava fuori la sigaretta quando riceveva i deputati del North e South Carolina, gli Stati del «catrame», gli ultimi dove ancora si coltiva, sovvenzionato da un governo che ne scoraggia l'uso, il tabacco.

Noi aerofobi, i viaggiatori con le «nocche bianche» per la circolazione bloccata dall'abbrancare i braccioli, volavamo aggrappati alla sigaretta, dentro tunnel di alluminio asfissianti, per superare le agghiaccianti turbolenze e digerire l'orrendo cibo servito dalle linee aeree. Poi venne una compagnia perennemente sull'orlo della bancarotta e ansiosa di risparmiare carburante limitando il riciclaggio dell'aria, a segnalare che la paura di volare sarebbe rimasta, ma il placebo della sigaretta sarebbe finito, la Northwest Orient Airlines, che proibì per prima il fumo su tutti i suoi voli.

I fumatori minacciarono vendette e boicottaggi, si giurarono peripli aerei pur di evitare e punire la Northwest che aveva osato abolire la sezione fumatori, ma negli anni Ottanta tutte la seguirono.

Resistettero ancora, sulle lunghe rotte transpacifiche e transatlantiche, i giapponesi, che continuavano a fumare e a vedere crescere la loro attesa di vita, forse perché non leggevano gli studi medici scritti in inglese. E puntarono i piedi, sempre i soliti antiamericani, i francesi. La Air France fu l'ultima a reggere, a creare un salottino riservato sui suoi jumbo jet, dove non più di quattro passeggeri alla volta potevano, in piedi, tirare una Gitane o una Marlboro, stando sotto un aspiratore potente che succhiava i capelli anche ai calvi. Ma nel 1990 un passeggero americano, un avvocato, chiese 50 milioni di dollari di danni alla Air France per avere annusato sentore di fumo anche in altre classi, e da allora il risentimento franco-americano non si è più placato.

Anno dopo anno, ordinanza municipale dopo ordinanza municipale, pubblicazione medica dopo pubblicazione medica («Le sigarette sono la prima causa di finanziamenti alla ricerca medica» tentò di scherzare un attore comico), il cerchio di fumo si è stretto attorno agli untori della cicca. Prima di essere un male, un rischio, un vizio, una puzza, il tabacco diventava una vergogna.

Nei drugstore, i giovani (purché abbiano almeno diciott'anni) ora bisbigliano, come in un film di Woody Allen alla rovescia, «un pacchetto di Merit» e poi, tuonando,

«E UNA CONFEZIONE DI PRESERVATIVI!», secondo i comandamenti della nuova moralità. Sullo schermo, chi fuma inevitabilmente muore o uccide. Sono i killer, gli psicopatici, gli stupratori, le battone, i mafiosi, i personaggi negativi coloro ai quali è ancora permesso fumare, e che quindi consentono ai produttori qualche incasso pubblicitario indiretto. Nella vita vera, fumano ancora soltanto i soldati al fronte, i marines e i *grunts*, i fanti dell'esercito, i riservisti incazzati in Iraq, che gli operatori delle tv hanno l'ordine di non riprendere mentre fumano. A loro è permesso di farsi dilaniare dalle mine improvvisate o dai lanciarazzi dei guerriglieri, ma non di dare il cattivo esempio alla gioventù a casa. Il pacchetto o la stecca d'ordinanza, un tempo dotazione fissa di ogni soldato, con la razione da campo, il profilattico, l'apriscatole, la polvere antipidocchi, è scomparso. La guerra fa bene. Il fumo nuoce gravemente alla salute.

Nessuno fuma più, in America. Nessuno, tranne quei 60 milioni, un quarto della popolazione adulta che ancora lo fa, popolo invisibile di morituri in una nazione di immortali che non fumano. Si possono ancora vedere soltanto se si fa attenzione e se si ha molta pazienza, come andare a osservare gli ultimi gorilla sul Kilimangiaro. Fuori dal portone dei palazzi d'uffici, a battere i piedi e rabbrividire d'inverno, nascondendo la sigaretta nel cavo della mano, come si faceva nei gabinetti dei licei, e poi masticando chilometri di chewing gum alla menta piperita per camuffare l'alito pestilenziale. Nei rari gabbiotti di vetro negli aeroporti che ancora concedono piccole camere a gas, in un gesto di finta tolleranza ma di ludibrio sostanziale, per offrire ai buoni cittadini lo spettacolo dei tossicolosi affumicati, come i predicatori di Harvard portavano i figli a vedere le esecuzioni di streghe e maghi nella vicina Salem. Sui marciapiedi, purché «a una distanza non inferiore ai 30 piedi», 10 metri, dall'edificio, come avvertono i cartelli nei campus di molte università. E mai nelle auto a noleggio che sono ormai tutte *smoke free*, con multe in caso di cicca nel posacenere. Gli accendisigari sono scomparsi dalle nuove auto prodotte negli Usa. Le case risparmiano e pretendono di salvarti la salute.

E se proprio si vuole vedere il popolo invisibile del fumo, prima che finga di estinguersi completamente, il luogo migliore sono le autostrade al crepuscolo, meglio se sono le tangenziali intruppate. Laggiù, nel buio degli interni, purché solo e senza passeggeri, con il finestrino aperto di un dito che esala lo sbuffo traditore, l'ultimo gorilla vivente si accende l'ultima sigaretta. I lumini che baluginano per un attimo sono tanti, nella coda di auto, come la processione immobile di un culto satanico proibito e ormai, nel Paese che lo inventò, segreto.

Taxi!

Dai marciapiedi di Park Avenue agli slum di Manila, dallo spiazzo della moschea Sayyidna al-Hussein del Cairo fino agli incroci della Ginza a Tokyo un coro di voci si alza da qualche parte della Terra, in ogni secondo della giornata, per lanciare lo stesso grido: taxi! Non importa se la lingua del luogo sia il mandarino o il tagàlog filippino, il giapponese delle signore che hanno fatto shopping da Mitsukoshi o l'inglese degli avvocati di Manhattan da mille dollari all'ora. Per girare il mondo basta conoscere la parola che tutto il mondo capisce, taxi! Il nome di Dio ha assunto decine di migliaia di forme diverse, nella babele delle lingue usate per invocarlo o per temerlo. Ma se il proverbiale marziano scendesse sul nostro pianeta e riuscisse ad ascoltare la voce dell'umanità, rischierebbe di concludere che noi terrestri adoriamo e invochiamo una sola divinità universale e indiscussa che ha unificato ogni dialetto: il dio taxi.

Il taxi, figlio della parola «tassa» come nel tassametro moderno inventato dal tedesco Wilhelm Bruhn 115 anni or sono, è infinitamente più che un mezzo di trasporto pubblico. Come il libro del fotografo e viaggiatore francese Lionel Cottu dimostra, e come chiunque di noi abbia dovuto acchiapparne uno in giro per il mondo sa bene, il taxi è una scatoletta di latta che contiene il concentrato di una nazione e della sua cultura. Si possono costruire aeroporti faraonici e stazioni ferroviarie magniloquenti per nascondere la miseria e l'arretratezza. Si trovano alberghi di lusso sfacciato anche nelle più squallide contrade del mondo. Ma l'asino della verità casca sempre sul taxi, dove un Paese tradisce la propria natura.

Salite su uno dei leggendari *yellow cabs* di New York, che il guidatore ha probabilmente noleggiato in un garage per la giornata uscendo all'alba in cerca di fortuna prima di riportarlo alla sera avendoci perso o guadagnato, e capirete immediatamente che cosa significhi «multietnicità». Dai tempi dell'allucinato Bob De Niro che guidava la sua ossessione a bordo del *Taxi Driver* di Scorsese nel 1976 sono trascorsi appena trent'anni, eppure trovare oggi un tassista nato negli Stati Uniti che non si chiami Ahmed, Toutou, Nkwame, Yuri, Jesus è più difficile che trovare un tassì a Roma quando piove. Il conduttore televisivo e comico americano David Letterman spiega, con umorismo crudele e molto *newyorker*, che le tariffe delle macchine gialle a New York continuano ad aumentare perché aumenta ogni anno la quota di iscrizione ad al-Qaeda.

Prendete a Tokyo un *tàkushi*, che non è un cubetto di tonno crudo su riso bollito ma un'autopubblica, che si pronuncia «tac-sci» e si scrive così perché i giapponesi sono allergici a due consonanti dure affiancate, e fate attenzione a non prendervi una portierata in quel posto delicato del basso ventre perché le portiere posteriori si aprono automaticamente con una leva azionata dal conducente. Osservate i centrini di pizzo poggiatesta, che il tassista in guanti di cotone bianco cambierà più volte al giorno per evitare ogni sospetto di alone untuoso, la plastica che avvolge i sedili, l'immacolata pulizia della carrozzeria che neppure lo smog e la pioggia riescono a sporcare, e poi pregate che lui sappia dove sia la vostra destinazione. Tokyo è un labirinto senza indirizzi, ma con una serie di griglie sempre più piccole entro la quale si trova il luogo dove volete andare.

Ma il guidatore, che parla l'inglese esattamente come voi parlate il giapponese, cioè neanche una parola, non oserà mai perdere la faccia, essere scortese e ammettere che non ha la più vaga idea della vostra destinazione. Vi scaricherà con estrema gentilezza, offeso se proponete una mancia, nel mezzo del nulla, pur di non ammetterlo. Niente paura. Un altro *tàkushi* vi raccoglierà dopo pochi minuti e, *tàkushi* dopo *tàkushi*, arriverete al traguardo in perfetta sicurezza e igiene. Senza mance.

Tutti gli stereotipi, i luoghi comuni, le calunnie e le carinerie su un popolo e sulla sua cultura, si materializzano nel taxi. Autisti di piazza ebrei e arabi, palestinesi e israeliani, che mi hanno accompagnato nei luoghi più pericolosi del pianeta, sul Golan, a Gaza, in Cisgiordania o in un qualsiasi caffè di Gerusalemme, dove si può essere dilaniati da una bomba sorseggiando un espresso, si odiano e si maledicono. Ma su un terreno si ritrovano con fraterna e indistinguibile solidarietà professionale, nella determinazione di spennare il giornalista fino all'ultimo centesimo della sua nota spese. Inviati europei e americani in Medio Oriente devono avere costruito più case in Palestina e in Israele con le loro corse in tassì alimentati dalle mance, di quante i proiettili dell'artiglieria israeliana e le katiusce di Hezbollah siano riusciti a demolire. Oltre ad averne costruita qualcuna per se stessi, con le mitiche ricevute false in ebraico o arabo.

Se una nazione è classista, rigidamente divisa tra molto ricchi e molto poveri, troverete puntuali i tassì classisti, come nel Messico dove i comuni mortali si affidano ai Maggiolino Volkswagen, quelli originali, che ronzano incessantemente, tutti senza la portiera anteriore destra per facilitare l'accesso, la spolpatura e l'uscita rapida del passeggero. L'ignaro verrà condotto in un non richiesto giro turistico di questo immenso formicaio prima di essere liberato, ammesso che sia sopravvissuto al traffico e all'atmosfera perennemente tossica. Proverà la stessa impotente frustrazione dell'indimenticabile Sandro Ciotti, che aveva tentato di raggiungere imprudentemente su uno di questi tassì dei poveri lo stadio Azteca nel Mundial '86. Alla vista, per la quinta volta, dello stesso obelisco sul Paseo de la Riforma, tentò di obiettare al tassinaro nel suo ispano-romano: «Ahò, mo' se fermamos e preguntamos». Mentre i turisti *gringos* ricchi e i messicani danarosi scivolano via su Cadillac, Lincoln, Mercedes sigillate, dentro l'aria condizionata e filtrata, condotte da ossequiosi chauffeur.

Se si parla l'idioma locale con qualche familiarità, non importa quali siano il partito e il regime vigenti, il viaggio dentro il piccolo dio di latta consentirà al passeggero loquace di ricevere anche un sintetico corso di aggiornamento sulla situazione generale sociopolitica di quel Paese. Persino nella Russia sovietica, dove ogni palo della luce era una spia, dentro la cortina protettiva del fetido fumo azzurro da *papirosy*, da sigarette proletarie aromatizzate dall'alito di vodka, all'interno dell'orrida Volga o della scalcagnata Zigulì Fiat 124, si potevano ottenere acute analisi politologiche.

Migliaia di opinioni di *taxi drivers* americani, francesi, londinesi, romani (quando gli inviati riuscivano a trovarne uno), russi, israeliani, arabi sono finite, a loro insaputa, sulle prime pagine dei maggiori quotidiani del mondo, sopra la firma di autorevoli analisti. E non sempre erano fumo. È un fatto risaputo che i tassinari e i barbieri risolverebbero rapidamente tutti i problemi del mondo, se soltanto non fossero sempre così occupati a guidare i taxi e a tagliare i capelli. Vinsero anche una guerra, vuole il folklore, trasportando fanti affannati da Parigi al fronte della Marna e fermando la marcia delle armate del Kaiser.

Chi dubita della democrazia di massa americana non ha mai provato a sgomitare con celebrità, autorità, miliardari, attori famosi, alle sei del pomeriggio all'angolo della Quinta e Central Park, dove al tesserato di al-Qaeda nulla importa di chi tu sia e carica il più svelto a bloccarlo. Chi vuole fare un corso accelerato sulla disfunzionalità dei servizi italiani, si metta nei panni di un turista cinese che pretende di fermare un'auto bianca in via del Corso o in Montenapoleone al venerdì sera agitando la manina libera dai pacchi e non conosce gli arcani del nostro radiotaxi e della fallita liberalizzazione. Ci sono 55 mila autopubbliche con centrini di pizzo e portiere sfasciatesticoli a Tokyo, 20 mila nel centro urbano di Rio de Janeiro per 3 milioni di abitanti, 21 mila a Londra, ancora e spesso quei giganteschi *black cabs* ormai costruiti soltanto per questo scopo, 15 mila a Parigi per i 2 milioni che abitano nell'area urbana, 10 mila a Barcellona per un milione e 600 mila persone. Ce ne sono, quando il tempo lo permette, 3 o 4 mila a Roma, l'unica città che io conosca dove il grido «taxi» echeggerà invano. Battuta soltanto da Venezia dove ne circolano 200, ovviamente sotto forma di motoscafi.

Che sia raro come il tartufo bianco, a Milano e Roma, o onnipresente come a Manhattan e a Tokyo, il tassì, invenzione dei carrettieri romani del I secolo che utilizzavano palline collegate al mozzo della ruota per calcolare la distanza percorsa e la tariffa, è un ambasciatore, un microcosmo, una sintesi del meglio e del peggio. E sempre un rifugio. Dentro quelle auto può avvenire di tutto, da nascite improvvise a concepimenti, da rapine a omicidi, e divenne popolarissimo negli Usa un reality reale, non fasullo come quelli spacciati come tali, fatto raccogliendo le «confessioni» di passeggeri al conducente, registrate da una minicamera nascosta nel retrovisore e poi autorizzate secondo la legge. Dicevano tutto, anche le cose che non avrebbero mai detto a un analista o a un confessore. Il tassì ha effetti opposti ma potenti, può indurre al mutismo come alla logorrea.

Quando si sale a bordo, trafelati sulla strada dell'aeroporto, immusoniti da una lite, rattristati da una giornata storta, il guidatore, anche il più antipatico, diviene istantaneamente un amico, quell'automobile un guscio protettivo, e il cliente un bene da salvaguardare fino a destinazione, come la reliquia in un santuario. Forse mi sbaglio, ma non ho mai letto né sentito di violenze commesse dai tassisti contro i loro passeggeri, non a Manila, non a Gaza, non a Hong Kong, non a Londra, non a Saigon, non in Italia e neppure a Manhattan. Se David Letterman ha ragione, si vede che a New York è emigrata la corrente pacifista di al-Qaeda.

Licenza di uccidere

I ragazzi con la pistola

Nella spianata verde di quel fondovalle virginiano dove le armate blu e grigie si massacrarono assiduamente per quattro anni, davanti all'ingresso dell'università che ha riaperto le porte per il nuovo anno accademico sta oggi un muretto di granito innalzato per ricordare un'altra inutile strage di vite nella nuova guerra civile che l'America sta combattendo contro se stessa: i 32 caduti, 27 studenti e 5 insegnanti, della Virginia Tech University abbattuti il 26 aprile 2007 da un ragazzo di ventitré anni con 170 colpi di Walther P22 e di Glock automatica prima di sparare a se stesso. La base del piccolo memoriale è assediata dai fiori, ma non soltanto dai fiori.

Tra i mazzolini dei fiori che i compagni colgono e depongono e le corone che i genitori dei caduti rinfrescano ogni giorno, sta un opuscolo chiuso in una busta di plastica da sandwich, sigillato per proteggerlo dalla pioggia. È stampato coi fondi della National Rifle Association, la gigantesca lobby delle armi da fuoco con tre milioni di iscritti, e contiene il testo di una proposta di legge presentata al Parlamento dello Stato della Virginia. Il suo obiettivo: permettere agli studenti di armarsi e di portare pistole nascoste nello zaino, nelle giacche, nei calzoni, sotto le sottane, dentro le aule, le mense, i parchi, le stanze dei dormitori. «Se qualcuno fra quei 32 caduti avesse avuto con sé un'arma, sarebbe ancora vivo» spiega il volantino accluso nella busta di plastica.

La proposta di legge popolare, giudicata «un'idea demenziale e oscena» dal sindaco repubblicano di New York, Michael Bloomberg, minacciata da un inaudito «sciopero bianco degli sceriffi» di tutta la Virginia e condannata dal governatore Tim Kaine, non è passata. Per ora. Perché come è garantito che sia soltanto questione di tempo e fra un giorno, un mese, un anno, torneremo a dover raccontare un'altra Columbine, un'altra Virginia Tech, un'altra strage fra gli Amish della Pennsylvania, così è certo che il riflesso automatico di milioni di americani sarà quello di chiedere altro fuoco per spegnere l'incendio. Di rispondere alle pallottole con le pallottole. La solita dottrina della guerra per evitare la guerra. Alle armi, professore.

Non c'è mai stato nulla, dalle pistolettate che chiusero la Guerra civile spargendo il sangue del vincitore, Abraham Lincoln, all'uccisione di Kennedy, all'attentato a Reagan, ai massacri nelle scuole, alle 11 mila vittime dei proiettili ogni anno, ai 30 bambini sotto i dieci anni trafitti accidentalmente dal solito «papà che ripuliva l'arma», che sia riuscito a troncare il cordone ombelicale che lega gli Stati Uniti alla gran madre della loro storia patria. All'arma da fuoco. Leggi restrittive, norme proibizioniste in alcuni Stati annullate dalla Corte Suprema che ha affermato il diritto universale di possedere pistole e revolver, prediche, lezioni, sequenze agghiaccianti di bambini che sparano ad altri bambini e di gang che giocano all'Ok Corral, non sono servite a nulla e non possono più servire. Quando circolano 85 milioni di *side arms*, di rivoltelle, legalmente registrate, e almeno altri 100 milioni non registrate, e l'abitante di una città dove erano proibite, come la capitale Washington, doveva soltanto attraversare un ponte sul fiume per comperare in Virginia un'intera armeria, la guerra è perduta.

Perduta da sempre, perché la storia dell'America è scritta con la polvere da sparo. È una nazione che, dagli archibugi dei *conquistadores* spagnoli nel Sud ai fucili dei primi trappolatori francesi imbracciati per dare la caccia a orsi, volpi e indigeni ignari di armi di fuoco, non affonda le proprie radici nella Bibbia, come vogliono farci credere i neointegralisti, ma nel *satchel*, nella borsetta di pelle con la polvere da sparo, o nelle cartucce che i soldati dovevano spezzare coi denti per caricare le armi ancora nella Guerra civile. Se l'impero dei Mongoli fu costruito sui cavalli, quello romano sui gladi dei suoi legionari, quello britannico sugli alberi delle sue navi, l'America del Nord è stata fatta dalla polvere nera e dal piombo. Non ci sarebbero gli Stati Uniti senza le armi da fuoco. Dunque gli Stati Uniti non possono immaginarsi senza le armi da fuoco.

Cho Seng-Hui, lo studente coreano con regolare permesso di residenza, non era un antiamericano, anche se ragliava contro la nazione che lo aveva accolto. Era diventato troppo americano. Era salito al quarto piano della Ambler-Johnson Hall, uno dei dormitori, come un Rambo, un Wyatt Earp, un marine a Okinawa, e così si era fatto fotografare. Brandiva in una mano una Walther P22 tedesca e nell'altra una Glock 19 austriaca, un'arma di ordinanza per gli ufficiali svedesi, l'Fbi, la polizia di New York, l'esercito della Malaysia e le unità scelte della nuova polizia irachena, concepita senza pretese di sport o di caccia, ma soltanto per uccidere un altro essere umano. Seng non avrebbe neppure potuto comperarle, secondo le inutili leggi in vigore. La vendita di armi da guerra, come la Glock, è esplicitamente vietata a persone inferme o instabili mentalmente, come il ragazzo coreano era stato diagnosticato nel college, che lo aveva affidato alle attenzioni di uno psichiatra. Ma il giovane aveva acquistato le due armi meno di trenta giorni l'una dall'altra, da un'armeria della città vicina, Blacksburg, nonostante, di nuovo, la legge proibisca due acquisti a meno di un mese di distanza. Ma quando l'armaiolo fece i controlli di legge, non risultò nulla, né l'infermità mentale, né il primo acquisto. Le carte, la posta, le segnalazioni si erano perse nel solito labirinto burocratico.

Non che questo avrebbe fatto alcuna differenza. Nel miserando paesetto di Crawford in Texas, dove ha il proprio *buen retiro* villico George W. Bush, c'è, sotto l'unico semaforo lampeggiante del villaggio, un negozio di souvenir e di pistole di ogni calibro e foggia: The Yellow Rose of Texas. Quando chiesi alla proprietaria se avrei potuto acquistare una Colt nuova di pacca, lei mi rispose con un sospiro: «Purtroppo non prima di tre giorni di attesa, perché così ci ha imposto il governo». Ma non avrei dovuto preoccuparmi, mi consolò. A mezz'ora di auto, nella città di Waco, era aperta una fiera dell'usato dove avrei potuto comperare tutte le armi che avessi desiderato. «Usate» aggiunse strizzandomi l'occhio, come se una Beretta, una Smith & Wesson, una Walther, una Luger o una Colt di sei mesi potessero essere considerate innocuo antiquariato.

E infatti il numero di armi in circolazione continua ad aumentare, in progressione parallela con il numero di morti sparati. Nessuno è mai riuscito a dimostrare che l'incremento di armi in giro produca un incremento diretto di morti, e a questo si aggrappano le lobby che citano un emendamento della Costituzione voluto dai padri fondatori nel 1791, quando la difesa della terra da banditi, predatori, indiani comprensibilmente irritati e dagli inglesi che sarebbero certamente tornati, significava la sopravvivenza. Però nessuno è mai riuscito neppure a dimostrare il contrario, che la diffusione delle armi produca più sicurezza per i cittadini di una nazione moderna.

Ma l'idea, il mito, la sensazione di potersi autodifendere dal crimine violento sono scolpiti nei cromosomi e scattano quando saltano i fusibili della ragione. Mentre le sdentate leggi *anti gun* non mordono o vengono cancellate dalla Corte Suprema, sono le leggi permissive quelle che avanzano. In Virginia, per ora, la proposta di permettere l'introduzione di armi nel campus è stata respinta. Ma nelle università dello Utah sono state autorizzate dopo il mattatoio in Virginia e in 12 altri Stati l'arma in classe è permessa da tempo. In Florida chiunque può portare con sé una pistola, se legalmente acquistata, dove vuole, purché nascosta in borsetta, nella giacca, in automobile. Di Cho Seng-Hui fu detto che era matto. Certamente lo era, ma non era il solo.

Nella valle delle bambole senza volto

3 ottobre 2006. Un uomo entra in una scuola amish e uccide cinque bambine.

Oggi è facile raggiungere la terra del popolo senza tempo. Basta seguire il sangue di cinque bambine e i camion delle tv con le antenne. La mattina del 29 settembre, quando Naomi, Marian, Anna Mae, Lena, Mary, la più grande di dodici anni, la più piccola di sette, salutarono le loro bambole rigorosamente senza volto come vuole la legge degli Amish ed entrarono a scuola, credevano ancora, come tutte le sorelle e i fratelli con i quali erano cresciute in quell'isola di ieri, di essere figlie di un altro cielo. Protette dalle mamme che avevano cucito le bambole e i loro vestitini blu sempre uguali sotto lo scialle bianco spillato, dai padri che mietevano il loro cibo con il sudore della fronte e da un Dio che aveva scelto proprio loro per incarnare sulla Terra il rifiuto del mondo. Non sapevano ancora che tu puoi rifiutare il mondo quanto vuoi, ma il mondo non è purtroppo obbligato a rifiutare te. Naomi, Marian, Anna Mae, Lena, Mary non avrebbero mai più rivisto le loro bambole dai volti di cotone bianco senza occhi, bocca o naso, come il colore del sudario nel quale sono state imbalsamate prima di essere sepolte nel cimitero amish di Lancaster County. Nel quale, naturalmente, tutte le pietre tombali sono identiche.

Il massacro nella valle delle bambine senza peccato e delle bambole senza volto, nella terra degli Amish della Pennsylvania, è una di quelle tragedie che ci si chiede perché non siano successe prima e perché non possano accadere anche domani, sul filo dell'alta tensione che corre fra popolazioni che vivono l'una accanto all'altra, ma separate da cinque secoli. I 40 mila anabattisti svizzero-tedeschi che cercano di vivere come fu insegnato loro nella prima metà del Cinquecento, stanno in mezzo ai 13 milioni di *english* – di *yankees* li chiamano loro – come un rimprovero vivente. Simboli di una semplicità rigorosa, di un'anacronicità arcigna e tenera, nella sua mitezza, immagini che schiaffeggiano nel silenzio e nella preghiera la fragorosità e la bruttezza che li circonda. Sono commoventi e insopportabili, per chi, come l'assassino di quelle cinque bambine che egli avrebbe voluto violentare prima di uccidere, legge nella virtù degli altri l'immagine rovesciata della propria empietà.

Sui fili tirati davanti alle fattorie, visibili da lontano come il gran pavese di un transatlantico immobile, sventolano nel vento i panni bianchi, viola, blu, neri, grigi stesi dalle donne che ignorano lavatrici e asciugatrici e si affidano per lavare e seccare alle assi, alle tinozze e alla brezza. Sono le bandiere di un esercito disarmato che rifiuta di arrendersi al tempo, che combatte i nemici, noi, i nostri macchinari, le nostre vanità, la perdizione della guerra, stringendosi alla sola arma che accettino di brandire, il proprio passato.

Si arriva in quest'isola del tempo perduto attraversando il Susquehanna, il più grande e il più bello dei fiumi americani dell'Est che qui, ormai prossimo alla foce, si allarga fino a due chilometri e porta verso l'oceano la terra scavata negli Appalachi e il ricordo degli Irochesi che appena ieri lo navigavano con le loro canoe.

Come tutte le culture fossili, anche questa di cristiani radicali e fondamentalisti del XVI secolo suscita in noi, distruttori dei loro mondi e dei loro sogni, insieme enorme tenerezza e qualche rimorso. La demografia e il censimento ci dicono che questa «tribù» teutone resiste, è presente in almeno dieci Stati americani e ora è sbarcata addirittura in Sudamerica, in Brasile, ma la vera ragione non è gioiosa come la crescita. È il continuo, inesorabile restringersi della sola *commodity*, della materia prima senza la quale non potrebbero esistere e praticare la loro forma di cristianità contadina, cioè la terra.

Ancora trent'anni or sono, passare oltre le ultime città degli *yankees* sul magnifico fiume, Harrisburg, Lancaster, le acciaierie della Bethlehem Steel che esalavano dalle ciminiere il loro ultimo catarro nero prima di morire, imboccare la vecchia strada numero 30 che porta a nord, verso Philadelphia, ed entrare nella terra degli Amish, significava realizzare davvero uno dei più triti luoghi comuni del giornalismo, compiere un viaggio all'indietro nel tempo e nello spazio. I 6000 chilometri che li separano da quella svizzera tedesca dalla quale dovettero scappare perché giudicati – dai calvinisti e dai battisti svizzeri che pure mattacchioni non erano – troppo rigidi e i quasi 500 anni che li dividono dal fondatore scomparivano.

Qui, a pochi chilometri dal massimo degli insulti tecnologici possibili, da quella centrale nucleare di Three Mile Island sul fiume Susquehanna che rischiò di saltare per aria e di spazzare via noi, il nostro e il loro mondo sulla costa atlantica degli Usa, Calvino si sarebbe trovato a casa. Menno Simmons, colui che nel 1536 diede vita ai Mennoniti dai quali gli Amish derivano, si sarebbe potuto sedere a tavola, spezzare il pane fatto in casa alla luce delle candele, indossare i panni degli uomini, infilarsi le loro bragone di panno nero ruvido rette da una bretella sola, sempre una sola, perché due sarebbero già segno di vanità e di *débauche blasphème*. Jakob Amman, il capostipite del movimento, da cui il nome di «Amish», sarebbe stato orgoglioso di vedere che, cinque secoli dopo la sua predicazione di protestante radicale, i figli dei figli dei figli dei suoi primi seguaci sarebbero rimasti fedeli al monito di quel Dio della Bibbia che, nella lettera ai Romani, capitolo 12, versetto 2, intima: non uniformatevi mai al mondo presente.

Per due secoli, da quando le avanguardie dei Deitsch, come si chiamano dal loro dialetto svizzero tedesco, che i soliti, sbrigativi americani subito confusero con Dutch, cioè olandese, fuggirono qui nel 1720 per evitare il servizio militare, hanno saputo resistere al frullatore dell'America che inghiotte le culture e le risputa omogeneizzate, impresa assai più difficile che difendere le proprie tradizioni in una valle della Svizzera. Ma nei trent'anni passati dalla prima volta in cui sbarcai nell'isola degli uomini senza tempo a oggi, mentre la processione dei camion televisivi costringe i loro calessi a zigzagare per evitarli e raggiungere il cimitero delle bambine, l'aggressione del presente è visibilmente, angosciosamente avanzata.

Attorno alle loro fattorie e ai loro campi di mais, di grano, di tabacco, alle loro coltivazioni di sedani tanto amati da essere regalati a fascine come dote per le spose novelle e usati come decorazione alle feste di matrimonio, i tentacoli delle superautostrade si sono allungati. I sobborghi delle città hanno sbocconcellato le terre rese sempre più costose e preziose dall'urbanizzazione. I motel con piscina e tv satellitare sono spuntati per ospitare turisti curiosi che comperano marmellatine «naturali» e *quilt* tessuti imitando gli originali con la speranza di rivivere le sequenza di *Witness*, il film con Harrison Ford che diede una mazzata micidiale alla loro pace.

Tengono duro, anche tra i camion tv, le auto dei curiosi, i finti Amish con i loro calessi per turisti, le marmellate, i *quilt* cuciti in India dove le mani delle donne costano niente, le strisce di carne seccata e affumicata, proprio come il *pemmican* mangiato dagli Irochesi. Sempre senza elettricità, motori, televisori, telefoni. Niente che li distacchi dal mondo del XVI secolo, e li avvicini alle nostre oscene guerre. Non troverete mai un Amish con i baffi, perché i mustacchi erano orgoglio di ufficiali e militari, né una donna con bottoni sui corpetti degli abiti, perché i bottoni ornavano le uniformi dei reggimenti. Resistono, sventolando le loro mutandone bianche al vento. Dicono che i ragazzi, gli adolescenti che finiscono la scuola sempre a quattordici anni, dopo e non oltre la terza media, e vengono liberati come cuccioli ansiosi perché vadano a sperimentare la vita oltre il giardino, tornino e soltanto uno su cinque resti impigliato nella città del peccato.

Anche prima che Charles Carl Roberts entrasse nella scuola armato di fucile da caccia, carabina, pistola 9 mm., 600 proiettili, due coltelli, manette, schiavettoni per le caviglie e flaconi di vaselina per torturare e uccidere Emma e le altre, il vento non più limpido del nuovo mondo aveva cominciato a sporcare di polveri e di scarichi la biancheria stesa ad asciugare. Mai, gli Amish avevano dovuto seppellire cinque vittime della violenza. Una sola volta in due secoli qui si era visto un omicida, Edward Gingerich, uccidere la moglie e il figlio, nel 1993. Il resto silenzio, discrezione, solidarietà, forse anche omertà, sussurra qualche transfuga, insinuando che sotto quei sottanoni pesanti e modesti sempre blu, viola o neri, nei quali anche la cuffia obbligatoria delle donne deve avere lo stesso numero di piegoline per non stimolare la nota vanità satanica delle femmine, si nascondano gli abusi e i peccati di ogni maso chiuso.

Tutto resta come sempre, *in saecula saeculorum*, la comunione due volte all'anno, autunno e primavera, la preghiera nelle case dei fedeli, i salmi lunghi 15 minuti, i vescovi nient'altro che anziani eletti, il servizio militare mai, il voto alle elezioni sempre per fare lobby e difendersi meglio, figli molti e bellissimi da piccini, sempre biondissimi, i capelli dei maschietti diritti e tagliati bruscamente con la scodella sotto i cappelli di paglia d'estate e di panno d'inverno, le trecce delle femmine che scendono dai *bonnets* bianchi, dalle cuffie. Naturalmente plissettate «a numero chiuso».

Dai finestrini dei calessi guardi i bambini guardare noi, quelli del mondo vanitoso, competitivo, aggressivo, perché lo sguardo curioso dei bambini per le automobili che non potranno mai possedere, per i vestiti che non potranno mai indossare, per il trucco che copre i volti delle nostre donne, incuriosisce te come tu incuriosisci loro. Non si capisce chi vada a vedere chi, se siano loro a meravigliarsi per la nostra follia o noi a stupefarci per la loro. Chi, fra noi e loro, sia davvero dietro le sbarre della gabbia. Ma una cosa si capisce, che questi 40 mila del «vecchio ordine», i più rigidi, o gli altri 150 mila sparsi per gli Stati Uniti sono circondati da una modernità che li assedia e che inesorabilmente sembra destinata a inghiottirli. La rete elettrica, già lontana, si estende, come una ragnatela nella quale il ragno è il mondo e questi bambini sono le mosche.

Nel 1912, quando il consiglio degli anziani, i «vescovi», decisero, dopo un ennesimo scisma tra i Mennoniti, che sono il ceppo principale di questi cristiani anabattisti, cioè senza il battesimo dei neonati rinviato all'età adulta, di respingere l'elettricità il loro ragionamento fu lungimirante: la corrente elettrica, in sé, non è un «male», ma porta possibilità di cose, strumenti, suppellettili, apparecchi che inevitabilmente scateneranno voglie, desideri, vanità. Non è forse la vanità, secondo il Grande Libro, il peccato preferito dal diavolo? Questi della Pennsylvania, gli Amish del Vecchio Ordine, o *Ordnung*, alla tedesca, usano al massimo batterie da automobile, quelle da 12 volt, per azionare piccoli attrezzi necessari alla manutenzione e alla costruzione, ma incapaci di far funzionare elettrodomestici, asciugacapelli, televisori, condizionatori. Possiedono frigoriferi, ma con compressori a cherosene. Viaggiano in auto, ma sulle auto altrui. Si fanno ricoverare in ospedale, per cure, interventi, esami, ma non possiedono ospedali propri.

Nelle ore dopo la strage nella scuola, ad aula unica come sono qui tutte le loro scuole dove una sola maestra insegna a tutti, gli adulti si accalcavano dietro le telecamere per cercare di vedere e di sapere quello che era accaduto dentro. Mentre le immagini dell'orrore e le notizie venivano viste in Cina o in Italia, in Giappone o in Francia, i parenti, senza tv, dovevano allungare il collo per carpire un'occhiata. Sapeva di più, sulla sorte delle loro bambine, chi stava a 10.000 chilometri di chi stava a dieci metri.

L'assassino era venuto da fuori, da oltre il grande fiume, dalle città che stanno in agguato oltre i 20 chilometri che rimangono, tra i paesi di Bird in Hand e di Intercourse, i confini della terra degli uomini senza tempo. Non era un Amish impazzito, un ribelle, forse non li odiava neppure, come invece quegli altri che hanno cercato di picchettare il funerale con cartelli di insulti e lungo la strada numero 30 hanno lanciato sassi contro i cavalli dei calessi, sperando di farli imbizzarrire e di rovesciare a terra gli uomini con i cappelli di paglia, le donne con le cuffie, i bambini sotto i loro capelli biondi a scodella.

Gli studiosi di confessioni cristiane osservano che gli Amish della Pennsylvania sono una frazione di una frazione dei Mennoniti, che altrove sette meno rigide stanno addirittura acquistando trattori e camioncini per trasportare i loro prodotti al mercato e soltanto questi restano assolutamente fedeli al precetto del *Demut*, la sottomissione, l'umiltà, la modestia, alla parola del Libro: «Uscite dal mondo e siate diversi dal mondo». Ma molti sono stati visti usare il telefono, nei giorni del sangue, dentro le cabine che i loro vicini che vivono nel mondo costruiscono per loro. Un giornale locale ha scritto che una delle bambine, la più piccola, è stata seppellita con una delle sue bamboline senza volto, ma forse non è vero. Spero che non sia vero, perché stringe troppo il cuore, come il mondo si sta stringendo attorno agli Amish.

Il boia può attendere

Il lungo viaggio dell'America che finalmente vacilla lungo la strada della forca, anche se rimane sorda al grido delle altre nazioni civili, cominciò trent'anni or sono in Indiana, quando un'insegnante di dottrina ottantenne aprì la porta a quattro ragazze che le avevano chiesto di raccontare la Bibbia. Un'ora più tardi, il marito trovò il corpo di Ruth Pelke dilaniato da 33 coltellate, la sua vecchia auto rubata e 10 dollari mancanti dal borsellino. L'assassina, la capobranco, confessò di avere organizzato l'omicidio per fare shopping. Si chiamava Paula Cooper, aveva quindici anni e quando il giudice pronunciò la condanna a morte nel 1986, nell'aula plumbea si sentì soltanto la voce del nonno che l'aveva allevata: «Ammazzano la mia baby, ammazzano la mia baby».

Non ci furono dubbi, astute difese, neppure alibi sociologici o razziali agitati per lei, ragazza nera e tormentata da bambina. Ma c'era, in quell'aula del tribunale, un granello di polvere umana che avrebbe inceppato e poi fermato gli ingranaggi della vendetta di Stato. Era il nipote della vecchietta uccisa, Bill Pelke.

Qualcosa scattò, in quest'uomo di trent'anni che aveva visto la nonna trucidata da una ragazzina. Scattò il meccanismo inverso a quello della vendetta della vittima, il meccanismo del perdono. Per lo scandalo dei familiari e della moglie Judy che divorziò, Bill Pelke commise l'errore che i giustizieri non dovrebbero mai commettere: prese contatto con colei che gli aveva fatto a pezzi la nonna, le parlò, «all'inizio soltanto per capire», dice ora che vive, profugo di se stesso, in Alaska. E scoprì, come accadde a me quando cominciai a comunicare al telefono con un condannato alle sue ultime ore, Joseph O'Dell, che per quanto orrendo sia il crimine che ha commesso, dentro la tuta arancione della «belva» da sopprimere, vive un essere umano.

Bill Pelke da «vittima che pretende la vendetta» si trasformò in missionario per salvare la vita a chi l'aveva tolta alla persona più cara. La sua campagna uscì dall'America, raggiunse le televisioni del mondo fino alle trasmissioni popolari italiane della Carrà, accese la miccia di dimostrazioni di radicali italiani che accolsero il presidente Reagan nella sua visita a Venezia per il vertice del G8 nel 1987, provocò una petizione di Giovanni Paolo II e alla fine, miracolosamente, la commutazione della pena in sessant'anni di carcere. Paula Cooper in prigione è divenuta, come tanti «mostri», un modello di comportamento studioso (ha preso il diploma di liceo). Uscirà dopo aver scontato trent'anni, nel 2016. Ora è lei a tenere lezioni di dottrina in carcere.

La chiave che aprì il cuore del nipote, e che lentamente sta schiudendo l'ottusità vendicativa di una nazione che comincia a dubitare del valore morale e preventivo del patibolo, fu l'incontro con i gruppi di sostegno ai parenti delle vittime. Il mito della «soluzione finale», del senso di giustizia e di chiusura che dovrebbe restituire serenità a padri, madri, sposi, figli, nel sapere che il colpevole è stato soppresso, gli apparve, appunto, un mito crudele. «Niente restituisce niente, la morte non è un debito che possa essere saldato con un'altra morte» scriverà nelle sue memorie, intitolate *Il viaggio della speranza*. Comunicare con l'assassina, con la quale scambia ancora lettere, gli diede un senso di «comprensione che non significa giustificazione», infinitamente più rasserenante.

Il caso della teenager dell'Indiana fu il primo che agitò la calma greve del consenso per la pena capitale dopo la sua riammissione nel 1976. Forse fu il suo essere la prima minorenne destinata alla sedia elettrica che depositò un seme che non sarebbe più stato estirpato, neppure negli anni Novanta della carneficina in Texas voluta dal governatore George W. Bush. La macchina si è rimessa in moto, dopo l'ennesima e contraddittoria sentenza della Corte Suprema nel 2008, in Virginia e, naturalmente, in Texas. Ma il New Jersey ha formalizzato l'abolizione della pena capitale e sono quindi ormai 13, su 50, gli Stati dove il boia è andato in pensione. I sondaggi indicano ancora una maggioranza di cittadini favorevoli, ma quando si chiede se essi, in qualità di giurati, voterebbero per la forca avendo come alternativa il carcere a vita senza indulti o libertà condizionale, la maggioranza si inverte e preferisce infliggere il carcere alla morte.

Si insinua, e scava la pietra la certezza, che fra i 3000 reclusi nei bracci della morte ci sia più di un innocente e dunque innocenti siano stati assassinati in passato. Il North Carolina ha scarcerato Jonathan Hoffman, in attesa dell'iniezione dal 1995. Non è stato graziato, era proprio innocente, condannato grazie a una falsa testimonianza. In Tennessee, Michael McCormick, in lista d'attesa per l'iniezione di curaro e cianuro, ha ricevuto dai test sul dna la prova dell'innocenza nello stupro e omicidio di una donna nel 1985.

La moratoria Onu non fermerà il boia americano – sarà un giorno l'America a fermare il boia – né il governo degli Stati Uniti avrebbe potuto votarla perché il cappio sta nelle mani dei singoli Stati e neppure si poteva attendere una conversione proprio da Bush. Il viaggio dell'America verso l'alba continua, nonostante il bel gesto dell'Onu, ma il buio lungo la strada non è più profondo.

American Funeral

Il treno più lento del mondo lasciò la stazione di Washington alle ore 8.00 di venerdì 21 aprile e arrivò a destinazione a

Chicago alle ore 10.00 del 3 maggio, viaggiando alla lugubre velocità di otto chilometri all'ora. Tredici giorni furono necessari perché il convoglio con la salma di Abraham Lincoln, e del figlio Willie morto ancora bambino appena tre anni prima di suo padre e disseppellito per unirsi a lui nel viaggio verso la tomba, lasciasse la capitale, dove il presidente era stato assassinato, e raggiungesse la città dove sarebbe stato sepolto. Fu un corteo funebre lungo 2500 chilometri, il più lungo che il mondo avesse fino ad allora visto. E che avrebbe costruito il rito dell'*American Funeral*, la scenografia colossale e spontanea di quei lunghi addii dell'America ai grandi della propria storia che prima avventatamente uccide e poi amarissimamente rimpiange.

Per trovare un'esplosione di rimpianto e di cordoglio autentico paragonabile a quella che gli Stati Uniti vissero accompagnando il treno funebre di Lincoln nel 1865, di Franklin Delano Roosevelt nel 1945, di Robert Kennedy e di Martin Luther King nel 1968, noi dobbiamo tornare alle miracolose giornate dell'aprile 2005, in quella Roma dolce e malinconica allagata dai milioni di pellegrini in coda lungo il Tevere per un ultimo sguardo a Giovanni Paolo II. E in questa evidente simiglianza fra i 2 milioni e mezzo di persone che sfilarono accanto al feretro di Karol Wojtyła e i milioni che hanno chinato la testa o inviato un bacio al passaggio del treno funebre dei presidenti americani o del carretto che trasportava la bara di Martin Luther King, c'è un indizio importante per capire l'enormità corale e la passione con la quale il popolo americano saluta i propri leader caduti. C'è il segno di un rapporto non più politico o civile, e neppure più soltanto umano, ma religioso con coloro che incarnano, adorati o odiati che siano, l'*American Religion*, e ne divengono, laicamente ma definitivamente, i martiri.

Nelle folle immense che seguono il viaggio dei convogli funerari, munite di orari ferroviari precisi pubblicati dai giornali locali, trasmessi dalle radio o dal tam tam del passaparola con l'ora e il minuto esatti nei quali il treno attraverserà il proprio villaggio in Georgia, in Pennsylvania, in Indiana, o nelle città fuligginose dei Grandi Laghi del Nord, non ci sono mai, neppure nella Atlanta nera che vide passare il feretro di King, quelle tracimazioni di isteria collettiva che accompagnarono la morte della «principessa del popolo», Diana Spencer. E neppure si assiste alle scene da grande melodramma latino che accompagnarono l'addio dell'Argentina a Evita Perón. La compostezza dolente dei contadini in salopette jeans o cuffie plissettate lungo i binari sui quali passarono i convogli di Lincoln, Roosevelt o Bobby, o il rispetto silenzioso degli operai delle ferriere, hanno il sapore delle illustrazioni puritane di Norman Rockwell e la nitidezza di un dipinto iperrealista. Ma sempre con i connotati di una manifestazione religiosa.

La mistica dell'americanità trova nella grande tragedia pubblica l'occasione per esprimersi, soprattutto se è un funerale ferroviario. Il treno è il perfetto altare sul quale poggiare i resti del martire, perché più ancora del Winchester a ripetizione, della carabina Remington o della Colt 45, è il mezzo che ha costruito una nazione e ha unificato le sue membra lontane. In una democrazia fondata sulla libertà di religione e quindi, implicitamente e fortunatamente, sull'assenza di religioni di Stato, di ayatollah e di gerarchie ingombranti, la sola affermazione di fede comune è la fede nella propria appartenenza a una comunità umana, che ha avuto, nel treno che conquistò il West, uno dei suoi massimi totem. Quando la persona che questa comunità rappresenta muore, o viene uccisa, la perdita è sentita come una perdita collettiva e l'offesa portata dai proiettili dell'assassino come un'offesa fatta a tutti, all'essenza della propria fede laica. Questo spiega l'unanimità del cordoglio, la totalità della partecipazione di fronte all'assassinio di personaggi che, da vivi, erano invisi, addirittura esecrati da quelli che poi andranno ad assieparsi lungo la massicciata ferroviaria per onorarne il passaggio, da morti.

Racconta la più minuziosa studiosa delle presidenze americane, Doris Kearns Goodwin, che i sindaci delle cittadine e dei paesi attraversati dal convoglio funebre di Lincoln restavano stupefatti contando il doppio, a volte il triplo degli abitanti di quelle località, accorsi per salutare il feretro di un presidente nel cui nome, e per i cui ordini, 700 mila dei loro uomini più giovani, figli, fratelli e mariti, erano stati sacrificati. «Non sapevo che tanta gente vivesse nel mio comune» disse il sindaco di Ashley, un paese di 3000 persone nell'Ohio che contò 8000 fra donne, uomini e bambini alla stazioncina dove il *Lincoln Special*, come si chiamava il treno funebre, sostò per due minuti esatti. A Indianapolis, dove la bara fu prelevata dal treno ed esposta nel palazzo del Comune, sull'edificio di fronte era stato teso uno striscione con la scritta: «Riposa sereno Abe,» abbreviazione affettuosa di Abraham «ora ti amano anche i nemici».

La morte violenta, l'assassinio politico, sigilla, come quello striscione proclamava, l'universalità della fede nell'America, proprio nel momento in cui l'odio dell'infedele, quasi un anticristo, si manifesta nel modo più definitivo. Popolarità o impopolarità mentre si è in carica, *in office* come si dice, o il numero di voti ottenuti alle elezioni non hanno alcuna importanza. Se la mano di un regicida avesse stroncato una delle quattro presidenze più fervidamente detestate dalla cittadinanza mentre erano in corso, quelle di Harry Truman, di Richard Nixon, di Jimmy Carter e di George Bush il Giovane, folle sarebbero accorse lungo le rotaie per onorarli. Proprio per questo, conoscendo il valore mistico degli *American Funerals*, il governo del piccolo Bush decise di nascondere e minimizzare al massimo il ritorno delle migliaia di bare mietute in Iraq e Afghanistan, perché la morte di tanti giovani e il prezzo della guerra inutile scivolassero nell'indifferenza.

Lincoln fu eletto, nelle ultime presidenziali prima della secessione del Sud e della guerra, con appena il 39 per cento dei voti, e anche nel 1864, quando alla sua elezione parteciparono soltanto gli Stati del suo Nord, vinse con un mediocre 55 per cento contro il 45 dell'avversario, anche in quelle città e in quei paesi che appena un anno dopo avrebbero venerato la sua salma nel lungo addio sulla sacra rotaia. *Sic semper tirannis*, questa sia sempre la sorte dei tiranni, aveva gridato il suo assassino, nel teatro dove gli aveva sparato. Franklin Delano Roosevelt, eletto per quattro volte, era visto, anche lui, come un despota da quei 22 milioni di americani, su 47 milioni di elettori, che gli votarono contro anche nel novembre 1944, quando la Depressione era stata superata e le forze armate americane stavano trionfando in Europa e lavando l'infamia di Pearl Harbor. Ma, come avrebbe detto molti anni dopo il chirurgo toracico dell'ospedale George Washington a un Ronald Reagan gravemente ferito dall'attentatore prima di addormentarlo e cercare di salvargli la vita sul tavolo operatorio: «Dorma tranquillo, presidente, oggi qui siamo tutti repubblicani».

Tutti repubblicani per Lincoln, tutti democratici per i Kennedy, detestati in vita dai cittadini degli Stati del Sud e in particolare del Texas, che non perdonavano l'imposizione dei diritti civili e la lotta contro l'apartheid di fatto. Tutti *civil righters* neri, tutti attivisti accanto al feretro di Luther King, trascinato per le vie della sua Atlanta sopra un carretto da mezzadro tirato dai muli, l'umile simbolo della fine dello schiavismo quando ai neri liberati venivano regalati come compensazione 40 acri di terra, 16 ettari, e appunto un mulo per coltivarli. Il corteo che seguiva la bara si allungò, secondo la polizia della Georgia, per oltre dieci chilometri, ben oltre il limite della città. Di nuovo tutti democratici, e addirittura tutti kennediani, alla metà del maggio 2008 quando Ted Kennedy svenne mentre si alzava dal letto della casa fatale di famiglia, a Hyannis Port, e i medici del Massachusetts General Hospital di Boston gli diagnosticarono un tumore al cervello.

Per due giorni, tutte le televisioni americane, tutti i media organizzarono una nuova versione dell'*American Funeral*. Gli fecero un funerale da vivo, rovesciando 48 ore di «coccodrilli», come si chiamano in gergo gli articoli piangenti, e di dettagli clinici, un rito celebrato anche dai suoi avversari politici e personali più accaniti. Tutti sembravano aver dimenticato che nei quarantasei anni della sua presenza in Senato, in quel seggio che il fratello John Fitzgerald aveva lasciato vacante dopo l'elezione alla Casa Bianca, Teddy era stato il bersaglio preferito dell'odio, del dileggio e del sarcasmo delle destre, da quelle più tradizionali alle ultime incarnazioni dei saltimbanchi da talk show, che lo descrivevano come la manifestazione satanica del liberalismo statalista e del libertinismo di famiglia.

Qui nessuno ammazza il cappone grasso e cuoce i tortellini per festeggiare la morte dell'avversario politico. Come fu fatto nelle campagne «rosse» dell'Emilia alla scomparsa di Alcide De Gasperi.

Controversie e spasmi dietrologici scoppiano anche negli Stati Uniti, ma essi avvengono sempre a posteriori, dopo che la comunione dei credenti nel dio America ha pagato il proprio tributo unanime alla vittima, cioè il tributo a se stessa. Se attorno al regicidio più straziante del XX secolo, l'assassinio di JFK a Dallas, continua il tormentone del «chi ha davvero ucciso Kennedy» anche quarantacinque anni più tardi, forse è perché a lui, e alla nazione, fu negato l'altare, cioè il treno, quel lungo addio ferroviario che fu tributato a Lincoln e più tardi al fratello Bobby.

Il corpo di John F. Kennedy fu trasportato in fretta, quasi clandestinamente, la sera stessa dell'omicidio, da Dallas a Washington, nel timore di trame e attacchi bellici, in piena Guerra fredda, per ordine di colui che sulla sua bara, accanto alla vedova Jackie con l'abito macchiato di sangue, avrebbe giurato con il braccio alzato in un gesto quasi rattrappito e assunto la successione, Lyndon Johnson. Una nazione che non poté riconciliarsi con i resti del suo presidente non avrebbe potuto riconciliarsi con la sua fine, e non lo ha mai fatto. È stata privata di quel lungo addio su rotaie nel quale avrebbe perdonato se stessa per averne lasciato ammazzare un altro.

Il futuro è un gioco

La quinta carta

Steve l'americano spizzò l'angolo delle sue carte e disse senza muovere i muscoli della faccia, come fanno i ventriloqui: *I'm all in*, punto tutto quello che ho. Tre milioni e 700 mila dollari, *ladies and gentlemen*, annunciò il «meccanico», come si chiama nella lingua del poker quello che fa le carte, dopo aver misurato il castello di gettoni.

Hachem il libanese non guardò neppure le sue carte. Tenne gli occhi fissi sugli occhi dell'ultimo avversario rimasto per il titolo di campione del mondo di poker 2005 e rispose calmo: *call*, ti vedo. Il piatto, signori e signore, è 7 milioni e 400 mila dollari, contò il meccanico. Spingendo un carrello di ferro di quelli usati negli alberghi per portare le uova fritte e il caffè in camera, ragazzoni con le spalle troppo larghe e ragazzone con le gambe troppo lunghe rovesciarono sul tavolo una frana di mattoni verdi, 7 milioni e 400 mila dollari in banconote da 100, ben fascettate. Steve si grattò il mento. Hachem concesse alla moglie seduta tra il pubblico il sospetto di un sorriso. Due milioni e mezzo di telespettatori seduti a casa accavallarono le gambe per trattenere il bisogno di far pipì e la voglia di una birra e si prepararono a vedere chi di quei due, fra Steve Dannenmann l'americano e Joe Hachem il libanese, avrebbe portato a casa una somma che loro, gli zombi del cartellino timbrato e delle rate di mutuo, avrebbero impiegato 163 anni di lavoro per guadagnare. Al ritmo dei 46 mila dollari l'anno di reddito medio nazionale lordo.

La finale in diretta della World Series of Poker, l'ultima mania televisiva che sta consumando un pubblico già annoiato dalle marionette anabolizzate del wrestling e dai falsi reality show, era cominciata. Due uomini soltanto erano sopravvissuti ai 45 mila sognatori che si erano massacrati per un anno in partite via Internet, in serate ai circoli di pompieri, in camerate di studenti lazzaroni, per poi ripulire i 5800 ammessi alle finali nel Rio Hotel di Las Vegas.

Steve l'americano e Hachem il chiropratico libanese artritico, che aveva dovuto lasciare il suo mestiere per il dolore alle mani, scoprirono le loro due carte e si alzarono. Nel poker giocato al mondiale, il Texas Hold'em, il Texas «tienile strette», due carte coperte sono distribuite a ciascun giocatore e altre cinque scoperte sono rovesciate progressivamente al centro del tavolo, buone per tutti, da combinare con quelle in mano. I due superstiti avevano puntato tutto. Non c'era ragione per tenere le carte iniziali coperte. Steve girò le sue: un asso e un 3. Hachem un 7 e un 3. La signora Hachem, nella penombra, si coprì la faccia con le mani. Suo marito non aveva niente in mano, spazzatura. L'avversario aveva un asso, lo dominava. Il telecronista e il suo sottopancia sentenziarono l'ovvio: il libanese è cotto. Il meccanico, indifferente come un buddha tibetano, scoprì le prime tre carte comuni: un 4, un 6 e una Regina. Non cambiò nulla. Girò la quarta carta, la «carta della curva» la chiamano, la penultima. Un 3. L'americano ora aveva una coppia, due 3 più l'asso in mano. Il libanese si strinse nelle spalle. La sua sola speranza era che dal mazzo delle 52 carte, usato per il poker americano, il meccanico pescasse per lui come ultima carta un 5, per fare una scala. Il meccanico, con uno svolazzo a effetto, calò sul tavolo la quinta carta, la *river card*, si dice, la carta del fiume, come quel Mississippi nel quale piombavano, per disperazione o per cortese spinta, i giocatori traditi dall'ultima carta. È finita. Le ragazze applaudirono, il telecronista inneggiò, la signora Hachem scoppiò a piangere. I telespettatori poterono finalmente andare a fare la pipì.

Mai, neppure quando i ragazzi partivano verso il *Wild West* armati soltanto di una Smith & Wesson e dei tre consigli del padre – «figlio mio, non mangiare da un oste che si fa chiamare mamma, non fare all'amore con una donna più matta di te e non giocare a poker con uno sconosciuto che gli altri chiamano *doc*, dottore» –, questo gioco di carte aveva catturato una nazione che pure ha inventato il poker moderno, venerato e celebrato nella propria cultura. Gli storici pignoli dei vizi umani ci diranno che «poker» è una parola che viene dal francese *poque* e ancora prima dal tedesco *pochen*, bussare, che forse addirittura furono i marinai persiani – la solita minaccia islamica – sbarcati nella New Orleans del Settecento per vendere anche loro qualche schiavo nero ai buoni cristiani, a insegnare una versione più simile al poker giocato oggi. Ma aveva ragione Samuel Langhorne Clemens, più conosciuto ai lettori come Mark Twain, quando rivendicava alla sua America l'invenzione di quelle combinazioni di carte e di quelle infinite variazioni di gioco, dalle classiche cinque carte coperte, allo «stud», la teresina a cinque o sette carte, all'«alto e basso» fino al «Texas Hold'em» praticato al Mondiale, che oggi spopolano e che i legionari dell'impero hanno portato in ogni continente, dopo la guerra.

Mark Twain, che lamentava «l'ignoranza delle regole basilari del poker nelle classi colte», si sarebbe molto rincuorato se avesse potuto campare un altro secolo (morì nel 1910). Avrebbe visto l'esplosione che questo ignobile, diabolico e delizioso gioco ha conosciuto da quando, nel 1968, il primo Mondiale fu organizzato a Reno e poi trasferito al «Ferro di Cavallo» di Ted Binion a Las Vegas. Binion era un purista. Lo riservò ai professionisti, agli amici e ai *rounders*, ai nomadi che facevano appunto il *round*, il giro del West per spennare galline, sempre un passo avanti alla legge che li inseguiva. Il primo campione fu Johnny Moss, un maestro. Intascò 31 mila dollari. Una tv locale trasmise la finale, e fu un fiasco. La marmorea impassibilità dei vecchi professionisti, allenati a nascondere ogni *tell*, ogni tic fisico o verbale che tradisse le loro carte, rendeva quelle partite eccitanti come guardare la vernice seccarsi.

La rivoluzione per i vecchi che un Sergio Leone avrebbe adorato – Johnny «il Maestro» Moss, Jimmy «il Greco» Snyder, Thomas «Amarillo lo Smilzo» Preston, Doyle «il Dinosauro» Brunson, che ancora gioca a ottantasei anni, dopo aver sconfitto due infarti, un ictus e due tumori, il cinese Johnny «il Drago» Chan, Stu «the Kid» Ungar, il genio matematico che vinse 3 milioni di dollari e morì di overdose senza un soldo nel motel Oasis di Vegas in compagnia di una bottiglia vuota – arrivò dentro un rossetto. Non un rossetto di donna, niente di così romantico al tavolo da poker dove soltanto ora le femmine sono ammesse, ma una *lipstick camera*, una microtelecamera grande appunto come un tubicino di rossetto piazzata nei tavoli, sotto il bordo dei posti dei giocatori. Invisibile ma ad alta definizione, il rossetto elettronico permette al telepubblico di vedere le due carte coperte, le carte nel «buco», secondo il gergo, mentre sono spizzate dai giocatori. Qualunque idiota a casa, qualsiasi brocco da venerdì sera con patatine, sigarette e acidità di stomaco vede le carte coperte di tutti. E dunque, come lo spettatore di telequiz che legge la risposta in sovrimpressione, si sente più bravo di quei professionisti che li lascerebbero con una mano davanti e una di dietro in pochi minuti.

Non c'è serata televisiva, nella galassia dei 500 canali vomitati dal cavo e dai satelliti, che non offra almeno qualche eliminatoria o finale o torneo di poker americano o internazionale, per puntare sulla «pokermania» esplosa, come sempre esplodono i giochi di chance nei momenti di crisi sociale collettiva, quando la vita quotidiana è dura e la paura è grande.

A differenza di ogni altra competizione umana, dove il dilettante non vincerebbe un round di boxe o un game di tennis contro qualsiasi professionista, il poker regala una piccola, ma autentica probabilità anche al pollo. Un esordiente dilettante vinse il Mondiale del 2004, infilando tutti i vecchi marpioni. Personaggi rassegnati a consumare la propria vita nella penombra verdognola di partite con qualche ricco fesso da stirare stanno diventando idoli da album di figurine, nel circuito della Wsop, la World Series of Poker, che per loro è ciò che la Fifa è per il calcio, o il Tour de France per i ciclisti.

La grande candeggina della tv ha lavato via quel lezzo di scantinato, di bari, di cicche, di illegalità e di sudore, che impregnava il poker dei *rounders*, come fu raccontato nel bel film di John Dahl del 1988, con Matt Damon nel ruolo dello squalo bianco. La tv ha reso asettico e garbato, come un torneo di bingo in parrocchia o una gara di curling fra pensionati svizzeri, questo gioco rovinoso, assassino e infernale. La fabbrica dei miti si è messa al lavoro. Gli occhiali da sole a foggia di occhi da rettile preistorico indossati da Greg «il Fossile» Raymer, insieme con i 5 milioni di dollari vinti nella finale mondiale del 2004, ne hanno fatto un cocco dei bambini. La semplice coincidenza del cognome è sembrata una stella cometa quando il mondiale è stato vinto da Chris Moneymaker, il signor «faisoldi». Commovente e molto *american dream* la storia di Minh Ly, saldatore di Saigon fuggito davanti ai cattivoni comunisti nel 1975 su un peschereccio, un Boat People che ha fatto una barca di dollari.

Molto politically correct è il successo di Annie Duke, casalinga e madre di tre bambini, che bastona maschietti al tavolo del poker. Le migliaia di casalinghe sfiancate che devono fare la spesa cercando saldi e offerte per i pannolini sospirano vedendo una di loro che butta con nonchalance mezzo milione di dollari su un bluff come loro buttano la biancheria sporca nella lavatrice. E non poteva mancare un Gesù, un teo-poker, in questo tempo di revival evangelico. Chris Ferguson detto «Jesus», per il volto e l'acconciatura da Nazareno sotto il cappello da cowboy, che deve sopportare a ogni torneo l'immancabile battuta: «Maestro, niente miracoli che qui giochiamo per soldi». Pregando intensamente vinse un milione e mezzo nella finale del 2000.

Si lamentino pure, i vecchi, che questo non è più poker, che questo è show business, che questa è roba da masturbatori da Internet e da voyeur col telecomando. Il figlio del vecchio Binion piange di nostalgia quando ricorda la finale del 1971 fra Moss, il maestro, e Jimmy Dandalos, il Greco. Duellarono per 30 giorni e 30 notti, fino a quando il Greco, pescato da Moss in un bluff colossale, si alzò e disse semplicemente: «Mister Moss, temo di doverla lasciare andare». Ma nessuno vinse mai 7 milioni di dollari, nel bel tempo andato, come la sera della finale 2005, quando finalmente la «carta del fiume» volò sul tavolo.

Hachem si era già alzato per congratularsi con il vincitore sicuro, Steve Dannenmann, quando sentì la moglie urlare. Lanciò un'occhiata alla quinta carta. Era un 5. Scala. Aveva fatto scala. 3, 4, 5, 6, 7, sette, come i milioni che aveva vinto. Steve gli strinse la mano: «Good play, man», buona giocata, come avessero appena finito un torneo di briscola per la bottiglia di Amaro 18 Isolabella. I telecronisti della Espn, la rete di tuttosport posseduta dalla Disney, quella di Minni, Pippo e i tre porcellini, che ha lanciato la mania, gli chiesero: «E ora, Hachem?». «Ora mi iscrivo al prossimo torneo mondiale. Ci vediamo a settembre, in Mississippi, allo Harrah's di Biloxi per la prima eliminatoria». Ma era un bluff. Biloxi e il suo casinò non ci sono più, dopo il passaggio di Katrina. Anche Dio gioca a poker.

Olio nelle vene

«Are you nervous?» mi crepita nelle cuffie del casco la voce sarcastica del mio capomeccanico. Nervoso io? Ma come ti permetti? Ma come osi pensare che un figlio della bassa Modenese come me, con olio motore nelle arterie, cresciuto nei fossi di Maranello a spiare Enzo Ferrari far strage di galline e magari di qualche malcapitato villico, possa sentirsi nervoso al volante di questo catorcio per bovari americani, su una pista da autoscontro di provincia? Ok, gli faccio segno come ho visto fare nei film da

Steve McQueen e da Paul Newman a Daytona, col pollice del guanto in su e il sorriso strafottente alla James Dean. «Pronti?» s'informa la voce dello starter nelle cuffie, mentre il capomeccanico mi stringe nelle cinture da pilota di jet sopra la tuta antincendio che mi allessa come un cotechino e l'estintore automatico.

Pronto, pronto, vai, cammina. «Go!» grida la voce nel casco e la bandiera si abbassa. Vroaaaar, strepitano i 450 cavalli sotto il fiberglass della carrozzeria, frizione, prima, stacca, le gomme slick mordono il cemento, il rettilineo finisce, la pista si impenna nella prima parabolica alta come la Muraglia cinese e il muretto verniciato di bianco e annerito dalle auto impastate contro mi corre addosso a 200 all'ora. E sono già cento metri dietro tutti gli altri. Visto? Non sono affatto nervoso, vile meccanico. Sono semplicemente una schiappa. Sorry, Enzo.

Sono alla guida dell'America profonda, dell'America dei buoni, dell'America ad alto contenuto di ottani patriottici. Per un compleanno al traguardo di un'età nella quale si dovrebbe dar da mangiare ai piccioni ai giardinetti, mi avevano regalato una «Nascar Experience», una giornata da pilota delle auto da corsa che hanno conquistato l'America di Dio, Patria e Pistoni. Nascar è l'acronimo di National Association for Stock Car Auto Racing, una formula verbosa che significa «corse fra automobili di serie», perché così era cominciato tutto, settant'anni or sono.

Un gruppo di matti, quasi tutti contrabbandieri di whiskey clandestino distillato nelle notti del Sud – e infatti chiamato *moonshine*, chiaro di luna –, avevano cominciato a gareggiare fra loro, e ad ammazzarsi, lungo le spiagge deserte della Florida, attorno a Daytona Beach. Portavano le loro Ford, Chevrolet, Cadillac, Studebaker, Oldsmobile, Pontiac di serie anabolizzate nei garage di famiglia per sfuggire agli inseguimenti degli esattori lungo le strade tortuose del Kentucky, del Tennessee, delle due Carolinas. Era tutto deliziosamente illegale, stupendamente James Dean e segretamente incoraggiato dalle case automobilistiche. «Chi vince alla domenica, vende al lunedì» spiegava la Ford, che infatti vedeva le proprie vendite schizzare dopo una vittoria del proprio marchio sulla spiaggia.

Ma la bestia ringhiante che tento di controllare sul chilometro e mezzo della *superspeedway* del Delaware, uno dei tre circuiti più veloci del Nordamerica grazie a quelle paraboliche ripidissime che ti risucchiano e ti sparano fuori come da una fionda, ha perduto ogni parentela con le miti somare per famiglia vendute oggi a rate dai concessionari. A parte qualche vaga somiglianza nelle forme della carrozzeria di plastica, e i nomi fittizi dei modelli di serie, le macchine che partecipano al campionato sono auto da corsa vere, con motori fuori serie, niente altro che gabbie di ponteggi di acciaio avvitate a un volante, a una trasmissione e a un motore da 800 cavalli.

«Trust your car, trust your car» mi grida la voce del capomeccanico dentro il casco, e io della macchina mi fiderei anche, ma temo che sia la macchina a non fidarsi di me. All'imbocco del secondo rettilineo il branco dei nove avversari è già all'altra curva parabolica. La mia bestia nera, con il numero 42 dipinto tra i nomi degli sponsor, freme e vibra innervosita dalla mia inettitudine e dalla mia incapacità di soddisfarla. In un sussulto di orgoglio, schizzando davanti ai familiari che intravvedo inquieti perché vado troppo adagio e dunque ansiosi al pensiero che anche per questa volta non erediteranno un centesimo, schiaccio il pedale. La mia Chevrolet Lumina schizza verso il vertice della parabola e poi piomba giù verso la corda. Sto rimontando, sto rimontando, Enzo, guardami, il sangue Ferrari non è Lambrusco. I sederi dei miei avversari si avvicinano.

Ma si avvicina anche *the wall*, il muretto, che sfioro all'apice della parabola. Sotto le mie gomme lisce e appiccicose come chewing gum, le tracce nere lasciate da altri idioti che hanno avuto troppo fiducia nella macchina puntano sparate verso il muro. Viaggio a 220 all'ora, mi diranno poi i cronometristi ai box e intravvedo appena uno dei commissari di corsa che dall'alto di una torre si sbraccia al mio passaggio, indicandomi con gesti imperiosi i box. Giro troppo alto sulla parabola e nella picchiata verso la corda del rettilineo sento la bestia agitarsi. Le auto da corsa con le gomme slick sono leggerissime da pilotare e incollate al cemento, ma quando ti scappano, non le riprendi più, se non sei Schumacher. Subirò l'ignominia della bandiera gialla, tutti rimessi in fila come muli alpini per colpa mia? Addirittura di quella nera, che significa espulsione?

Il piede si alleggerisce sul gas. Scalo le marce. La bestia brontola ma il commissario si tranquillizza. Addio al gruppo. Sul cruscotto spoglio, senza tachimetro, soltanto con il contagiri, ci sono levette e pulsanti da vecchio Spitfire nella Battaglia d'Inghilterra e qualcosa devono pur fare, ma il capomeccanico mi aveva severamente intimato di non toccarli mai. La tentazione è forte (un compressore? un post bruciatore come nei jet?) ma la paura di fare la fine di un James Bond con la pancetta ed essere schizzato fuori dal tetto o di scaricare raffiche di missili mi paralizza.

Vivere la Nascar Experience non è soltanto fare una sauna di umiltà e scoprire quanto sia difficile giocare al pilota da corsa, in questi circuiti identici, sempre ellittici, brevi e implacabili. Significa entrare in uno dei fenomeni sociali, commerciali, politici, dunque culturali oggi più importanti e più trascurati da chi guarda l'America da lontano. È qui, in queste ciambellone di cemento dove le macchine ruotano sempre a sinistra, e sempre a branchi, sotto gli occhi di 75 milioni di persone davanti alle tv e dei 150 mila che brulicano sugli spalti, più che a San Siro o all'Olimpico, che si cucinano e si fondono gli umori che diventano voti, bandiere, marines, *special forces* con gli occhiali neri e certezza di essere il più grande e libero Paese del mondo. Mentre l'Europa guarda Woody Allen, ascolta Noam Chomsky, adora Oliver Stone e legge gli inutili e sussiegosi editoriali del «New York Times» o del «Wall Street Journal», decine di milioni di americani vanno a vedere *Talladega Nights*, una farsaccia sulle gare Nascar che incassa 150 milioni di dollari a weekend e i bambini impazziscono per l'ultimo film di animazione di Disney, *Cars*, automobili, protagonista di nuovo una macchina del Nascar chiamata naturalmente McQueen.

Nessuno sport genera altrettanta passione, scatena altrettanta fedeltà verso i protagonisti che non si cambiano di maglietta e mutande come i saltimbanchi del football, del basket o del calcio, perché qui tutti corrono da soli, per la propria vittoria, per la propria pelle e gli sponsor lo sanno. Trasformano le loro auto in cartelloni pubblicitari per detersivi, dentifrici, carburanti, batterie auto, birre, gazzose, grandi magazzini, biancheria e soprattutto pillole per la virilità. Questo è uno sport per maschioni, anche se apparentemente afflitti da una certa difficoltà erettile, per americani da tre «B», Bibbia, Bush e Birra. Le donne sono molte, ma sulle tribune, gli angeli dei pistoni, a curare i marmocchi o a indossare blue jeans attillati che sembrano dipinti sulle chiappe, per la gioia dei guerrieri. Questo è il regno dei *Nascar daddies*, i papà dei circuiti automobilistici che hanno ormai rimpiazzato le tremule e troppo politically correct *soccer moms*, le mammine del calcio che votavano Clinton. All'America femminizzata che ha predicato i buoni sentimenti e il maschio sensibile, risponde il ruggito degli stalloni del Nascar, del nuovo maschilismo a motore. Se dipingessero sui muretti un ritratto di Hillary Clinton, i piloti andrebbero volentieri a sbatterle contro.

A me, alla mia «Chevy» nera che spingo fino a 260 chilometri all'ora nel rettilineo del traguardo senza guadagnare un millimetro sugli avversari lontani, è stata almeno risparmiata la sponsorizzazione di una pillola del tiramisù. Corro con i colori di una virile, ma dignitosa marca di lubrificanti, nel senso dei motori, la Valvoline. «Due giri, due giri» mi avverte la voce nelle cuffie, e sembra una liberazione. I pochi villici locali che si erano appollaiati sulle tribune nella sportiva, affettuosa speranza di vedere un imbranato come me impastarsi sul muro, se ne vanno delusi. In due giri, ormai al sicuro dalla vergogna del doppiaggio (almeno questo, Enzo), hanno capito che neppure io andrò a baciare il muro a 200 all'ora.

Domani cominceranno le prove per una corsa vera e dobbiamo toglierci dai piedi. Le tribune si gonfieranno. Il grande spazio all'interno dell'ovale sarà gremito da camper, roulotte, biker con le loro moto da *Easy Rider*, venuti per bere, per impasticcarsi, per arrostire bistecche e salsicce, per sentirsi «vicini alle nostre truppe in guerra» come dicono milioni di nastri gialli, perfettamente convinti che rosolare braciole in mezzo al frastuono di migliaia di cavalli isterici sia difendere la patria, quanto quei poveri cristi in divisa che saltano in aria a migliaia fra il Tigri e Kandahar. Tutti sono con i «nostri soldati», purché i soldati siano i figli degli altri.

Cala la bandiera anche per me, misericordiosa. Arranco verso i box, dove il capomeccanico ha almeno il buon gusto di non dirmi «bravo». Ha vinto una donna, l'unica pilotessa, che viene qui una volta al mese, paga i 300 dollari per la gara, e si vendica così dei maschi che deve sopportare negli altri 29 giorni del mese. I meccanici che le mettono a punto la macchina sorteggiata per la guida la chiamano *the Blond Flash*, il lampo biondo. Penultimo, davanti a me, un dentista trippone di Philadelphia che il *crew* ha dovuto insaccare nella macchina come il ripieno di un tacchino alla partenza, perché le Nascar non hanno portiere, e ora estraggono in quattro, cicciolo per cicciolo, dal finestrino.

Io riesco almeno a divincolarmi e a uscire da solo, con dignità, respingendo ogni aiuto. «Da dove ha detto che veniva?» mi chiede il pilota istruttore al quale restituisco il casco, i guanti, le scarpe, la tuta antincendio, e i resti della mia boria ferrarista. Dalla Francia, gli mento, «I was born in France», sono francese e non ho votato per Bush. Lui sorride e scuote il capo. Questi francesi, spazzatura d'Europa.

Datemi una pallina

Giuda adesso ha una faccia, un cappellino blu in testa e un indirizzo che tutta l'America conosce. Vive a Chicago, se vivere barricato in casa dietro l'ombra delle tende tirate e assediato da un milione di *chicagoans* che vorrebbero impiccarlo a un palo della luce nello stadio del baseball, è vivere. Nel Vangelo secondo il Cuore Straziato del Tifoso, il Giuda di Chicago ha commesso la colpa che non si dimentica, ha tradito la propria squadra. Dalla prima fila dello stadio Wrigley Field dove era seduto e dove giocava una delle squadre di baseball maledette, una di quelle che non vincono mai niente, che gli altri tifosi dileggiano, che i comici usano per i loro monologhi, ha allungato la manina verso una palla spiovente e l'ha carpita, portandola via al guantone del giocatore proteso ad acchiapparla. Un gesto che è costato la partita, la finale, la speranza di un titolo nazionale ai suoi Cubs, ai cuccioli di Chicago, che non lo vincono più da un tempo che farebbe sorridere anche i tifosi della Pro Vercelli o del Genoa. Dal 1908, da un secolo.

Come vogliono questi vangeli del tifo, il Giuda che pugnalò il baseball è, proprio come quell'altro, non un nemico, ma un apostolo, un giovane di ventisei anni cresciuto nel culto del «passatempo nazionale», il baseball appunto, e nella venerazione per il club più teneramente sfigato d'America, questi Cubs, gli Orsacchiotti che dopo il 1908 erano tornati una sola altra volta alla finale, nel 1945. Naturalmente perdendola.

Steve Bartman, l'Iscariota con il cappellino blu, la grande «C» rossa cucita davanti e la cuffietta del walkman sulle orecchie, non soltanto è un tifoso, allevato dal papà nella giusta fede passandosi la pallina nel cortile di casa, tra Salinger, Sinclair e i Simon and Garfunkel del «dove sei finito Joe di Maggio». È allenatore dilettante di una squadra di ragazzini con un nome profeticamente sinistro, the Renegades, i rinnegati. Insegna ai suoi tredicenni, nel tempo lasciato libero dal suo non eccitante lavoro di analista di Borsa con laurea in Economia alla cattolica Università di Notre Dame, la lealtà sportiva e il rispetto dell'avversario. «Un giovane tranquillo», «una persona per bene», «un giovanotto esemplare» come dicono sempre ai tg i vicini quando arrestano un serial killer che abitava al piano di sotto. Quando ottenne un biglietto per la finale della National League di baseball tra i suoi venerati Cubs e i Marlins, i Tonni della Florida, e addirittura in prima fila, appena dietro la balaustra senza barriere né fossati che divide le tribune dal campo, Steve «Giuda» Bartman sentì il respiro del destino alle spalle. I Cubs, miracolo dei miracoli, erano in vantaggio nel conto delle partite, favoriti, giocavano in casa e se avessero vinto l'incontro sarebbero stati i campioni della National League, destinati alla finalissima, la World Series, contro i campioni della American League. E lui ci sarebbe stato.

Destino sì, ma quello delle streghe malefiche. Milioni di appassionati vanno negli stadi di baseball sperando che una palla fuori campo gli piova in mano per conquistare la preziosa reliquia (una pallina da baseball, sughero avvolto nel cuoio per conto della Rawlings da morti di fame nella Repubblica Dominicana) che in un negozio costa 5 dollari e 99 cent. Steve vide il miracolo avverarsi.

Una pallina colpita da un battitore dei Tonni vola verso di lui. Insieme con altri spettatori vicini allunga la mano, non vede un difensore, uno dei suoi Cubs, con un nome biblico che avrebbe dovuto insospettirlo, «Mosè» (e Alou di cognome), inseguirla, saltare con perfetta scelta di tempo, aprire il guantone per raccoglierla al volo ed eliminare così il battitore, spalancando le porte del trionfo agli Orsacchiotti. Ma Giuda è più svelto e zac, afferra la palla. «Fuoricampo valido» sentenza l'arbitro mentre Mosè, dimentico del Monte Sinai e dei comandamenti, sacramenta contro quel tifoso e pesta i piedi. I Tonni segnano. La partita, la finale, il futuro, sono in fumo. Il «capro maligno», un povero caprone vero che i tifosi si portano allo stadio nella speranza di esorcizzare il «capro diabolico», bruca soddisfatto.

Non ride il capro espiatorio, che i vicini di posto cominciano a bombardare di bicchieri, di birra e di ogni oggetto abbiano a portata di mano. La polizia deve strapparlo al linciaggio, lo accompagna fuori, lo carica – forse con qualche intento simbolico – su un robusto camion della spazzatura e lo porta a casa scortato. Ma pochi minuti dopo, tutti i siti sportivi di Internet, tutte le tv e radio locali diffondono il nome dell'infame e il giorno dopo i due quotidiani di Chicago spiattellano faccia, storia, numero del telefono e indirizzo in prima pagina. S'irrita il governatore dell'Illinois, che dice: «Poteva anche risparmiarselo e capire che stava rubando la partita alla nostra squadra». Sghignazzano estatici i tifosi dell'altro club di Chicago, le White Sox. Urlano i tifosi, che tentano di organizzare marce sull'abitazione di Giuda, sorvegliata 24 ore al giorno da poliziotti che lo strangolerebbero volentieri con le loro mani. E poiché il Vangelo è il Vangelo, il padre, il suo stesso padre, lo disconosce: «Quello non è mio figlio» dice.

Lui emette un comunicato, come fosse un politicante colto con le mani sulla pallina: «I am sorry, e ve lo dico dal profondo del mio cuore straziato di tifoso dei Cubs». Qualche voce si alza per chiedere il suo perdono, ma non è aria, a Chicago. Quell'immagine, come la pallina che passò tra le gambe di uno stordito difensore di un'altra squadra maledetta, le Calze Rosse di Boston, nel 1988 e costò il titolo nazionale alla squadra che lo aspettava dal 1918, resterà nella storia di uno sport che si nutre di ricorsi, di memoria assoluta, di riti e di miti rimasticati, come si conviene a una religione.

Steve Bartman lascerà Chicago per rifarsi una vita. Quel Ponzio Pilato del governatore della Florida, lo stato dei Tonni vincitori grazie a lui, che è il fratellone maggiore di George W. Bush, Jeb, gli offrirà tre mesi di soggiorno gratuito in un condominio al caldo del Tropico. Trenta denari con l'aria condizionata.

Memoria assoluta

Il villaggio della memoria totale con quel buffo nome da cartone animato, Google, è tutto di palazzetti bianchi, sparpagliati tra le ultime marcite della baia dove l'oceano Pacifico muore. Così candido sullo sfondo della Sierra Nevada, nel suo color calce, ricorda quei paesi medievali del nostro

Mediterraneo che John Steinbeck immaginò trovandosi davanti a San Francisco, e non solo nell'aspetto. Un dubbio di Medioevo venturo lo percorre davvero, nel silenzio da chiostro che lo avvolge, nella laboriosa e maniacale operosità dei tecnofrati e delle cybersuore che lo popolano, ma soprattutto nell'impresa nella quale si sono buttati. Nient'altro che catalogare, ricomporre, riprodurre e salvare l'intera memoria dell'umanità contenuta in tutti i libri del mondo. I tecnomonaci del nuovo ordine di San Google stanno in pratica tentando di ricostruire la Torre di Babele, sotto lo sguardo dello stesso Dio geloso che sbriciolò la prima.

Il villaggio si chiama ufficialmente Googleplex, come lo hanno battezzato i nuovi *servi a manu*, i nuovi amanuensi che aborriscono espressioni burocratico-aziendali come sede centrale o quartier generale. Ma questo, qualunque sia il nome che si vuol dare alla rosa, è il quartier generale di quella società che uno studente americano e un immigrato russo crearono insieme sette anni or sono per rendere più razionale e facile con le loro formule alchemiche l'esplorazione di quella Babele, appunto, di quel caos primordiale chiamato Internet. Quando la sortita in Borsa della Google ha rovesciato un'inondazione di dollari, 60 miliardi, nelle casse della società e nelle tasche dei fondatori e dei primi azionisti, anziché correre a comperarsi Ferrari e Rolls, quadri di impressionisti e ville in Sardegna, i nuovi ricchi con la vocazione (anche loro) del Bene hanno semplicemente deciso di investire miliardi, intelligenze, forze e tempo per catalogare e mettere a disposizione di tutti, ovunque, ogni pagina di ogni libro di ogni nazione di ogni lingua pubblicato da ogni editore in ogni tempo e in ogni luogo dal 1455, l'anno in cui Johann Gutenberg si cimentò con la Bibbia. Nessun libro mai scritto e stampato, per quanto piccolo, insignificante, stupido, brutto, deve andare più perduto, perché ogni pagina è stata, e quindi è, una molecola del cervello collettivo dell'umanità.

Occorre essere molto giovani, molto ricchi, molto ambiziosi, molto Google, soltanto per concepire, non si dice realizzare, un'impresa del genere. «Effettivamente, neanche noi sappiamo quanto tempo occorrerà, forse anni, forse decenni, forse non lo finiremo mai, forse è addirittura impossibile. Che ne sappiamo, ci proviamo» civetta agitando le mani e sorridendo con i suoi begli occhi color grigio-azzurro baltico Marissa, sangue finlandese-americano, una delle due badesse del progetto «biblioteca del mondo», due donne. È probabile che menta, Marissa Mayer, perché anche lei, come tutti i giovanotti e le ragazze che si muovono in silenzio dentro il monastero di San Google, non sanno che cosa significhi fallire, non hanno mai battuto la testa contro il soffitto del cielo né subito la collera di questi dei dispettosi che hanno spazzato via con un gesto altri progetti e forato le infinite bolle della superbia umana, da Babele al Nasdaq.

Giovani certamente sono, con una scandalosa età media di trentun anni per i tremila impiegati. Sono carichi di lauree in *computer sciences*, come Marissa, ottenute nelle migliori università del pianeta, a cominciare da quella vicinissima Stanford, dove il russo Sergey Brin e l'americano Larry Page studiarono e si conobbero. Sono sfacciatamente e meritatamente ricchi, ora che la loro impresa fecondata all'inizio da una donazione di 10 mila dollari, che i due non sapevano neppure dove depositare perché non avevano conti correnti bancari, è andata in Borsa dall'autunno 2004 e ha raggiunto un valore di capitale circolante superiore alla General Motors e alla Ford. Messe insieme.

E Google, il nome creato giocando sul lemma *googol*, una parola inesistente che il nipotino di un matematico americano, Edward Kasner, inventò quando il nonno gli chiese di battezzare il numero 10 alla centesima potenza (1 seguito da 100 zeri), ha la faccia e l'anima di tutto il mondo: anglosassoni, indiani, pachistani, cinesi, arabi, europei biondi e bruni, russi, africani, che vedo curvi a compitare stringhe di caratteri sulle loro tastiere mute davanti agli schermi, in uno stato di volontaria e autosufficiente clausura. Nel parcheggio, tra le solite Volvo scalcagnate, le Toyota usate (ma anche fresche Bmw e Mercedes e Lexus) che segnano tutti i campus della California, sosta uno studio odontoiatrico ambulante, perché neppure carie e nevralgie distolgano tempo dalla missione, mentre terziari laici provvedono a lavare le macchine e una signora turca, proprio turca *native* specifica il manifesto, offre al personale femminile con qualche prurito «lezioni di danza del ventre». Un mondo autosufficiente, appunto come un convento cistercense. *Ora et labora.* Et gioca, come vedo, salutandolo da lontano attraverso i vetri del suo piccolissimo e quindi snobissimo ufficio, proprio Sergey Brin, il fondatore. Telefona da una scrivania assediata da un numero assurdo di automobiline radiocomandate sparse sul pavimento in vari stadi di montaggio e smontaggio, con le loro budelline elettroniche sventrate. Il riposo dell'ingegnere.

Non sono stati i primi, né gli unici, ad avere avuto l'idea di riversare nei server, negli armadi elettronici, i libri. Lo fanno già grandi biblioteche universitarie e lo fa la British Library, che ha messo proprio la Bibbia di Gutenberg, conservata nelle proprie teche, in Internet. Lo fanno siti commerciali come la libreria on line amazon.com, che permette la consultazione via computer di estratti dei libri che vende, e lo fanno i napoletani dell'associazione Liber Liber che nel loro Progetto Manuzio, nel nome del grande tipografo italiano contemporaneo di Gutenberg, hanno in rete già centinaia di capolavori della pagina stampata, a disposizione gratuita di tutti.

Non sta dunque nell'idea di portare in Internet il sogno perduto della biblioteca di Alessandria, della biblioteca Marciana di Venezia, della mitica biblioteca di San Giovanni il Teologo a Patmos, del Beato Renano in Alsazia o delle università arabe dove Ibn Sina e Ibn Rushd, Avicenna e Averroè, studiavano e scrivevano, la mirabile insensatezza dei benedettini googoliani. È nella scala del progetto, in quella presunzione di assoluto contenuta nella promessa di portare ogni libro mai stampato a portata di qualsiasi computer portatile con un collegamento alla rete. *Hybris,* superbia da Prometei, mi azzardo a dire e lo sguardo baltico di Marissa si ghiaccia: «Noi preferiamo chiamarlo il nostro progetto Luna, il nostro *Moonshot*, quello che John Kennedy propose nel 1961, senza avere i mezzi, i soldi, la tecnologia per realizzarlo. Si ricorda?». Mi ricordo, io ero già grande. «Otto anni dopo, il 20 luglio 1969, Armstrong mise il piede sulla Luna. Era *hybris*, superbia, anche quella di Kennedy?»

Ma la Luna era un passetto da bebè rispetto a questo balzo. «Soltanto nella biblioteca del Congresso a Washington ci sono 12 terabyte da registrare», 12 mila miliardi di caratteri in 28 milioni di libri. E pochi di meno a Manhattan, nella Public Library di New York, nella Harvard di Cambridge, Massachusetts, a Oxford, nelle cinque grandi biblioteche già convertite al progetto Babele. Un'enormità di pagine stampate che, dagli ideogrammi cinesi a Beijing ai kanji giapponesi, al cirillico, all'arabo nessuno può neppure cominciare a quantificare.

I rivali, che hanno visto in neppure sette anni, dal 1998 quando la Google Inc fu creata, risucchiare l'80 per cento di tutte le *queries*, le ricerche, provenienti dal mondo intero, dicono che questa volta Brin, Page, i loro piccoli *wizards*, i loro Henry Potter, si romperanno il nasino. Che non ce la faranno a completare questo *stunt*, questo numero da circo, e può darsi che gli invidiosi abbiano ragione e il progetto di ricomporre l'albero della conoscenza sia la loro fine. Ma la metafora della Luna li sorregge più di quanto le rovine della Torre o la cacciata dall'Eden li inquietino. È toccante scoprire che giovanotti neppure nati quando l'*Eagle* allunò nel Mare della Tranquillità, ancora sentano la seduzione di quella chiamata alle armi senza guerre.

Ma come farete a spremere e infiascare nei vostri server tutti i libri del mondo?

«Prima di tutto dobbiamo risolvere il problema del copyright, dei diritti degli autori e degli editori. Stiamo assumendo più avvocati che specialisti di informatica, per negoziare con le case editrici in tutto il mondo, dal Giappone agli

Stati Uniti. Poi dobbiamo affrontare la difficoltà maggiore, quella di sfogliare le pagine, una per una.» Marissa mi racconta che lei e Sergey Brin, già multimiliardario e che potrebbe vivere in eterno senza riuscire a spendere tutti i suoi soldi, dopo avere partorito insieme l'idea provarono a riversare nel computer un libro qualsiasi, comperato in libreria, di 300 pagine. «Facendo una pagina a testa, a mano, dalla copertina alla quarta di copertina, impiegammo quasi un'ora.» Dunque, calcolando a braccio, soltanto per smazzare i 28 milioni di libri raccolti alla biblioteca del Congresso di Washington, i due impiegherebbero almeno 28 milioni di ore, 1 milione e 166 mila giorni, tre millenni, secolo più secolo meno.

No, così non poteva funzionare, a meno di impiegare milioni di amanuensi e poi nemmeno, perché errare è umano «e alla fine ci accorgemmo che nella scannerizzazione delle pagine, cioè nella trasposizione delle parole stampate in caratteri alfanumerici, c'era stato il 3 per cento di errore, circa 10 pagine su 300 sbagliate. Inaccettabile».

Ci hanno provato coi robot. Si sono rivolti all'università americana più avanzata nella ricerca robotica, la Carnegie Mellon di Pittsburgh, perché gli progettassero un automa amanuense. Mi fanno vedere una specie di benedettino meccanico, un ragno capace di sfogliare le pagine, di leggerle e di pomparle poi dentro la memoria dei computer. «Non ci siamo ancora,» ride Marissa «i robot usano ventose per girare le pagine, ma qualche volta le strappavano, non le voltavano per bene, lasciavano pieghe che interferivano con la lettura ottica. Non possiamo correre il rischio di strappare una pagina della Bibbia del 1455 e poi dire, ooops, sorry, adesso la incolliamo con lo scotch.» No, effettivamente, alla British e alla Biblioteca estense di Modena, dove è conservata la Bibbia di Borso d'Este, ci resterebbero male. «Per i libri nuovi, in commercio, la soluzione è quella di strappare le pagine una per una, e passarle su un lettore piatto, tipo fotocopiatrice o fax, ma con i libri fuori stampa o addirittura antichi, non se ne parla. Anche se potessimo farlo, il costo di rimettere poi insieme le pagine e rilegare di nuovo il libro sarebbe proibitivo.» Esattamente come nel 1961, quando Kennedy si buttò sulla Luna, c'è l'idea, ci sono i soldi, ma la tecnologia per realizzare l'idea è ancora da inventare.

Forse per questo, tutto è ancora rigorosamente segreto. Marissa mi dice soltanto che «alcune nostre squadre stanno già lavorando in questo momento con biblioteche e bibliotecari, mentre gli avvocati trattano con gli editori per i diritti», una piaga, questa dei legali, che almeno agli architetti della Torre di Babele fu risparmiata. Ma non mi vuol dire esattamente dove. Come tutti i grandi ordini religiosi, i grandi monasteri e Disney World, dove tutto sembra dolce e soffice in superficie, ma sotto il saio e sotto il peluche ci sono segreti e *sancta sanctorum*, anche Google è un'armata *soft*, ma un'armata non di meno. Sa di essere impegnata in una guerra buona («Non fate mai il Male» è il motto ultrabuonista dei fondatori) ma una guerra, contro avversari che ogni secondo di ogni giorno lavorano per portarle via i segreti del successo.

L'arma di dominio di massa è il numero delle richieste che 200 milioni di utenti di Internet presentano ogni giorno al sito di Google con *queries*, domande che coprono l'universo delle curiosità lecite e illecite. Avere nei propri cervelli elettronici l'intera memoria bibliografica del mondo promette nuove e ancora più grandi maree di contatti, oltre a quelli che vedo scorrere incessantemente sui grandi monitor al plasma accesi ovunque dentro le palazzine bianche. Depurate delle richieste oscene o delle domande di accesso alla galassia del porno Internet, passano sugli schermi richieste in ogni lingua, in cinese e in hindi, in russo, in spagnolo, in italiano. Dall'Italia stanno tempestando Google con domande sulla storia, le dimensioni e le immagini del Partenone. C'è qualche scolaro disperato, o qualche genitore premuroso a Varese o a Messina, a Venezia o a Imperia, che sta sudando sangue su una ricerca.

E proprio in quelle domande che corrono a cascata sugli

schermi al plasma e divengono raggi luminosi che si sprigionano dal mappamondo virtuale che ruota su un altro monitor per indicare graficamente da dove vengano, e quante siano le *queries*, c'è la dolcezza di questa superbia. Spogliata di tutta la retorica spesso imbonitoria della New Economy, l'impresa dei trentenni di Google è il tributo finale del futuro al passato, la pace tra la memoria e la fantascienza. Carta e silicio, rilegatori e programmatori, si riconciliano nella fatica di questa sfida.

«Le racconterò come mi è venuta l'idea» si scioglie alla fine la signora del Baltico trapiantata nella baia di San Francisco. «Un giorno, frugando nella classica soffitta, trovai un sussidiario di quinta elementare appartenuto a mio nonno, quando era bambino a Helsinki. Cominciai a leggerlo e poi a cercare gli altri volumi, dalla prima alla quarta, e non c'erano più, erano andati persi, o buttati via. Pensai a quanti bambini finlandesi erano cresciuti e si erano formati su quei sillabari e sussidiari, che erano entrati a far parte della loro memoria collettiva e quindi della storia di una nazione, di una cultura, del mondo e che erano andati perduti per sempre. C'era un buco, un vuoto, nella nostra storia. Ne parlai con Sergey e anche lui, che era andato via dall'Unione Sovietica con la sua famiglia quando era ancora alle elementari, aveva pensato le stesse cose.»

Dunque ricordare tutto, per non ripetere niente, per non farsi ingannare da chi riempie le fosse delle amnesie con le nuove bugie. Già oggi Google è diventato un verbo, *to google*. Se qualcuno vi racconta qualcosa di sospetto, se un politico proclama qualche verità trombonesca, sulle tasse, sulla guerra, sulla storia, *google it*, andate a verificare. In fondo, dietro le magie dei bit e dei byte, si sente una inespressa e inconfessabile intenzione politica, nel senso più alto della parola. La verità della memoria, che è l'antitesi di ogni ideologia. L'antidoto definitivo a ogni possibile censura, a ogni falò di libri, a ogni indice.

Nel *Mein Kampf*, Adolf Hitler scrive che «la capacità della massa di comprendere è molto limitata, ma la sua capacità di dimenticare è infinita». Se la pazzia di questi nuovi scalatori della Luna nel loro convento modernista alla fine dell'oceano riuscirà, nessuno potrà più dire che «non sapeva». Nella raccolta di ogni parola mai scritta, di ogni pensiero mai formulato, c'è la Bibbia dell'uomo, il nuovo peccato imperdonabile della libertà di conoscere. Potrà il Dio geloso di Babele permetterlo?

Mordere la mela

Diventai incompatibile col resto del mondo una sera di autunno a Parigi. Era il 1984, dalle parti di Boulevard Saint-Michel, in uno di quei grandi negozi che sbraitano high tech con mobilio da sala operatoria e insopportabili musichette sintetiche. Ci ero entrato per comperare il mio primo personal computer. Non sapevo che ne sarei uscito due ore più tardi come iscritto a una setta di fanatici. La confraternita del Codice Mac. I massoni della Mela.

Per prepararmi all'acquisto, avevo studiato tutte le riviste patinate sui personal computer che le edicole offrissero, come si leggono le prove su strada delle auto nuove sperando di intuire quale nuova macchina sia un bidone e quale un gioiello. Ora stavano tutti davanti a me, con i loro nomi che oggi sembrano archeologia informatica: Bull, Atari, Commodore, Zenith, Tandy, Ibm, oggetti di un futuro presente che il venditore accarezzava con dita da pianista per vantarne le virtù.

Da un angolo del grande negozio, venne verso di me una strana figura. Vestiva l'uniforme da professore universitario genere Hollywood anni Quaranta, calzoni di flanella sformati alle ginocchia sotto una giacca di tweed stazzonata e un cappellino alla Jacques Tati. «Excuse me,» mi parlò subito in inglese, perché non parlava altra lingua «vedo che lei sta soffrendo per scegliere un personal computer.» Ovvio, là dentro vendevano pc, non salsicce.

«Mi perdoni se m'intrometto e mi presento, sono un professore della Stanford University in California. Sono a Parigi in vacanza con mia moglie.» E allora? «Le voglio raccontare una breve storia. Lavoro nel dipartimento di Fisica e di computer non so niente. Un paio di mesi or sono, un'azienda vicina al nostro campus, chiamata Apple Computer, ci ha recapitato una macchinetta che nessuno aveva mai visto prima, gratis, per provarla. I miei colleghi e io le abbiamo dato un'occhiata per divertimento e da allora tutti fanno la fila per adoperarla e ignorano le altre. La prego di credermi, non ho nessun interesse personale né commerciale, non lavoro per la Apple, ma mi permetta di darle un consiglio: si porti a casa questo qui e le giuro su mia moglie» la signora alle sue spalle lo guardò male «che questa sera lei lo userà come se lo avesse sempre avuto.»

Due ore più tardi, nel mio ufficio della «Repubblica» a Parigi, scrivevo il primo degli infiniti pezzi che nei decenni successivi avrei battuto sulla tastiera del computer che per il resto della vita avrei adorato, maledetto, comperato, aggiornato, buttato, giurato di non toccare mai più, puntualmente ricadendoci, perché nella setta del Codice Macintosh si può entrare, ma non se ne può uscire.

Nel negozio di Parigi avevo incontrato, senza saperlo, quello che poi nel gergo mistico degli «adoratori della mela» si sarebbe chiamato un «evangelista», cioè un missionario di quel piccolo, comico calcolatore elettronico, che avrebbe cambiato per sempre il nostro modo di usare il computer, pur restando sempre una frazione minima, non più del 3 per cento, nel mondo dominato da Bill Gates, dai «cloni» di Big Blue della Ibm, e dalla odiata e prepotente chiesa (per noi) Microsoft.

In quel 1984 la Apple esisteva da otto anni, dal 1° aprile 1976, il giorno del pesce d'aprile scelto con perverso umorismo goliardico dai fondatori, l'estroverso, esibizionista Steve Jobs e l'introverso, misantropo Steve Wozniak, per annunciare la nascita della loro società. Quel giorno i due erano usciti con un prototipo di computer dal garage di Jobs ed erano riusciti a piazzare 50 ordini di vendita per quella cosa che fu battezzata con il nome del frutto che i due rosicchiavano in continuazione: una *apple*, una mela. Per tutti gli anni Settanta e per i primi anni Ottanta, le prime due mele, la Mela 1 e la Mela 2, e poi una creatura chiamata Lisa avrebbero dominato il mercato nascente dei microcomputer. Fino all'uscita del Macintosh, che è, pure quella, una varietà di mela asprigna buona soprattutto per le crostate, la Macintosh Apple. E proprio quel pomo sarebbe stato il frutto proibito che avrebbe indignato i guardiani dell'ortodossia informatica, devoti alle misteriose formulazioni da programmatore, e avrebbe fatto assaporare per primo, a noi cospiratori, un frutto proibito e delizioso chiamato Gui, *Graphic User Interface*. Condannandoci così alle gioie terribili della scomunica e della incompatibilità con il resto dell'universo informatico.

Tutto quello che oggi è considerato normale e indispensabile – la carineria civettuola della grafica, il clic e il doppio clic, il mouse, i folder a foggia di minuscola cartellina, le piccole icone che basta attivare per entrare nella musica, nei video, in Internet, in un testo o nel foglio paghe e contributi dell'azienda – venne dal lavoro di un gruppo di geni *barbudos*, capelloni e scamiciati (con una donna fra loro, Joanna) che nel 1976 cominciarono a lavorare al progetto, piuttosto ideologico prima che informatico, di un computer *for the rest of us*, per i non iniziati e per gli analfabeti.

Nessuno dei bambini che oggi cliccano spensieratamente, sotto lo sguardo invidioso e preoccupato di genitori imbranati, conosce il nome di Burrell Smith, un impiegato della Apple talmente oscuro da essere all'epoca noto soltanto come «impiegato numero 282», assunto per riparare i frequentissimi guasti dei calcolatori d'allora. Ma fu lui, con il resto dei *barbudos* di Cupertino, il paese dove sorge la Apple intitolato a san Giuseppe da Copertino, che riuscì a domare bit, byte, kernel, circuiti e motherboard (fingo di sapere che cosa significhino queste parole) e tradurli in simboli e metafore comprensibili. Il Codice Mac, il sistema operativo che faceva funzionare la patetica macchinetta che acquistai nella Parigi dell'84, fu la stele di Rosetta che ci permise di tradurre e capire i segreti di un computer.

A Big Blue, la Ibm che ormai ha abbandonato ai cinesi della Lenovo i diritti e la seccatura di produrre portatili e pc con il suo marchio, spetta la primogenitura del personal computer di massa, la scelta di spremere i colossi che occupavano interi piani di uffici dentro le dimensioni delle scatole da pizza. Ma è alla Apple con il suo Macintosh che va il merito di avere reso commestibile la pizza dentro la scatola, poi copiata da Microsoft con il suo Windows. Quello che i chierici del linguaggio macchina, gli amanuensi dell'autoexec.bat, config.sys, 8088.dll/folders/iosperiamochemelacavo.exe e delle altre giaculatorie necessarie per dialogare con la scatola chiamavano con disprezzo «il giocattolo», avvicinò il pc a quello che dovrebbe essere e ancora non è: un elettrodomestico che si accende, funziona e non pretende di essere corteggiato e rabbonito. E fu per gratitudine di cyberanalfabeta, sbalordito dalla facilità con la quale riuscii a utilizzare quel computer senza nessuna tragica curva di apprendimento, che da allora gli sono rimasto, nonostante tutte le delusioni d'amore, fedele.

Ho acquistato praticamente tutti i modelli esitati dalla Apple, sperperando fortune: a volte incantevoli oggetti di design, altre catenacci. Dal primo Mac capace di scrivere soltanto su dischetti flosci da 400 mila byte (questo, sul quale becchetto ora, ne contiene 100 milioni e viaggia a velocità trecento volte superiore) all'ultimo, magnifico portatile, ho sofferto le bizzarrie di una macchina che i suoi creatori strapazzavano, mentre si azzuffavano tra di loro, fino alla cacciata dello stesso fondatore Steve Jobs, perfetto paradigma di Adamo.

Fui tra i primi a precipitarmi a comperare il protoportatile Macintosh, un'orrida valigia pesante come il campionario di un piazzista di piastrelle, che ebbi l'infausta idea di trascinarmi all'Avana, per un reportage. Anche dopo avere superato l'intensa e diffidente curiosità dei doganieri di Castro, persuasi che quella valigia di plastica e circuiti e tasti fosse un ordigno costruito dalla Cia per insidiare i trionfi della Revolución, scoprii con orrore che le lampadine funerarie nella mia stanza all'Habana Hilton non permettevano di leggere lo schermo troppo buio del portatile. Dovetti lavorare con l'abat-jour poggiata sulle spalle a foggia di bazooka per illuminare con il fioco fascio di luce i morti cristalli liquidi dello schermetto.

Ma per noi cospiratori del Codice Mac, l'essere minoranza eretica, privata della cornucopia di *games* e di programmi scritti esclusivamente per il Vaticano di Gates, compensava la condanna all'autismo dell'«incompatibilità». Per lunghi anni, le nostre mele erano come le monadi di Spinoza, sfere chiuse, incapaci di comunicare con il resto del mondo. Jobs, Wozniak e il presidente che i due avevano strappato alla Pepsi Cola e aveva confuso la mistica della Apple con le bollicine della gazzosa, avevano commesso il peccato luciferino della superbia. Avevano preteso di controllare sia l'hardware che il software, sia la macchina che i suoi programmi, come se una rete televisiva imponesse al consumatore di acquistare i televisori da essa fabbricati per guardare le sue trasmissioni. Non avevano voluto permettere a nessuno di produrre cloni e così si erano rinchiusi dentro il proprio convento. Non fu un caso se la prima immagine sperimentale usata proprio dall'impiegato numero 282 per collaudare lo schermo fu quella di un Paperon de' Paperoni che sguazza nell'oro. Fu poi abbandonata, come fu abbandonato il nome infelice che Wozniak aveva scelto per lanciare la nuova macchina: *bicycle*, bicicletta.

Tanto meglio per noi «incompatibili». Nell'arrogante masochismo del settario ho consumato anni e nottate per tentare di convincere i miei Mac a comunicare con il resto del mondo, a collegarsi con i mainframe, i cervelli centrali delle nostre aziende o redazioni, a leggere e utilizzare programmi concepiti per altre fedi. Ci confortava il pensiero che la nostra fede, respinta in massa da consumatori che passavano alla goffa imitazione creata dalla Microsoft fino a conquistare il 95 per cento del mercato mondiale, era condivisa dai maghi del video e dell'audio, dai geni degli effetti speciali hollywoodiani che creavano i loro cartoni animati e le loro magie usando il nostro codice. Neppure la coscienza che non fossero stati i Wozniak, i Jobs né l'impiegato numero 282 a inventare davvero quell'idea delle icone, ma che fosse stata comperata dai laboratori della Xerox Parc in cambio di un pacchetto di azioni, ci turbava. Non eravamo noi gli incompatibili, era il resto del mondo a essere tagliato fuori da noi. Era la sindrome della «nebbia sulla Manica»: è il continente, non l'Inghilterra, a essere isolato.

Segretamente, molti di noi «incompatibili» tenevano un'amante nascosta, un portatile con processore Intel e sistema operativo Microsoft Windows, perché le catacombe possono essere scomode. Ma quando Steve Jobs, miracolosamente sopravvissuto a un cancro del pancreas e riportato alla guida della propria mela moribonda, ricominciò a sfornare oggetti di scintillante design, non ci offendemmo neppure alla vista di un assegno da 100 milioni, un'elemosina, staccato proprio da Gates per salvare la Apple e poter così fingere, davanti al Congresso americano, di non essere quello che è, un monopolista.

Noi pacifici «jihadisti» della mela ci sentimmo rincuorati. Tra l'iPod, gli stupendi PowerBook al titanio portatili e l'iPhone, la resurrezione era finalmente avvenuta. Alle presentazioni di nuovi prodotti, Steve Jobs, il due volte redivivo, il miracolato miracolatore, tornava ad apparire non come un fuoricorso fortunato senza laurea, ma come quel genio che fece dire a un suo collaboratore: «Si muove dentro la sfera di una realtà diversa». Poi l'annuncio ferale. Per continuare a esistere, la nostra Chiesa aveva abiurato. La nuova generazione 2006 dei portatili Mac era stata costretta a adottare come proprio cervello i processori del nemico, gli Intel, la fornitrice principale dell'odiata Microsoft. Più pratici, più veloci, più avanzati. Migliori. Fu come se il papa avesse annunciato l'adozione del Corano, per praticità. Windows, il nemico, era entrato anche nel nostro convento.

Addio Codice Mac, addio leggende di schiavi in rivolta orwelliana contro il Grande Fratello, come cantò il primo spot di lancio, appunto nel fatidico 1984. La guerra è stata vinta, ma dal Grande Fratello. Non sarò più «incompatibile». Sono divenuto, purtroppo, normale.

Gente d'America

L'anticristo for president

«Io, questo tizio chiamato Barack Obama non lo conosco, ma se voi lo incontrate fatemelo sapere, perché mi pare proprio un tipaccio da tenere d'occhio.» Scoppiarono a ridere i presenti all'Aipac, la conferenza nazionale degli amici e sostenitori americani di Israele, quando ascoltarono l'oratore parlare così nel maggio del 2008. Risero perché l'uomo sul podio era proprio «il tipaccio» in persona, era Barack Hussein Obama, candidato del Partito democratico per la presidenza degli Stati Uniti, la cui lunga ombra nera si era alzata sopra secoli di storia e di paura, per far battere i cuori di spavento e di speranza, con eguale forza messianica.

Risero perché anche i presenti a quella riunione, come milioni di americani, come le redazioni dei quotidiani, delle news e dei blog, dall'Alaska a Israele, nel panorama infinito delle «Internets», come le chiamava George W. Bush, al plurale, immaginandole forse come una serie di reticelle da Vispa Teresa, erano stati bombardati per mesi dagli stessi messaggi, naturalmente anonimi.

«Se non avete mai passato parola nella vostra vita, vi scongiuro, passate almeno questa comunicazione» diceva una di queste e-mail, pubblicate per disprezzo e scherno dal «Jerusalem Post», che pure non è un giornale accusabile di simpatie a sinistra o di tenerezze filoarabe «Obama è un musulmano che si dà gran pena di nasconderlo. Ricordate che i musulmani [tutto il miliardo e 100 milioni di seguaci dell'Islam nel mondo, dunque] progettano di distruggere gli Stati Uniti dall'interno e quale modo migliore ci può essere che cominciare la distruzione dal massimo livello, dal presidente?» Seguivano vari punti esclamativi perché obiettivamente riuscire a mettere un uomo di al-Qaeda nello Studio Ovale, che pure ha saputo sopravvivere a occasionali mascalzoni, incompetenti, sporcaccioni e rimbambiti, potrebbe essere il colpo che abbatte l'aquila.

E la moglie Michelle? Non ha nessun segreto oscuro questa avvocatessa Michelle Robinson in Obama, laureata a Princeton in Sociologia, materia sempre guardata con un certo sospetto dai benpensanti, poi a Harvard in Giurisprudenza, partner di uno studio legale di Chicago da 500 dollari a consultazione, vicepresidente dell'ospedale della University of Chicago e pure madre gelosissima di due bambine, Malia e Sasha? Ci sarà da fidarsi di quella donna così nera, così bella (le donne belle sono stupide, ogni vero patriota bianco maschio lo sa), così sicura di sé? Ma per carità. Anche lei, come il consorte, dietro il sorriso languido e le orecchie da Humphrey Bogart, deve nascondere qualche cosa di orribile.

E infatti, «che cosa era mai quello strano gesto che lei e il marito si sono scambiati la sera della vittoria al termine del suo comizio?». Se lo era chiesto inquieta la bionda E.D. Hill – bionda perché sempre bionde devono essere le vere patriote e possibilmente esibire le gambe come il loro patriottismo –, presentatrice di un programma di informazione e approfondimento del mattino sulla deplorevole Fox News Network di Rupert Murdoch, ribattezzata dai comici Faux News Network, la rete delle notizie false per la sua sfacciata propaganda di parte. «Era forse un segnale segreto da terroristi?» Uh oh. Michelle in Osama?

Si trattava di un *fist bump*, o di un *fist jab*, di un contatto orizzontale scambiato fra i pugni chiusi, che lei aveva offerto al marito come segno di solidarietà, di vittoria, di gioia, lo stesso che milioni di ragazzi americani, di compagni di squadra dopo un buon risultato, di tifosi, di colleghi d'ufficio davanti a una buona notizia, si scambiano per dirsi «ben fatto, bel colpo». Un tic ormai comune e banale come il gesto del «cinque», reso celebre dai giocatori di baseball e di basket, o il salto petto contro petto, che lo stesso Bush si era scambiato con un cadetto dell'Accademia dell'Aeronautica dopo la cerimonia di brevetto. Qualcosa che Obama difficilmente avrebbe potuto fare con la moglie, benedetta anche da un sostanzioso seno.

Quando persino i più stupidi si resero conto del significato di quel piccolo segno di affettuosità coniugale e di complicità un po' giovanilista e furbetta tra i due quarantenni, poi oggetto di un'ironica copertina del «New Yorker», la pista del terrorismo islamico fu abbandonata, anche se nel mondo delle «Internets» e delle radio più becere, il gesto venne sempre ricordato come *fisting*, darci dentro col pugno, che è il massimo dell'oscenità.

La conduttrice bionda fu rimossa dalla trasmissione, per quella gaffe considerata intollerabile persino dal suo editore Murdoch (al quale pure non era mai piaciuto il repubblicano McCain con le sue fissazioni antifinanziamento dei partiti) e dal suo direttore, il reaganiano Roger Ailes. Ma anche lei, come le maree di e-mail, come le mille insinuazioni e i mille pettegolezzi falsi diffusi sul primo americano per metà africano, sul primo figlio di un immigrato, sul primo nero (la metà bianca non conta mai) candidato alla presidenza, aveva piantato il seme di quella che il seguitissimo comico satirico Jon Stewart battezzò la «Baracknophobia».

È la fobia, il terrore irrazionale ma potente, di quest'uomo e di quello che incarna, non sinistra o destra, tasse o non tasse, bombe o non bombe, perché anche lui, come tutti coloro che aspirano a governare la più enorme potenza militare della storia umana, sa che l'opzione militare, l'impiego della forza, è sempre possibile e a volte inevitabile. È l'angoscia di fronte all'ignoto, all'inconsueto, al diverso nel senso più evidente e apparente, suscitata dall'immagine di una possibile «prima famiglia» nelle stanze di una casa che diviene sempre, nel bene e nel male, la casa dell'America, il presepe della fede laica.

Sarebbe come se, dopo quasi due millenni di iconografia cristiana, oggi rinforzata dalla finzione cinematografica, con l'immagine del Cristo pallido e castano-biondo, si rivelasse alle beghine e alle perpetue che Gesù era in realtà un robusto e atletico giovanottone dalla capigliatura cortissima e crespa. E infatti non sono mancati neppure coloro che hanno descritto Barack Obama come l'anticristo, la bestia con i cornini venuta a portare la fine del mondo. Il sito Internet che lo descriveva così è stato visitato da 2 milioni e mezzo di persone.

I ricordi sono troppo freschi, il passato è troppo vicino perché una coppia come questa di Michelle e Barack non scateni allergie, intense come il loro contrario, che è l'«Obamania». Si era dovuti arrivare alla fine degli anni Ottanta, dopo l'arresto e la carcerazione in *flagrante delicto* nello Stato della Virginia di una coppia di freschi sposi, lei bianca e lui nero, imprudentemente rientrati a casa dopo lo sposalizio a Washington, perché la Corte Suprema dichiarasse una volta per tutte incostituzionale e quindi nulla la legge contro la *miscegenation*, i matrimoni di sangue misto, ancora in vigore in undici Stati del Sud.

«È meglio nascere neri piuttosto che gay» diceva un'amara battuta popolare negli anni Ottanta «perché almeno se nasci nero non devi confessarlo alla mamma.» Mica sempre, però, e il senatore che il partito già rifugio dei peggiori razzisti e segregazionisti nel Sud, i Dixiecrats, i boss della Dixieland, ha eletto a proprio campione ha dovuto sperimentare sulla propria pelle – e questa volta il luogo comune si applica davvero – la tenacia delle reazioni allergiche suscitate dal suo successo.

Non abbastanza nero all'inizio, perché cresciuto lontano dagli *hood*, dai ghetti, poi troppo nero, per quel 15 per cento di cittadini che ha il coraggio di confessare apertamente che il colore conta negativamente per loro. Poi troppo messianico, troppo elitista, troppo poco da bevute insieme nel saloon, troppo schizzinoso nei confronti dei rudi colletti blu, poi troppo *wussy*, noi diremmo fighetto, opposto al machismo a gambe larghe in stile Bush, del quale fu detto che camminava sempre come un cow-boy che fosse appena sceso da cavallo ma non si fosse ancora reso conto che sotto non c'era più il cavallo.

La Baracknophobia – parodia di un famoso film, *Arachnophobia,* che sfruttava la paura raggelante dei ragni – che avrebbe accompagnato questo personaggio insieme con la Obamania, aveva trovato in lui il rivelatore Geiger di sedimentazioni profonde e ancora radioattive, magari rimosse nel discorso pubblico e socialmente accettabile, ma non cancellate. Non difficili da capire, se provassimo a immaginare un candidato alla presidenza della Repubblica italiana o del nostro Consiglio dei ministri chiamato Khaled o Ibrahim, tra qualche anno.

L'ironia, il sarcasmo, le spallucce opposte alla discesa in campo di Obama nel 2007, inizialmente licenziato da esperti, politologi e avversari come un «nessuno», un magliaro di piccola tacca, una creatura dei media, oltre che dalla presuntuosissima Hillary Clinton che diede di lui la stessa definizione sprezzante che fu attribuita a Giovanni Agnelli quando conobbe Silvio Berlusconi, «un simpatico ragazzo», cominciarono a lasciare il posto a una campagna di demolizione sottomarina tanto più maligna quanto più lunga si faceva la sua ombra sul futuro dell'America.

Troppo grande era la minaccia che lui e la Hillary, grazie soprattutto al tragico finale della gestione Bush, avevano portato all'ultimo tabù. Quei 220 anni e 43 presidenze di ininterrotto governo nazionale di soli «cristiani bianchi protestanti», scalfiti appena dai mille giorni del cattolico John F. Kennedy.

La figura allampanata e magra, da suonatore *cool* di contrabbasso in un gruppo jazz anni Cinquanta, vestita da abiti di Zegna con calzoni che cadono bene sui mocassini anziché fermarsi a mezza tibia come i veri patrioti americani, non poteva non scatenare gli anticorpi latenti in un organismo che non ha ancora del tutto digerito la fine della segregazione. E che gli aveva opposto il più sicuro dei propri stereotipi umani, il reduce di guerra, il senatore stagionatissimo, ma pallidissimo, e dunque particolarmente esposto alle insidie del sole sulla sua epidermide. I tam tam della paura della novità, e quindi della speranza, avevano battuto incessantemente.

Obama non indossa all'occhiello la bandiera americana (punti esclamativi a piacere), tuonavano i network dei pitbull della destra estrema. Non è un vero patriota, e come potrebbe esserlo, con quella sua storia di – anatema – cosmopolita e figlio del mondo, nato alle Hawaii, cresciuto in Asia, divenuto adulto fra Boston e Chicago, metropoli scostumate e sfacciate, poi con quel nome così bizzarro. Barack HUSSEIN Obama, sottolineavano gli oratori presentando John McCain. Fino a quando fu lui stesso, il reduce professionale che ha una figlia adottiva di carnagione molto scura, contro la quale la gang dei bushisti lanciò insinuazioni scurrili per sconfiggerlo nel 2000, non impose finalmente di smetterla.

Obama non giurò sulla Bibbia, strepitavano i registi della fobia, al momento di entrare nel Senato degli Stati Uniti, come se fosse un obbligo farlo. Come se per un ateo, o un buddista, un pagano, un hinduista, un musulmano, quel libro avesse più valore di qualunque altro libro preso in biblioteca. Giurò sul Corano (qui, punti esclamativi a raffica) quando divenne senatore dell'Illinois nel 2004, dissero confondendolo con un deputato musulmano, l'unico nel Parlamento americano che aveva voluto giurare sul Corano. Non era vero, quindi, ma nella tarda primavera, anche Barack Obama si era dovuto arrendere e aveva cominciato a esibire il rettangolino laccato con la bandierina a stelle e strisce all'occhiello. «È talmente patriottico e talmente spaventato all'idea di non essere considerato un patriota, che ormai indossa il distintivo anche quando fa la doccia» scrisse il magazine online «Slate», aprendo interessanti quesiti sul dove se lo mettesse, quel distintivo.

Aveva tentato la strada dello humour, per esorcizzare le fobie. Raccontava questa barzelletta: «Su una zattera ci sono un ebreo, un cristiano, e Obama... no, aspettate, la barzelletta non funziona perché manca un musulmano». Non era servita. Il suo nome di mezzo non è affatto Hussein, ci informò un'altra «voce» prontamente ripresa anche dai media cosiddetti seri, che puntualmente fingono di sdegnarsi per le notizie fasulle, ma intanto le diffondono. Il padre, che era un keniano musulmano, lo aveva chiamato in realtà Mohammed, mormoravano le frasche di Internet, formidabile ed equanime strumento di informazione e disinformazione, ma lui, divenuto adulto e resosi conto dell'handicap che quel nome pesante gli avrebbe appioppato, se lo era fatto cambiare in Hussein. Come se Hussein, nome altamente sacro nell'islamismo e insieme legato alla truce figura del despota assassinato a Baghdad dopo un processo tragicomico, fosse stato una liberazione. Avrebbe potuto, se proprio avesse voluto fingere di cristianizzarsi, scegliere qualcosa di più accettabile, magari Barack Giuseppe Obama.

Ma contro l'irrazionale, contro la «paura della speranza», che ha afferrato milioni di americani e purtroppo anche molti europei terrorizzati di fronte a un vento di novità che potrebbe arrivare, come sempre, dall'America a scompigliare la comoda tenda del neorazzismo, oggi spacciato come «bisogno di sicurezza dei cittadini», niente è troppo assurdo o surreale. Criticare la candidata alla vicepresidenza repubblicana, Sarah «Zanna Bianca» Palin, per la sua evidente impreparazione a un'eventuale (e assai probabile, vista l'età avanzata e i seri malanni del suo sponsor McCain) presidenza in un futuro prossimo è subito «sessismo», «elitismo», «snobismo». Ma insolentire Obama non è forse razzismo, non è sintomo di pregiudizio verso «l'uomo nero»?

Non ha servito la patria in uniforme, il codardo renitente. Vero, non ha mai fatto il militare, ma i fobici omettono di ricordare che, quando la leva obbligatoria fu abolita nel 1973, lui, nato nell'agosto del 1961, aveva dodici anni. Accusa di renitenza, per di più, particolarmente rischiosa per un partito repubblicano che per anni aveva dovuto difendere il proprio leader guerriero George W. Bush imboscato nell'aviazione territoriale del Texas, pur di non essere spedito al fronte. Esattamente come aveva fatto il coetaneo Clinton, che implorava raccomandazioni per evitare la leva.

Ma i fobici e i paranoici non si arrendono tanto facilmente di fronte all'evidenza. Uno dei più allucinati fra i cosiddetti «neocon», un uomo che uno scrittore assai poco tenero con i democratici e le sinistre, Christopher Hitchens, definì «pericoloso e inattendibile», Daniel Pipes, trovò quella «pistola fumante» che invano avevano promesso e avevano cercato in Iraq. Barack Obama era stato iscritto da Lolo, il patrigno indonesiano, il secondo marito della madre dopo che il papà keniano l'aveva mollata per tornarsene in patria, in una scuola elementare di Giakarta.

Sulla domanda di iscrizione, alla voce «religione del bambino», aveva scritto «musulmano». Tombola. Ecco la prova, ecco l'impronta digitale che non perdona. «Io sono un cristiano praticante» protestava lui, e se anche fosse stato iscritto dal padre come musulmano, «certamente non ho mai praticato la religione dell'Islam né frequentato moschee neppure al venerdì», il giorno santo. Giustificazione risibile quanto l'accusa, come se essere, o essere stati, musulmani significasse implicitamente un orrendo crimine o una complicità ideale con i tagliagole e i massacratori di innocenti, come se essere tedeschi o aver servito nella Wehrmacht garantisse l'essere criminali di guerra. Una difesa, questa del «anche se lo fossi stato non avrei praticato», patetica come il famoso «ho fumato marijuana ma non ho mai aspirato» dell'insuperabile bugiardo, Bill «non ho mai fatto sesso con quella donna» Clinton.

E poi cristiano, sì, forse, ma «che» cristiano? Frequentatore di una chiesa di Chicago, la Trinity Church, guidata per anni da un pastore nero pure lui, ahi, ahi, ahi. Un esibizionista gigione e virulento nelle sue prediche contro i bianchi, esagitato e istrionico nel minacciare l'America di vendette divine per il suo razzismo e per i secoli di schiavismo, quasi più demente dei guaritori a tariffa che producono miracoli in diretta dalle loro megachiese e di quegli imbonitori della destra cristianissima che lessero nella strage delle Torri Gemelle la piaga inflitta ai peccatori da un Dio leggermente irritato con abortisti, omosessuali e pornografi, come disse l'osceno Jerry Falwell. O che definiscono Santa Madre Chiesa cattolica e romana «la vecchia bagascia», mentre offrono il proprio appoggio politico ai candidati repubblicani alla Casa Bianca.

Ma sul reverendo Jeremiah Wright e sulle sue schiumanti omelie, alle quali Barack forse Mohammed e comunque Hussein Obama assisteva, sono stati celebrati orgasmi di blogger e litanie radiotelevisive con ripetizione a ciclo chiuso, in *loop*, delle sequenze più imbarazzanti, cliccate golosamente su You Tube. Pareva il segno dell'improponibilità del senatore meticcio di sangue e di culture per guidare una nazione che oggi proclama radici cristiane che stupirebbero molto i suoi padri fondatori, in gran parte seguaci piuttosto del Novo Ordo Saeculorum massonico.

Per difendersi dalla pioggia quotidiana di invenzioni, di insinuazioni, di frammenti d'ossa trasformati in dinosauri in libri spazzatura pubblicati a fine campagna come l'*Obama Nation* di Jerome Corsi, mazziere per conto dei repubblicani, il clan Obama dovette creare un sito Internet di contraerea, divenuto frequentatissimo perché paradossalmente raccoglieva e diffondeva proprio i *rumors*, le balle, sul suo conto. Ma probabilmente non aveva scelta: se ignori e non smentisci, confermi. Se registri e smentisci, diffondi ciò che avresti voluto soffocare.

Obama fu finanziato in politica e nel suo lavoro di attivista e di avvocato nei quartieri poveri di Chicago da un losco personaggio del demi-monde cittadino, Tony Rezko, un super palazzinaro di origine siriana (uh, oh) incriminato per reati che negli Stati Uniti possono ancora inguaiarti: falso in bilancio, corruzione, finanziamenti illeciti. Fra i suoi amici c'è un sovversivo violento, uno che non fu mai condannato per nessun delitto ma che negli anni Settanta sosteneva le azioni di guerriglia dei Weathermen, William Ayers, oggi professore di ruolo all'Università dell'Illinois.

Ayers disse di non avere mai rinnegato il proprio passato e che «semmai, non mettemmo abbastanza bombe per scuotere la nazione». Avevano contribuito con 200 dollari al fondo elettorale di Obama nel 2001 e questo basta per proclamare che, dietro quell'aria *soft* e innocente, quel sorriso un po' condiscendente e quel suo snobismo dinoccolato, anche lui, sotto sotto, è un terrorista. Non musulmano però, forse Pantera Nera, o sovversivo, comunque – appunto – un «tipaccio».

Fa tutto parte del gioco pesante all'ultimo sangue, naturalmente, di quel sentiero di rovi che ogni aspirante a volare sul nido dell'aquila americana, ogni uomo o donna abbastanza folle da voler assumere la guida degli Stati Uniti («non voterò mai per uno talmente pazzo da voler diventare presidente» diceva un comico), deve percorrere, in questo rito inquisitorio e barbaro, dunque crudelmente stupendo, che è la campagna elettorale per la Casa Bianca.

Ma anche la Baraknophobia, come tutte le fobie, genera, più che mostri, mostriciattoli, chimere bizzarre e involontariamente comiche. È una patologia psichica, come altre. Basta riassumerne i sintomi, per vederlo. Se dovessimo ascoltare e sintetizzare tutto quello che è stato diffuso su Barack Obama nel corso del 2008, questo sarebbe il suo identikit secondo gli avversari: un terrorista musulmano troppo snob passato dalle madrase islamiche alla direzione della rivista legale di Harvard attraverso le organizzazioni violente dei neri sovversivi, frequentatore di chiese razziste antibianche e finanziato da un mafioso siriano di Chicago.

Insomma, il primo jihadista cristiano snob fighetta vestito da Zegna nella storia dell'umanità.

La chiave di Linus

Il suo nome era Linus. Del suo cognome abbiamo tutti piene le tasche. No, non aveva un amico chiamato Snoopy, era soltanto il figlio di un fabbro, cresciuto tra catenacci e chiavistelli nella bottega del padre, presso New York, ma di chiavi lui non ne voleva sapere. Era un pittore ritrattista. Gli piacevano i musei, le gallerie, i libri illustrati di archeologia, soprattutto quelli sull'Egitto dei faraoni, con le loro dinastie millenarie, con i forzieri funebri delle loro ricchezze inchiavardati a prova di ladri e di spiriti, protetti da serrature ingegnose a cilindri interni... aspetta... con un po' di miglioramenti... con qualche modifica... Linus lasciò cadere la tavolozza, ne discusse col padre e brevettò un nuovo tipo di chiave di sicurezza. Quella chiave che stiamo ancora cercando nel fondo della borsetta o della tasca dei calzoni, spesso con il suo cognome sopra. Yale. Il suo nome era Linus Yale, l'inventore della chiave moderna che tutto il mondo adopera. Il Sesamo davanti al quale ogni porta moderna si apre.

Ma Linus Yale jr non avrebbe sicuramente mai immaginato, portando il suo disegno per una «serratura di sicurezza per casseforti» all'ufficio brevetti di New York, che la chiave a testa rotonda e corpo dentellato come una catena alpina sarebbe stata ancora in uso un secolo e mezzo più tardi e che avrebbe partorito 200 tipi di chiavi diverse tutte basate sulla sua idea. Come i falsi profeti nella Palestina di Cristo, così gli inventori di lucchetti, combinazioni e catenacci pullulavano allora, ma soltanto uno, soltanto lui, fondò il regno ecumenico della chiavetta.

Quegli anni erano tempi d'oro per il mondo dei fabbri e delle serrature. La destabilizzazione sociale scatenata dalle rivoluzioni politiche e industriali tra la fine dell'età dei Lumi e l'avvento dei telai meccanici aveva spinto nelle grandi città del mondo, da Londra a Parigi a New York, folle di morti di fame e di *lumpen* che nessuna legge e nessuna forza di polizia riuscivano a reprimere. Le carceri e i patiboli britannici tracimavano di condannati a morte per furti di ortaggi, tagli di stoffa e ghinee d'oro, inutilmente considerati reati capitali, perché la fame è sempre più forte dei codici e dei boia.

Le paure dei nuovi ricchi minacciati dai ladri avevano concimato l'ingegno dei fabbri. In Francia, nel Regno

Unito, tra la fine del Settecento e le prime decadi dell'Ottocento prosperavano gli inventori di complesse serrature «a prova di scasso», come quelle di Fichet a Parigi, di Chubb a Londra. Un inglese, Bramah, offrì 200 sterline, una fortuna, a chi riuscisse a violare uno dei suoi forzieri e furono necessari 60 anni di tentativi e un fabbro ferraio che nel 1850 impiegò 51 ore di lavoro ininterrotto per vincere la serratura Bramah. E quando il ritrattista fallito brevettò i suoi modelli di chiavi, tra il 1851 e il 1868, tutta la New York dei soldi, e poi chiunque se le potesse permettere, volle una «Yale». La bottega del fabbro divenne uno stabilimento, poi diede vita a una cittadina intera, Shelburne Falls, nel Massachusetts, che prosperò attorno alle sue chiavi come Detroit attorno al Modello T di Henry Ford. Anche oggi che la «Yale» non è più americana ed è divenuta parte di una multinazionale svedese, la Assa Abloy AB, a Shelburne Falls resta aperto un delizioso museo della serratura e del chiavistello. C'è anche una cintura di castità con lucchettone, ma non di marca Yale, perché fortunatamente l'arnese di tortura era caduto in disuso molto prima che il figlio del fabbro nascesse.

Come tanti dei prodotti che ci vengono dalla Rivoluzione industriale anche questa chiavetta miracolosa non fu una scoperta originale, un'invenzione, fu il perfezionamento industriale di idee che altri cervelli, in epoche e in luoghi lontanissimi, avevano concepito. La chiave Yale funziona con un sistema di cilindretti interni, di dentini tenuti ad altezze diverse da minuscole molle. La disposizione dei cilindretti, nella fessura, corrisponde alle piccole cime e alle piccole valli della chiave maschio. Spingendola nella toppa, la chiave allinea e fa rientrare correttamente i dentini nel rocchetto interno che così può ruotare. Se anche uno solo dei cinque o più cilindretti interni non corrisponde alla tacca nella chiave, bloccherà la rotazione del rocchetto interno e la porta non si aprirà.

Questo era, nella sostanza, il meccanismo che i fabbri egiziani dell'imperatore Antef V, diciassettesima dinastia, avevano escogitato 1600 anni prima di Cristo per compiacere il sovrano preoccupato dall'aumento della microcriminalità, come diremmo oggi, e che Linus aveva studiato. Un'ondata di immigrati – sicuramente clandestini – attratti dalla prosperità dell'Egitto aveva sconvolto i suoi sudditi, e se fossero esistiti l'inglese e la televisione e le elezioni, anche Antef V avrebbe proclamato un Security Day per incantare i gonzi. Ma essendo un faraone serio, si accontentò invece di una serratura più efficace, afflitta da un difetto serio. Era fabbricata laboriosamente a mano e aperta da chiavi lunghe anche un metro.

L'intuizione del signor Yale, come quella di Henry Ford, fu la possibilità di riprodurre in massa, a costi bassissimi, un oggetto che fino ad allora aveva richiesto atelier di artigiani e tempi lunghi. Con i nuovi torni e le nuove leghe metalliche disponibili nell'Ottocento, i cilindretti interni potevano essere minuscoli pur rimanendo robusti e potevano essere disposti in tali e tante variazioni di altezza calibrando le molle, in corrispondenza delle dentellature della piccola chiave, da essere praticamente infinite. Solo un duplicato o uno scassinatore raffinato potevano forzare la «serratura di sicurezza» Yale.

Fu un trionfo. Dicono i resoconti di polizia e i servizi dei giornali dell'epoca che, anche scontando un po' di pubbliche relazioni, l'umile chiavetta dentellata del figlio del fabbro fece per la sicurezza dei cittadini quello che le forche, le deportazioni, le fruste, i giudici e i poliziotti a tolleranza sotto zero non erano riusciti a fare. Il numero di appartamenti di New York dotati di serramenti Yale e svaligiati diminuì fino quasi a scomparire, prima che inesorabilmente, come nella logica della spada e dello scudo, i ladri imparassero a scassinarli. I filosofi, i commentatori e i perditempo dell'epoca arrivarono a denunciare l'influenza perniciosa di una serratura così comoda e inviolabile, che induceva la gente a sbarrarsi in casa, indicando nell'umile invenzione del pittore fallito una metafora dell'imbarbarimento della società e la fine della vita sociale.

Ma il solo, diabolico difetto di queste chiavine Yale che da 150 anni ci aprono le porte della nostra casa e dunque della nostra vita è quanto siano facili da perdere, maledizione a loro e al figlio del fabbro di New York che avrebbe potuto inventare la chiave che non si perde mai e non lo ha fatto.

Un re a Chicago

La sera era fiacca, in quella bettola di Brooklyn. Anche se l'onda della guerra in Europa – era l'inverno del 1917 – neppure arrivava a lambire quel termitaio di emigranti europei, l'umore era torvo come la notte, gli avventori scarseggiavano e il barista dello Harvard Inn, un ragazzo di diciotto anni, guardava malinconico il bicchiere delle mance vuoto. Forse era la noia, forse la certezza di un'altra sera di magra, ma quando nella taverna entrò una sua vecchia conoscenza, un furfantello chiamato Frankie Galluccio, trascinandosi dietro una ragazza truccatissima e recalcitrante, il barista decise di ravvivare la serata.

«Frankie boy,» gli disse «dammela a me la guagliona con la faccia di puttana, che la faccio divertire io.» Fu il primo, grave errore della sua vita.

L'errore fu quello di non sapere che la ragazza bruna e imbronciata era la sorella di Frankie. Galluccio non rispose. Sfoderò dalla tasca con gesto fluido il coltello e sgarrò la guancia sinistra del barista impudente incidendo, secondo il suo futuro faldone negli archivi dell'Fbi, «un taglio lungo pollici 4 [10 centimetri] fra l'orecchio e il mento» che avrebbe prodotto una *scar*, una cicatrice permanente. Fu in quella sera del 1917, in una bettola di Brooklyn, che il barista Alfonso Capone, figlio del barbiere Gabriele e di Teresina Capone da Castellammare di Stabia, divenne per sempre «Scarface», faccia sfregiata.

Nel sontuoso pantheon del crimine americano, tra i Jesse James, Bonnie e Clyde, John Gotti, John Dillinger, Lucky Luciano, «Machine Gun» Kelly, «Mamma» Barker, Butch

Cassidy, Alfonso o Alphonse «Scarface» Capone occupa da quasi un secolo l'altare maggiore. Nei sessant'anni trascorsi dalla morte nel gennaio del 1947 nella sua villa in Florida, consumato dalla sifilide e ormai demente, nessun padrino vero o immaginario ha mai neppure avvicinato la statura di questo ragazzone paffuto e stempiato che la madre Teresina continuò fino all'ultimo giorno della propria vita a definire «nu bravo guaglione che ha fatto soltanto del bene a tutti». Sul «bene», gli almeno 80 concorrenti stecchiti direttamente o indirettamente da lui forse avrebbero qualche obiezione, se potessero ancora parlare, ma la vita del figlio del barbiere di Brooklyn arrivato a guadagnare 100 milioni di dollari all'anno nel 1927, quando 100 dollari al mese erano già un succulento salario, è molto più della solita biografia del «mafioso» italo-americano.

Per dieci anni, tra il 1922 e il 1931, coprendo la parabola del proibizionismo, quando il giudice James Wilkerson lo condannò per evasione fiscale, Al Capone fu quello che nessun «piezz'e novanta» di New York, nessun futuro capofamiglia di Cosa Nostra riuscirà mai a diventare: il re di una città intera, il sovrano assoluto e beneamato di una Chicago dove non si eleggeva un sindaco che lui non volesse, non si apriva un banco di «faro», il gioco d'azzardo più popolare all'epoca, senza il suo consenso, non si beveva una birra nella quale lui non avesse bagnato il becco, non si passava una «marchetta» fra madame e clienti nei bordelli senza che lui avesse la sua commissione, 20 centesimi per ogni dollaro.

A Chicago, il barista sfregiato dello Harvard Inn era arrivato seguendo gli ordini del suo capo regime a Brooklyn, Frankie Yale (non erano soltanto «wop» italo-americani i mammasantissima delle mafie), che lo aveva spedito nel Midwest per sfuggire all'aria divenuta troppo pesante per lui dopo una serie di violenze. Nella «macelleria» d'America, in quella città ammorbata ventiquattr'ore al giorno dai miasmi dei mattatoi che sfamavano il West fino al Pacifico, Al divenne il luogotenente del superboss dell'epoca, Johnny Torrio. Non aveva che vent'anni, l'istruzione raggiunta fino alla «sesta», la prima media, dove aveva avuto come compagno di scuola Lucky Luciano, e una moglie sposata da poco, un'irlandese che gli darà l'unico figlio, «Sonny», il nome che Mario Puzo adotterà poi per il primogenito bello e violento del *Padrino*. «Mary,» diceva alla moglie guardandolo giocare nella modestissima casetta a Chicago al numero 7422 di Prairie Avenue «ma come abbiamo fatto noi due così brutti a mettere al mondo un figlio così bello?» La risposta della signora non ci è stata tramandata.

Al imparava in fretta, intelligente e senza scrupoli, in quell'università del racket che era la Chicago ruggente. Era un autodidatta avido, e nella prima cella dove fu spedito, nel penitenziario federale di Atlanta, chiese di portare soltanto tre cose: una foto del figlio, un mazzo di carte e l'Enciclopedia Britannica completa, che leggeva metodicamente, dalla A alla Z. Non rifiutava alcun lavoro, per quanto umile, ed eccelleva nel mestiere dell'«accalappiacani», colui che accalappia polli per bische e bordelli, dove lo stesso Alfonso non disdegnava qualche assaggio della mercanzia. La passione per le prostitute fu il secondo errore della sua vita, quello che gli costò la sifilide che lo avrebbe ucciso.

Senza i fondamentalisti puritani, i proibizionisti, le suffragette per la temperanza e i politicanti sempre pronti a montare sul cavallo dell'ultima carica demagogica, è probabile tuttavia che Capone sarebbe rimasto uno dei tanti piccoli mungitori di vizi umani. Ma alla mezzanotte e un minuto del 16 gennaio 1920, quando entrò in vigore la legge voluta da un immigrato norvegese, Andrew Volstead – persuaso, diceva, che «la moralità si possa imporre con la legge» –, che proibiva la produzione, il commercio e il consumo di ogni bevanda con un tasso alcolico superiore allo 0,5 per cento, il rivolo di potere e di danaro divenne il Niagara.

Sul proibizionismo, Al costruì il proprio trono di «King of Chicago». Torrio fu ferito in un attentato e lasciò la città, indicando in Capone il delfino, e nessuno riuscì a opporsi a quella investitura. Non che non ci provassero, ma chi si ostinava a irritarlo conosceva curiosi incidenti sul lavoro, impreviste trombature elettorali o decessi tanto prematuri quanto violenti. Dal suo quartier generale, in due piani dell'albergo Metropole che aveva fatto ridipingere con vernici dorate e broccati da corte borbonica mentre la moglie restava sempre con Sonny nella prima casetta di Prairie Avenue, Al governava con poteri assoluti. Correva voce che spaccasse la testa personalmente ai soci infidi, con l'attrezzo del suo sport preferito, il baseball. Invece delle *stock options*, per garantirsi la fedeltà del consiglio di amministrazione, stoccate sul cranio.

Ogni birreria, ogni distilleria, ogni grossista di alcolici doveva appartenere a lui attraverso gomitoli inestricabili di prestanomi. «Scarface», o «the Big Fellow», l'omone, secondo un altro soprannome, non possedeva nulla. I suoi alibi erano inattaccabili. Quando uno dei suoi rivali cadeva sotto una raffica di mitra Thompson, lui era visibilissimo a teatro, al ristorante, nella prima fila dello stadio del baseball, a balli di beneficenza. Neppure un graffio poté mai essergli contestato direttamente. Chi veniva arrestato, non parlava. Chi finiva sotto processo, era assolto per cavilli, tecnicismi, prescrizioni, false testimonianze o comperando i magistrati e i giurati. Nessuno voleva diventare un'altra carcassa per hamburger, tritata nei mattatoi di Chicago.

E nessun giornale ripeté l'errore commesso quando per la prima volta affiorò il suo nome per un delitto, e fu identificato come «Alfredo Capponi», il 14 febbraio 1929. I sette cadaveri gonfiati da 150 pallottole in un garage appartenevano tutti, meno un disgraziato che era lì per caso, all'unica gang che ancora osasse competere con Alphonse Capone: quella dell'irlandese «Bugsy» Moran. Non c'era *chicagoan*, abitante di Chicago, che non avesse capito chi aveva ordinato l'esecuzione e il massacro (impunito) di San Valentino fu – e rimane – l'Everest delle guerre di mafia. Quel 1929 fu l'apoteosi del «King of Chicago». Tutti lo temevano, molti lo amavano, incoronato definitivamente dai morti di fame in fila davanti alle «cucine di Al», le mense gratuite che lui organizzava per sfamare la gente devastata dal crac di Wall Street. Nella prima forma di welfare state laico, migliaia di famiglie campavano con la minestra della mafia, vestivano con abiti prelevati da negozianti che avevano ricevuto l'ordine di mandare il conto ad Al Capone.

Qualche storico e biografo sospetta che proprio questa generosità, e questa popolarità, siano state il suo terzo e fatale errore. Agli amministratori della cosa pubblica, ai politici ambiziosi, questa stella dava fastidio e cominciava a dar fastidio anche a Washington. Sulla polizia locale, comperata dalla visiera del cappello alle scarpe, era inutile contare. E anni di indagini sui delitti a Cicero, il sobborgo che era divenuto tutto suo, non avevano prodotto un solo testimone, un solo indizio su di lui, frustrando anche la tenacia dell'agente speciale dell'Fbi Eliot Ness, che sarebbe poi stato idealizzato da Kevin Costner per Hollywood. Neppure il fisco, l'Irs, sarebbe arrivato a nulla, contro un uomo che non possedeva niente e dunque non poteva essere accusato di evasione, se non fosse spuntata una ricevuta, una sola, che portava come beneficiario il nome di Alphonse Capone. Era un reddito che lui avrebbe dovuto denunciare.

Al rise molto dell'accusa. Ingaggiò i due migliori avvocati di Chicago, con una parcella allora astronomica di 72 mila dollari, abbastanza per comperare dieci case in città. Si dichiarò colpevole, convinto dagli avvocati di poter patteggiare col giudice in cambio della ammissione che in effetti Capone doveva al fisco 282 mila dollari. Ma era una trappola. Appena ricevuta l'ammissione scritta del difensore, il giudice ritirò l'offerta di patteggiamento. E la sentenza fu il massimo che la legge consentisse: dieci anni in penitenziari federali più un anno in un carcere di bassa sicurezza.

La stella di Alphonse Capone, spuntata con il proibizionismo, tramontò nel maggio del 1932, con la sua fine. In quell'anno Al cominciò il suo viaggio nel sistema penale, prima ad Atlanta, dove trovò amici e vita comoda, poi nella crudele Isla de los Alcatraces, l'isola dei gabbiani, Alcatraz, a San Francisco, dove il direttore gli proibì di appendere alle pareti della cella i ritratti di famiglia. Prigioniero modello di giorno, nella notte era scosso da incubi. Lo si sentiva urlare, implorare, proteggersi da immaginarie raffiche di mitra. Era la sifilide all'ultimo stadio. Gli furono condonati due anni, per buona condotta, e poté raggiungere la moglie nella villa della Florida che aveva comperato per 52 mila dollari e che era tutto ciò che rimaneva del suo regno. Morì di arresto cardiaco il 25 gennaio 1947, ormai pazzo, ma riuscì a sopravvivere di cinque giorni a colui che aveva fatto la sua fortuna di criminale, il proibizionista norvegese Andrew Volstead. Sulla tomba di «Scarface», nel cimitero del Monte Carmelo a Chicago, ci sono soltanto il nome, le date e una preghiera, «My Jesus Mercy», pietà, mio Gesù. Meglio tardi che mai, pare.

C'è freddo sull'oceano

I 200 cavalli galoppavano generosamente per scollare le ruote dal fango e l'uomo che li guidava chiese loro un altro sforzo, vita o morte. «Go, go», alé, forza, vai. Le ruote si staccarono, ma dopo pochi metri ripiombarono nell'erba fradicia. «Come on, come on, get up», dai, dai, su, su, li incitava sottovoce l'uomo alle redini e i cavalli risposero ancora, le pulsazioni dei loro cuori salirono a 1475 al minuto, il massimo di cui fossero capaci in quell'aria grondante di acqua. Le ruote si alzarono una seconda volta, soltanto per sprofondare di nuovo nel fango. Cinquecento metri, quattrocentocinquanta, quattrocento mancavano al fossato dove lui e i suoi cavalli si sarebbero disintegrati in un lampo, trecentocinquanta metri soltanto, quando davanti ai loro musi si stagliò una sagoma terrificante. Un trattore.

Per l'ultima volta, l'uomo chiese pietà a quel cielo che aveva osato sfidare, a quella terra che non lo voleva mollare, e con un urlo finale i cavalli schiodarono le ruote dal fango, il carretto alato si alzò nell'aria, sfiorando il trattore per due metri. Erano le 7 e 52 del 20 maggio di ottantun anni or sono, il 1927, su un prato dell'isola di Long Island chiamato Roosevelt Field, dove oggi uno shopping center offre le solite cianfrusaglie fabbricate in Cina e i bambini non alzano neppure più il naso a guardare i jumbo partiti dal Kennedy verso quell'Europa che raggiungeranno in 7 ore e che l'uomo del carretto alato avrebbe impiegato 33 ore e mezzo per toccare. Facendo di lui, di Charles Augustus Lindbergh, il Cristoforo Colombo alla rovescia, il navigatore che avrebbe aperto agli americani le rotte aeree dell'Europa, come il genovese aveva aperto le rotte navali per l'America agli europei. Lindbergh fu la risposta del Nuovo Mondo al Vecchio Continente. Fu l'americano che scoprì l'Europa.

Non che avesse cominciato benissimo la propria vita di pioniere, «Lindy», come lo chiamavano in famiglia, o «l'Aquila Solitaria», come i titolisti dei giornali l'avrebbero esaltato. La sua prima impresa, nel 1918, ad appena sedici anni nel Minnesota, era stata un allevamento industriale di galline per sfamare le città pronte alla crescita vertiginosa di ogni dopoguerra: arrivò ad averne 6000 in un'enorme stia riscaldata da stufe a temperatura costante contro gli inverni di quelle regioni, le più fredde d'America. Un'avventura che finì quando un ritorno di fiamma nelle stufe consumò in pochi minuti l'intero impianto. La vita della futura «Aquila Solitaria» era cominciata con il più grande arrosto di polli nella storia americana. Uno superstizioso ci avrebbe letto un presagio infausto.

Lindbergh non era neppure il suo vero nome. Il nonno paterno si chiamava Mansson, Ola Mansson, quando era stato costretto a scappare nel 1859 dal villaggio natale di Gardlosa, in Svezia, dove la sua carriera di deputato al Parlamento era crollata fra accuse di truffa e appropriazioni indebite. Allo sbarco in Québec e sulla via di quel Midwest americano, fra Illinois, Missouri e Minnesota dove tanti emigrati dalla Scandinavia si sarebbero finalmente sistemati, si era autoribattezzato Charles Lindbergh e si era adattato a una vita di commerci, di fatica e di qualche scambio di fucilate con le tribù locali, i Chippewa. Dunque nel breve spazio di una vita, in sessant'anni, una famiglia di emigrati svedesi in fuga e con falsa identità passò dalle guerre indiane alla prima trasvolata atlantica non-stop, una misura temporale che dà il senso della vertiginosa accelerazione della storia americana.

Ma non era l'accelerazione della storia quella che preoccupava il nipote del deputato truffatore quando il suo monoplano e monomotore, battezzato *Spirit of St. Louis* in onore del finanziatore che appunto a St. Louis gli aveva anticipato 10.500 dollari per costruirlo, raggiunse le coste del New England e il primo sipario di quella che sarebbe stata per 33 ore la sua nemica più insidiosa calò su di lui: la nebbia. Con 1703 litri di benzina disseminati ovunque per coprire i 5810 chilometri fra le coste di New York e l'aeroporto Le Bourget di Parigi, il motore del suo aereo, un Wright di serie, e i suoi 9 cilindri non potevano neppure sognare di alzarsi sopra le nubi, le foschie, il cattivo tempo, il ghiaccio che gli aerei di linea oggi scavalcano senza fatica.

Chiuso nel pozzetto di 80 centimetri di diametro per 1 metro e 30 di altezza, che stringeva la sua figura allampanata nell'atroce scomodità che poi milioni di passeggeri paganti in classe economica avrebbero sperimentato lungo la stessa rotta, «Lindy» non poteva allungare le gambe, né guardare avanti, se non attraverso un piccolo periscopio retrattile che uno dei costruttori dell'aereo con esperienza di sommergibilista gli aveva installato.

Non che ci fosse qualcosa da vedere, lungo quella costa nebbiosa del Nordatlantico e poi sul lastrone grigio dell'oceano, o che lui desiderasse vedere, sapendo bene che tra gli scogli del New England, poi della Nova Scotia, l'ultima terra prima di virare a est e cominciare la traversata, c'erano sparpagliate le carcasse dei 27 aerei che prima di lui avevano tentato l'impresa. E che si erano puntualmente schiantati, inseguendo il premio di 25 mila dollari – il costo di due o tre buone abitazioni – messi in palio dall'albergatore di New York Raymond Orteig per il primo trasvolatore senza scalo.

Dopo il naufragio più recente, quello di tre argonauti su un trimotore, Lindbergh, che aveva conosciuto la sua razione di disastri come pilota di aerei postali, aveva preteso che il suo *Spirit of St. Louis* avesse un motore solo. «Ci sono semplicemente meno cose che si possono guastare» aveva spiegato al fabbricante, la Ryan Aviation, e al progettista. «I 9 cilindri del mio motore Wright devono produrre 14 milioni e 500 mila esplosioni interne per funzionare da New York a Parigi. Moltiplicate questo numero per tre e capirete perché un motore unico è più sicuro.»

La sua velocità di crociera, mentre virò verso un'alba che distava 20 ore di solitudine e di gelo, era quella di una buona automobile in un'autostrada senza autovelox, 170 chilometri all'ora a 1300 giri. Era guidato dalla bussola e dalle stelle, quando riusciva a vederle dai finestrini laterali. Non aveva radio, che avrebbe appesantito il trabiccolo di tubi di acciaio al molibdeno e di tela né sarebbe servita a nulla, neppure a comunicare con le navi, poche e troppo distanti. Non aveva autopilota, né altri comandi che non fossero la barra in mezzo alle ginocchia e la pedaliera, che doveva azionare costantemente per tenere in linea di volo un aereo instabile e riottoso, cosa che gli avrebbe salvato la vita, costringendolo a smanettare e a muovere i pedali e impedendogli di cedere al suo secondo, e altrettanto micidiale, avversario: il sonno.

Ma agli avversari meccanici, atmosferici e soprattutto umani il Cristoforo Colombo alla rovescia avrebbe fatto presto il callo e l'abitudine. La stessa intensità, ostinazione, concentrazione che aveva dedicato al sogno della vita – quello di volare, concepito quando un «pazzo su una macchina volante» aveva sfiorato il tetto della fattoria di famiglia nel 1915 – le avrebbe poi dimostrate nella capacità di rendersi indigesto e di antagonizzare quella stessa opinione pubblica che lo aveva beatificato dopo il volo e poi abbracciato durante la tragedia della sua vita, il rapimento e l'assassinio del suo angelico bambino di un anno e otto mesi. Come l'aeroplanino oggi sospeso a stagionare come un prosciutto sotto le volte del Museo dell'Aviazione di Washington, anche il suo pilota era un solitario, uno scontroso, un riottoso. Le folle accorse a Le Bourget per accoglierlo, decretandogli un trionfo che soltanto la Francia dei Blériot, dei Saint-Exupéry, fresca dei duelli aerei sui cieli della Marna, avrebbe potuto tributare, lo spaventavano.

Ogni città americana gli dedicò le parate dei coriandoli gettati dalle finestre, ma lui aveva sempre il broncio. Ogni visionario e investitore lo rincorreva per associare il suo nome a un nuovo aereo, a una nuova compagnia, come fece il creatore della Pan Am, Juan Tripp. E non ci fu un occhio asciutto, nell'America del 1932, quando Betty, la governante dei Lindbergh, andò nella stanza di Charles Augustus junior per accendergli la stufetta elettrica nella notte fredda del New Jersey e scoprì che la finestra era aperta. E il lettino dove avrebbe dovuto dormire il bambino era vuoto.

Mai prima, e mai dopo, tanta commozione e tanta rabbia avrebbero accompagnato un caso di cronaca nera, la ricerca dell'«Aquilotto», come fu subito chiamato il bambino. Una nazione impazzita, fulminata, rimase sospesa fino al ritrovamento del corpo nascosto sotto il terriccio e le foglie di un bosco a pochi metri dalla casa e al processo contro l'«immigrato illegale» arrestato e condannato per il delitto, il falegname tedesco Bruno Hauptmann, che andò sulla sedia elettrica protestando la propria innocenza e rifiutando addirittura l'offerta formale di commutazione della pena in ergastolo, se avesse confessato.

Eppure fu proprio nel momento di convergenza fra l'ammirazione e la commozione, fra il trionfo dell'esploratore e la disperazione dell'uomo, che qualcosa si spezzò per sempre, in lui e nella nazione che lo aveva santificato. Se ne andò a vivere in Inghilterra, con la moglie, Anne, già in attesa di un altro figlio ma che i Lindbergh non vollero far nascere in America. E anche la moglie, come avrebbe scoperto per caso la figlia rovistando tra vecchie carte della madre, lo avrebbe tradito con un amante segreto, come lui avrebbe voluto tradire l'America.

In quell'Europa che lo aveva osannato all'atterraggio, fu sedotto dai miraggi di ordine, di autorità, di efficienza, di progresso che i nazisti proiettavano. Visitava ammirato e ossequiato gli stabilimenti degli Heinkel e dei Messerschmitt, i laboratori della Luftwaffe, le regge di Göring, aviatore come lui e asso della Grande Guerra. Tentò invano di incontrare Mussolini, visitando la Roma imperiale. E si scagliò contro Roosevelt quando capì che il presidente stava spingendo verso l'entrata in guerra, mentre giurava di volerne restar fuori.

Con la maschera dell'isolazionismo, della dottrina dell'*America First*, l'America prima di ogni altro interesse, «Lindy» divenne un apologeta del nazismo. E quando, dopo Pearl Harbor, si scosse dal suo incantesimo, Roosevelt gliela fece pagare, negando a lui, al primo, al massimo aviatore della storia americana, l'arruolamento in aviazione e il suo vecchio grado onorario di colonnello. Dovette accontentarsi di nascondersi sul fronte del Pacifico, dove addestrava giovani piloti di leva sbalorditi dal trovarsi di fronte all'«Aquila» in persona, e di compiere decine di missioni di guerra in solitudine, senza l'autorizzazione ufficiale dei comandi. Navigando e combattendo a vista.

A vista, proprio come era arrivato nelle acque dell'Irlanda nel pomeriggio del giorno dopo il miracoloso scollamento dal fango di Long Island. Gridando in silenzio anche lui «terra, terra», di fronte ai pescherecci che gli indicavano la vicinanza del continente, in un momento che celebrò contorcendo il suo metro e novanta per raggiungere una delle due borracce d'acqua sotto il sedile. Un istante di gioia che il motore spezzò, mettendosi a tossire e sputare fumo, dopo ventiquattr'ore di perfetto funzionamento. «Ecco, è finita» si disse «sono stato troppo presuntuoso, troppo arrogante, troppo sicuro di me stesso», e mentre dal finestrino laterale aperto, ormai a pochi metri dall'acqua, gridava a uno sbigottito pescatore che non poteva sentirlo «vado bene per l'Irlanda? In che direzione è l'Irlanda?», i duecento cavalli che lo avevano strappato allo schianto contro un trattore ripresero fiato e il loro cuore ricominciò a battere.

Riprese quota. Sorvolò emozionato Plymouth, il porto del Devonshire dal quale la storia dell'America bianca e anglo era cominciata tre secoli prima, con la partenza nel 1620 dei pellegrini a bordo del *Mayflower*; attraversò la Manica; puntò su Cherbourg, la bocca della Senna, poi via verso Parigi, le luci della sera, la folla che nel buio riusciva a intravvedere attorno al prato del Bourget e che lo avrebbe inghiottito alle 22.24, 33 ore e mezza dopo il decollo.

Leggenda vuole che, dal finestrino, avesse detto «sono Charles Lindbergh, ce l'ho fatta», ma la frase dovette sembrargli troppo retorica e fino alla morte, nel 1974, avrebbe negato di averla mai detta. Sostenne di avere chiesto soltanto: «c'è un meccanico, qui?» e di essersi subito preoccupato di mettere al sicuro il proprio aereo di tela dalle grinfie dei cacciatori di souvenir pronti a sbranarlo.

La sua ultima foto poco prima della morte, insopportabilmente posata e insieme perfettamente naturale, ci mostra un vecchio settantaduenne ancora eretto e in giacca, magrissimo e in piedi su una scogliera del Nordatlantico. Volta le spalle all'obiettivo e guarda l'oceano verso il quale si lanciò quando aveva appena venticinque anni e dal quale, viene il sospetto, forse non tornò più.

Il guerriero che vinse la pace

Del giorno di giugno nel quale lui cambiò il mondo regalando un futuro all'Europa ci è rimasta una sola piccola foto, l'immagine rigida e grigia di un vecchio soldato scontroso che china la testa un po' imbarazzato, per ricevere dal rettore il tocco, il copricapo ufficiale della sua laurea honoris causa a Harvard. Non ci sono filmati di cinegiornali, sequenze fotografiche, panegirici di addetti stampa per ricordare quella mattina del 5 giugno 1947, quando un generale a cinque stelle tornato in abiti borghesi pronunciò nell'aula magna di Harvard un asciutto discorsetto di appena mille parole per spiegare alla facoltà, ai pochi giornalisti presenti e soprattutto a un'America recalcitrante, che la vera guerra per assicurare in pace la supremazia e la centralità degli Stati Uniti nel XX secolo doveva ancora cominciare. E quella guerra andava combattuta non più con i cannoni e i B-29, ma con la lungimirante strategia degli aiuti. «La nostra politica non deve essere diretta contro una nazione o contro un'ideologia, ma contro la fame, la povertà, la disperazione e il caos» disse George Catlett Marshall, colui che da Washington aveva saputo «organizzare la vittoria» in guerra, come scriverà Winston Churchill, e che avrebbe saputo organizzare la vittoria dell'Occidente euroatlantico in pace.

Sarebbe stato necessario un anno durissimo, perché il Congresso isolazionista e taccagno si rassegnasse all'idea di finanziare generosamente proprio quei nemici europei che i suoi soldati avevano appena finito di sconfiggere. Ma da quel discorsetto di mille parole, e dai quasi 100 miliardi di dollari (in valore di oggi) che i contribuenti americani scucirono, nacquero l'Europa democratica, la disfatta del Socialismo reale, l'Unione Europea, l'apoteosi dell'*American Century* e furono costruite le fondamenta di quel mito dell'America generosa e altruista che neppure George Bush e i suoi teorici dell'unilateralismo imperiale e provinciale sono ancora riusciti del tutto a demolire.

Non ci sono più, purtroppo, personaggi come il generale George Marshall. Di «Piani Marshall», come quello lanciato dall'ex capo di stato maggiore chiamato da Truman alla segreteria di Stato, si parla e si straparla meccanicamente in mille occasioni, per l'Afghanistan e per l'Iraq, per una futura Palestina autonoma e per l'Africa esausta, come se una pioggia di miliardi fosse la pietra filosofale che trasforma i nemici in alleati, i terroristi in crocerossine. Ma ai nuovi, e pseudo «piani Marshall» manca la convinzione, chiarissima nel discorso dell'ex generale a Harvard, che «l'elemento essenziale per il successo di ogni azione del governo americano è la comprensione della vera natura dei problemi da affrontare», senza «passioni politiche o pregiudizi ideologici». Capire, dunque, prima di combattere o di stanziare.

Marshall sapeva di che parlava, perché nel momento in cui proponeva al popolo americano, ansioso di godersi i dividendi della vittoria, di togliersi 13 miliardi di dollari di allora dal borsellino, l'Europa appariva sul punto di essere inghiottita dall'«ombra», come i vignettisti del «New York Times» dipingevano l'orso russo con le zanne spalancate, e il Congresso recalcitrava nel timore che quei soldi finissero nelle tasche di Stalin e dei «rossi». Ma l'ex generale aveva visto e vissuto troppe battaglie, per essere ancora tentato dalle sirene del confronto o, come si sarebbe detto decenni più tardi, da attacchi preventivi.

Da giovane colonnello era rimasto impantanato, e miracolosamente illeso, nelle trincee fangose delle Argonne, battendosi contro i tedeschi nella prima e disastrosa offensiva americana del 1918. Aveva superato il duello contro il cancro, che gli aveva attaccato la tiroide, asportata chirurgicamente. Era stato in prima linea sul fronte interno della Grande Depressione, comandando corpi militari mobilitati da Roosevelt per interventi e lavori civili, guadagnandosi una fama di generale di sinistra che lo avrebbe addirittura messo nei guai durante la purga maccartista («Marshall è troppo tenero con i comunisti» l'aveva scomunicato il senatore, scatenando la collera del suo ex subordinato Eisenhower) e aveva perduto lo scontro politico per guidare l'invasione della Normandia, affidata ad «Ike», il futuro presidente, perché Marshall era troppo utile a Washington come «visionario» e «organizzatore».

Possedeva quella che mezzo secolo più tardi George H. Bush avrebbe definito con una punta di dileggio *the vision thing*, quella cosa della visione. La sua cultura, e dunque la cultura che impregnò l'Erp, come ufficialmente si chiamava il piano per la ricostruzione dell'Europa, era quella dei soldati veri, che considerano la guerra realmente e non retoricamente, come l'ultima delle ipotesi possibili. In una mano la spada, incarnata nella «dottrina Truman», nell'altra il libretto degli assegni, bastone e carota tra gli artigli dell'aquila americana.

Era la filosofia del «contenimento» del nemico, da demolire lavorandolo ai fianchi, formulata da George Kennan, coautore invisibile del «piano», e condivisa da una generazione di politici e di diplomatici americani, fino all'avvento del terrorismo islamico e allo sbandamento psicologico provocato dalla paura e dall'ignoranza del mondo. Era quella dottrina dell'egoismo illuminato che partorì la politica di aiuti e di finanziamenti per favorire gli interessi degli Stati Uniti dando una mano agli altri, come fece appunto il Piano Marshall, che offrì agli europei spossati i mezzi per ricostruirsi e importare beni e servizi dall'America.

Nell'ora della grande crisi umanitaria globale, un nuovo generale Marshall troverebbe l'occasione per abbandonare la miopia della forza e ritrovare quel *foresight*, quella lungimiranza, alla quale fece appello nel discorso di Harvard. Gli fu assegnato il Nobel per la Pace, nel 1953, almeno in quell'occasione certamente non a sproposito.

Una casa nella prateria

La collina sta lentamente scivolando a valle, nella terra soffice del Wisconsin impregnata dall'acqua dei Grandi Laghi, minacciando di portare con sé la casa di Frank Lloyd Wright, dell'uomo che cambiò l'architettura del XX secolo e che tra queste mura costruì insieme il monumento al proprio genio e il mausoleo del proprio unico, grande amore. «Taliesin» si chiama la casa, che lui, gallese di origine, battezzò in onore del primo poeta celtico del VI secolo. E se il nome evoca per ogni architetto nel mondo l'eco di una rivoluzione che ancora continua un secolo più tardi, non erano preoccupazioni di pietre, sabbie, planimetrie, strutture, travi, vetrate o smottamenti quelle che portarono Wright ad arrampicarsi con un paio di stivali prestati da un contadino, il cuore in gola e il fiato grosso sui fianchi della collina verso il fumo che si alzava dalla villa a oscurare le stelle vivide del Nord, una sera di mezza estate del 1914. Era la speranza di trovarvi dentro, ancora viva, una donna, colei che aveva distrutto la sua vita di artista e che gli aveva dato la sua vita di uomo.

Mamah, la chiamavano, anche se il suo vero nome era Martha Borthwick in Cheney, e portava i capelli scuri raccolti in una grande crocchia attorno al volto pallido illuminato da grandi occhi verdi che prendevano riflessi azzurri in estate, per via del cielo del Wisconsin. Frank l'aveva incontrata cinque anni prima, sul cantiere di una villa nel vicino Illinois che aveva disegnato per il marito, l'ingegner Edwin Cheney, quando l'architetto che avrebbe inventato la modernità senza mai prendere, forse per sua e nostra fortuna, né il diploma di liceo né la laurea doveva ancora mantenere i sei figli progettando abitazioni per i privati, di nascosto dallo studio per il quale lavorava.

I due erano stati visti molto spesso, troppo spesso, correre insieme sulla Studebaker di lei, sulle strade sterrate della grande prateria ancora non divorata dai sobborghi e già questa donna, peggio, questa signora maritata e madre di due figli che si curvava scompostamente a girare la manovella di avviamento e guidava la macchina nel 1909 aveva fatto parlare non poco. Ma quel «gossip», come si sarebbe detto molto tempo dopo, non era che un venticello rispetto all'uragano che si sarebbe alzato quando sarebbe divenuto chiaro che i due, Frank e Mamah, il padre di sei figli e la madre di due, erano amanti. Decisi non soltanto ad amarsi furtivamente, come facevano i buoni borghesi del tempo, ma a ostentare la propria relazione.

Fu a bordo della Studebaker di lei, e poi nella stupenda casa di Taliesin, che si accese e si consumò una storia d'amore che da scandalo di provincia divenne un manifesto protofemminista e infine un insulto ai costumi e alle ipocrisie dell'epoca, bruciante quanto la ribellione artistica di Wright contro l'architettura dominante. Prima di assumere la cadenza inesorabile di una tragedia greca o di un romanzo borghese *fin de siècle*, nel quale l'insubordinazione femminile doveva inesorabilmente essere punita dagli dei.

Una storia d'amore che, poco meno di un secolo più tardi, la scrittrice americana Nancy Horan ha ricostruito con la meticolosità di una ricerca da dottorato e con la passione narrativa di una donna ispirata da una tragedia d'amore nel suo «romanzo storico», *Mio amato Frank*.

Questo amore straproibito, nella sua manifestazione scandalosa, finì la notte del 15 agosto 1914, nei giorni delle stelle cadenti e delle dichiarazioni di guerra che all'altro capo dell'oceano Atlantico le teste coronate d'Europa si stavano scambiando verso l'inutile strage della Grande guerra. Mamah era in casa con i due figli bambini, John e Martha, con gli apprendisti e assistenti di Frank che studiavano e lavoravano con lui nella villa che serviva da laboratorio, da cantiere e da casa colonica per campi e allevamenti intorno, secondo le visioni neobucoliche di Wright. Con loro era anche la coppia di domestici, Julian Carlton, il cuoco, e la moglie Gertrude, la governante. Frank era a Chicago, nella polvere del progetto dei Midway Gardens, a cinque ore di treno da Taliesin.

In quella casa, che oggi una fondazione cerca di tenere in piedi sopra la collina che slitta, lei si sentiva sicura. Trascorreva lì tutte le estati con i due figli, che Ed Cheney le affidava per la bella stagione, dopo il divorzio che invece la moglie di Frank, Kitty, la madre dei suoi sei figli, non voleva concedere, convinta che lui sarebbe tornato a casa dopo «l'avventura». A Taliesin, Mamah cercava di vivere, e di alleviare, la propria condizione di donna affascinata dai primi, sconvolgenti sussulti del femminismo e dalle parole della «suffragetta» Ellen Key, di buona borghese colta – era traduttrice da cinque lingue –, strapazzata fra il ruolo che la società del tempo le imponeva, la propria ribellione e, soprattutto, l'amore per quel personaggio dal carattere insopportabile, vanesio, egocentrico, intollerante.

I quotidiani e le gazzette di Chicago e di Milwaukee, la

città principale del Wisconsin, li avevano linciati in pubblico, con editoriali e cronache ribollenti di moralismo. Lei era la donna perduta, l'infame che aveva lasciato il rispettabile marito e scaricato i bambini. Lui il «genio e sregolatezza», il non più giovane architetto (aveva quarantadue anni quando conobbe Mamah) che aveva buttato una carriera importante per una donnaccia. Le commesse per le sue rivoluzionarie *prairie houses*, case della prateria, si erano inaridite. I pastori tuonavano dai pulpiti. Per rimpinguare i conti aveva dovuto aspettare i giapponesi, che gli avevano affidato l'Hotel Imperial a Tokyo.

Mamah e Frank avevano tentato di fuggire in Europa, dove i disegni di Wright realizzati per un cliente tedesco l'avrebbero fatto conoscere e venerare dai giovani architetti che si preparavano a costruire e ricostruire due volte l'Europa. Avevano abitato anche a Fiesole per un anno. Ma il richiamo delle grandi praterie del Midwest americano e poi del Nord li aveva riportati nel Wisconsin, a Taliesin.

Mentre si arrampicava su quella collina, la notte del 15 agosto 1914, Frank Lloyd Wright sapeva. I pompieri già cominciavano a scendere sulla strada sterrata. La persona che lo aveva chiamato al telefono a Chicago era stata vaga, ma in fondo chiara e Frank aveva avuto tutto il tempo, sull'ultimo treno della notte, per capire. Quando arrivò tra i ruderi fumanti, non ci furono più dubbi.

Sulle scale di pietra, rigorosamente estratte dalle cave locali, fra le travi smozzicate e le vetrate fuse, uno dei suoi assistenti piangeva, annerito. «Mamah è morta subito, non ha sofferto», ma non era vero. Mamah aveva capito che il cuoco Julian, un afro-americano fino ad allora fedelissimo, aveva deciso di far pulizia in quel nido di peccatori. Lei aveva cercato di fuggire, ma Julian aveva diligentemente inchiodato le finestre, le aveva cosparse di benzina e aveva appiccato il fuoco.

Lungo il corridoio che porta al grande spazio *living*, aperto, come vuole l'architettura di Wright, aveva inseguito e raggiunto la donna brandendo un'accetta da boscaiolo. L'aveva colpita alla testa, e poi abbattuto la figlia Martha di nove anni come un alberello, poi raggiunto e ucciso il figlio John di dodici, e altre quattro persone in casa, sette morti. La moglie dell'assassino dirà che Julian era ossessionato dalle prediche di dannazione contro i suoi «padroni» e soprattutto contro quella «Jezebel», quella «puttana», di Mamah, nel linguaggio della Bibbia.

Wright scriverà poi al «Weekly Home News», il settimanale delle buone madri di famiglia, che «Mamah si era ribellata a un mondo nel quale una donna è ancora proprietà del marito». «Ma io ricostruirò quella casa, affinché lo spirito dei mortali che l'hanno amata continui a vivere nello stesso luogo. La mia casa è ancora lì.»

Fu di parola e Taliesin rimase la sua casa, e la casa di Martha «Mamah» Borthwick, fino alla morte, nel 1959, a novantadue anni. Soltanto alla fine si rassegnò a mettere una pietra con il nome di lei sopra la fossa dove era stata sepolta, nelle notti di agosto del 1914. La pietra è adagiata sull'erba dove anche lui è sepolto, in pianura, dunque non scivola a fondo valle.

La donna che sconfisse Stalin

Erano gli anni dell'agonia sovietica, i primi anni Ottanta. Sugli schermi della televisione di Stato – la sola – apparve il primo tentativo di magazine all'occidentale, di settimanale di attualità, oggi diremmo, mentendo, di «approfondimento». Si chiamava *Panorama* e in poche settimane divenne, secondo il passaparola della strada e delle file impietrite davanti ai negozi, che era la forma primordiale e realsocialista di un inesistente Auditel, lo show con il massimo indice di ascolto e di gradimento. Per dovere di cronaca e di professione, provai a guardarlo.

Era una cosa tremenda. Un programma plumbeo e stucchevole, un montaggio di filmati dall'estero ripresi invariabilmente durante manifestazioni sindacali, cortei di disoccupati, lotte in fabbriche, proteste di minoranze oppresse, cariche di polizia, cortei di femministe esasperate, costruito per creare l'impressione dell'ormai prossimo collasso del mondo capitalista in Francia, in Italia, negli Stati Uniti, in Germania, corroso dalle proprie contraddizioni terminali.

«Natasha,» mi appellai alla colta, intelligente signora che mi faceva da interprete e da baby-sitter «ma come può avere tanto successo un programma che mostra soltanto cortei e proteste sindacali in Europa e in America?» «Cortei!? Ma quali cortei?» mi sgranò addosso i suoi occhi azzurri Natasha. «Neanche li vediamo. Noi lo guardiamo per vedere come si vestono le donne in Occidente, che cosa portano, che cosa sia di moda da voi.» *Panorama* fu cancellato dagli schermi poco dopo.

Questo caso da laboratorio dell'eterogenesi dei fini, delle sorprese che la propaganda politica riserva a chi la produce e di come diversa sia la fruizione del prodotto finale da parte del pubblico rispetto alle intenzioni dei propagandisti, si applica alla perfezione anche sull'altro fronte della Guerra fredda e dello scontro ideologico, dunque di immagine, che Est e Ovest hanno combattuto per mezzo secolo. Mentre i servizi segreti, gli apparati politici, i governi freneticamente operavano nell'ombra per finanziare gruppi e partiti fiancheggiatori, sindacati rossi o gialli, forse qualche occasionale esplosione o attentato, il vero campo di battaglia era l'immaginario della gente e, quindi, quella parte alla fine decisiva della gente che sempre e ovunque sono le donne, indipendentemente dal loro status ufficiale nella società civile.

Come furono le donne – le madri, le mogli dei soldati – a decretare la sconfitta dell'Armata Rossa in Afghanistan, costrette a seppellire troppi figli e troppi mariti mentre il governo blaterava di progressi e vittoria, così furono prima di tutto le donne europee, dunque le italiane, a decretare che fra gli opposti «modelli» offerti dai due mondi, la nerboruta compagna Stakanova in salopette con l'incudine e il martello, curva a edificare il socialismo in uno stabilimento di Minsk, e la sirena Esther Williams nei suoi costumi da bagno insieme osé e modesti, l'eterea Ginger Rogers, l'impalpabile Audrey Hepburn, le *all american girls* non ancora liberate dal giogo del capitale, ma almeno alleggerite dallo zaino della famiglia tutta casa, chiesa e soffritto, fossero queste ultime a rappresentare un lontano, inafferrabile, ma assai più desiderabile sogno.

Nella storia del quindicennio decisivo dell'Italia repubblicana, quello che fra il 1945 e il 1960 ci allontana per sempre dal campo comunista e consolida nel costume nazionale ciò che le truppe americane avevano importato, il mito dell'*american way of life* influenzò sottilmente ma profondamente le scelte politiche ed elettorali.

Furono le bambine, le ragazze, le donne, le signore italiane ad assorbire e interiorizzare prima dei maschi un modo per loro nuovo, eccitante, onirico di essere femmine in una società industriale, urbanizzata e prospera. Una seduzione che prima avviene in maniera apparentemente superficiale: il trucco di scena inventato dal signor Max Factor, che spalmava pancake sui volti delle star nascondendo i graffi del tempo, i primi rossetti indelebili a prova di acqua, di bacio e di colletti di camicie maschili, con tutte le implicite suggestioni trasgressive che non lasciano traccia, le calze di nylon, l'orlo delle gonne che si alza e si abbassa capricciosamente, la luccicante *custom jewelry* falsa e vistosa di Trifari, i reggiseni corazzati da battaglia pesante. Modelli voluti da maschi per consumatori maschi, com'era la Hollywood dominata dagli studios, tagliati sulla misura delle fantasie degli uomini, ma letti dalle donne in chiavi che soltanto più tardi gli zar del cinema capiranno, accorgendosi che la maggioranza del pubblico ai botteghini era fatta di donne.

Mentre gli uffici dei servizi di propaganda americana si sforzavano di diffondere i famosi «pacchetti», buste di articoli, foto, *features*, materiale vario, per esaltare le virtù della democrazia americana e il ruolo importante, emancipato delle *american ladies*, erano le commedie sofisticate, le eroine del West con la Colt in una mano e il bebè nell'altra, la «sfacciataggine» di donne che nei dialoghi del copione rispondevano colpo su colpo alle battute degli attori, a penetrare nella coscienza delle consumatrici andando oltre il fondotinta, il rimmel e le acconciature.

In un'Italia che ancora tagliava le scene dei baci nelle sale di oratorio, come raccontò Tornatore in *Nuovo cinema Paradiso*, o che era appena uscita dal carcere della condizione femminile di matrimoni e divorzi all'italiana, o delle «giornate particolari», le donne degli anni Quaranta e Cinquanta guardavano queste americane sposarsi e divorziare e risposarsi ancora senza che crollasse il cielo o il Dio del parroco le fulminasse. Le vedevano sullo schermo andare in viaggio, al ristorante, a spasso con le amiche da sole, senza la supervisione di mariti o fidanzati né cortei di poppanti. Le guardavano «flirtare», parola che era ed è rimasta intraducibile perché non ha un corrispettivo in italiano, pilotare aerei come Emilia Erhardt, fare a fucilate con i «musi rossi» per proteggere il ranch (il tempo della correttezza politica e del «soldato blu» era ancora lontano), sedurre ed essere sedotte, «fin troppo interessate agli uomini» come risponderanno molte italiane in ricerche dell'epoca, inaugurando la tradizione del sondaggio all'italiana, dove si afferma il contrario di ciò che si pensa.

Non c'era nulla di particolarmente sfrontato in quella propaganda indiretta, perché nella cinematografia e nella televisione di quegli anni quasi sempre la «peccatrice» paga ed è la brava ragazza quella che si fa il *leading man*, il protagonista, magari fingendo di non sapere che fosse gay, come poi si scoprirà di attori come Rock Hudson e si sospetterà di seduttori soavi come Cary Grant.

Il matrimonio, celebrato o annunciato, deve ancora essere la conclusione del flirt se questo si spinge troppo avanti, la famiglia il premio finale per la bellezza e la virtù, nozze coronate da stupende «cucine americane», come infatti si diceva allora, dove la maliarda addomesticata avrebbe avuto il conforto di utensili ed elettrodomestici e mobiletti pensili, invece delle tinozze, delle ghiacciaie, delle madie, della cenere, del sapone di Marsiglia, dei fili tesi sui vicoli e dei bollitori che le spettatrici italiane avrebbero trovato a casa, uscite dal cinema.

Il peccato, e anche il sesso certificato e autorizzato, stavano sullo sfondo, dietro le quinte, perché i censori vegliavano e a Lucille Ball, protagonista della serie *Lucy ed io*, era proibito avere un letto matrimoniale con il coprotagonista e marito vero Desi Arnaz, che dormiva in un lettino separato in camera. Un'attrice incinta non era permessa, per non suscitare nel pubblico strani pensieri su cosa avesse fatto per diventarlo e i vizi veri erano sapientemente nascosti dietro le arti di Max Factor, che riusciva a fare dell'alcolizzata e depravata Judy Garland l'innocente, asessuata ragazzina del Kansas nel *Mago di Oz*.

Ma per quante cautele e pruderie e ipocrisie utilizzassero i censori delle sette sorelle, degli studios allora dominanti, e per quanti filtri utilizzasse la censura italiana e clericale, il messaggio arrivava, chiaro e forte, a chi guardava quei film nei cinema all'aperto estivi sgranocchiando semi di zucca, nelle sale affumicate delle grandi città, persino negli oratori, nonostante le forbicione del prevosto. Diceva che un altro mondo – un altro modo di essere donna rispetto a quello che i mariti freschi di apprezzato fascismo familiare volevano, le suocere vendicative della propria condizione esigevano dalle nuore giovani e i parroci predicavano – era non soltanto possibile, ma legittimo e addirittura positivo.

Il sillogismo che involontariamente il cinema, e poi la televisione, avrebbero affermato con molta più efficacia dei «pacchetti» inviati dalle ambasciate e dall'Usis era colto da donne semplici come da donne istruite: se è l'America l'ideale, il modello, l'alleato al quale noi, come elettrici, dovremmo allinearci, perché mai le loro donne dovrebbero essere un modello negativo, da evitare? L'essere femmine «in Occidente», come si sarebbe cominciato a dire più tardi, non poteva fermarsi agli elettrodomestici, al rossetto a prova di bacio, alle calze di nylon, al foulard di seta al vento della cabriolet, alle piroette di Ginger e Fred (ma quei due «lo facevano o non lo facevano?» si chiese una generazione di spettatori), al flirt, alle vacanze romane. Quello, intuirono molte italiane, era l'effetto, non la causa, di una condizione femminile diversa e visibilmente migliore.

Il fatto che le stesse donne americane fossero, nella realtà, assai differenti da quelle illuminate sullo schermo dei cinema all'aperto o degli atri fumosi, che non tutte fossero giunoniche come Jane Russell, sexy come Marilyn Monroe, maliziose come Judy Garland, eleganti come Greer Garson, era ignoto a un pubblico che della realtà di un'America ancora molto rurale e ruvida, molto proletaria nel senso letterale della parola, poco sapeva e meno si interessava.

Le First Lady come Betty Truman o Mamie Eisenhower erano ancora raccontate come accompagnatrici al pianoforte, come infermiere al capezzale del marito infartuato, sostanzialmente condannate a «preparare il tè coi pasticcini», secondo la scandalosa battuta di Hillary Clinton nel 1992. Anche quell'immagine della *superwoman* era falsa, come lo sarebbero stati per anni i western, o almeno molto miope, perché il «sogno americano», al maschile o al femminile, nacque con l'invenzione di un gruppo di fantastici emigrati ebrei venuti dai ghetti dell'Europa orientale che crearono Hollywood e il mito.

Ma non era falsa l'abissale distanza che ancora separava le donne italiane da quello che di vero esisteva nella vita delle donne americane e che si riassumeva in un profumo irresistibile di un'essenza che neppure la sinistra comunista, angosciata dalla prepotenza della propaganda indiretta, era riuscita a sprigionare dalle sue riviste come «Noi Donne», dalle serate in sezione o dall'ipocrisia puritana dei suoi gruppi dirigenti che Miriam Mafai ha raccontato così bene: il profumo della libertà individuale. Hollywood fece più danni al clericalismo, al perbenismo di destra come di sinistra, alle bardature dei «valori tradizionali», di cento comizi e di mille editoriali. Non c'era bisogno, nell'Italia sospesa fra modelli e ideologie, dell'aggressività alla *Sex and the City* per far vedere alle donne italiane che esistevano altri modi per essere donne.

Sarebbero venuti soltanto più tardi il femminismo, la traduzione dell'implicito nell'esplicito, del soggettivo nell'oggettivo per le donne decise a passare dal suffragismo al protagonismo nella politica e nell'economia, ma il calco era stato fatto, il gesso della suggestione era divenuto il bronzo della convinzione, per le donne italiane uscite dalla guerra ma non ancora entrate in quella modernità dalla quale ora il grande riflusso culturale e clericale vorrebbe di nuovo cacciarle, riportandole al ruolo di polpose marionette televisive e di angeli del teleschermo, devote al loro compito riproduttivo. Esiste un modo diverso, possibile e legittimo di essere donne, disse il cinema americano dopo la guerra. Un'altra rivoluzione, anche questa arrivata dall'America, era cominciata.

Ringraziamenti

È cosa buona e giusta, anche questa imparata in America, rendere grazie e omaggio a chi ha collaborato alla pubblicazione di un libro e l'ha reso possibile. Dunque la mia gratitudine va prima di tutto a mia moglie Alisa, che sopporta da quasi quarant'anni le mie assenze fisiche e la mia trance quando devo scrivere e mi isolo da tutto. Poi a un piccolo e delizioso ristorante sugli scogli di Arenzano, Azzurro 2, il cui pesce fresco alla griglia mi ha reso facile firmare un contratto con l'amico Andrea Cane; a Nicoletta Lazzari, l'editor che ha sacrificato un'estate cercando di dare un senso e un ordine alla bracciata di scritti, sfoghi e soliloqui che le avevo rovesciato addosso. E infine agli amici di «Repubblica» che da decenni mi lasciano libero e padrone di sbagliare da solo, inspiegabilmente pagandomi pure. Sono stati loro a darmi le idee e gli spunti per scrivere molti dei pezzi raccolti in questo libro.

Indice dei nomi